テクノシステム時代の人間の責任と良心
―― 現代応用倫理学入門 ――

Einführung in die angewandte Ethik:
Verantwortlichkeit und Gewissen

ハンス・レンク
Hans Lenk

山本 達・盛永審一郎 訳

東信堂

Hans Lenk
Einführung in die angewandte Ethik.

Copyright © 1997 by Kohlhammer GmbH, Stuttgart
Japanese Translation Rights Arrangement
through The Sakai Agency, Tokyo

Published by TOSHINDO PUBLISHING CO., LTD.
1-20-6, Mukougaoka, Bunkyo-ku, Tokyo, 113-0023, Japan

倫理学の伝統や［倫理の］基礎づけ問題はやはり主として個人主義的と言えるような発端に基礎を置いていた。その発端は大体、自己自身の良心と理性に導かれる道徳であった）。

こうして、「責任」と「良心」という基本概念を手がかりに倫理学へと導く入門書の翻訳が今般刊行される運びになったが、この翻訳は、こうした倫理学の議論を伝統的な倫理文化の垣根を超えて受け入れるための一つの機会として理解できる。他の文化的な伝統に由来する経験を媒介にして相互に学び合い活性化し合うのは、基礎分析をいっそう緻密に深く徹底する上で常に貴重である。それどころか、自己自身の基層的な価値や伝統を認識し引き受ける上でも貴重である。深海魚は、自分が泳ぎ生息している場である水に気づくことがない。著名な物理学者で哲学的な箴言家でもあるゲオルク・クリストフ・リヒテンベルク（G.C. Lichtenberg）が、18世紀に語った言葉を借りるなら、こうである。「化学しか知らない者は、化学を本当に理解したことにならない」。これに従い、私は文化理解の公式を次のように表したい。「自己自身の文化しか知らない者は、自己自身の文化を本当に知ったことにならない」。

遅くとも20世紀初頭になってから、応用倫理学にとって格別の挑発となった道徳的な問題がある。それは、科学と技術という「大きな力」が提起する問題である。遅くとも第一次世界大戦以来、科学はその道徳的な潔白さを喪失してしまった。このことは特に、科学が開発した大量殺戮兵器に当てはまる。そうした兵器が20世紀の両世界大戦で投入された。例を挙げるなら第一次世界大戦での毒ガスであり、第二次大戦での大規模爆撃、とりわけ1945年、広島と長崎へ投下された二つの原子爆弾である。こうした極端な武器使用によって数十万に及ぶ人々の生命が根絶されたというだけではない。大量殺戮兵器を使用する際の道徳的な葛藤への問い、一般的には、戦争技術に応用される科学の倫理的な根本問題への問い、そうした問いが特に赤裸々な姿でわれわれの目の前に突きつけられた。

最近の10年間、こうした範囲を飛び越えて数多くの諸問題が注目の的になる。それは、政治的・制度的な従属関係という問題や、人口過密地域で科学技術が誘因となり生起する環境被害という問題、要するに倫理的な調査研究を喚

起するようなエコロジーの問題である。人間でない被造物も含めた生命への倫理的な尊敬の先駆者、パイオニア、たとえば今ではもうほとんど百年前になるが、アルベルト・シュヴァイツァー（A.Schweitzer）のような人たちは、長い間、満足に顧みられることがなかった。特に、専門職的な哲学や哲学的倫理学では顧みられなかった。「生命倫理学」の先鞭者、そして彼の「生への畏敬」という倫理学は最近では、紛れもなく再発見される。実に日本でも大きな反響を呼んでいる。彼と彼の倫理学は、応用倫理学のためにいよいよますます真剣に受け取られている。アルベルト・シュヴァイツァーは、わたしの見たところ、自著『アルベルト・シュヴァイツァー——具体的人間性(Humanität)としての倫理学——』(ミュンスター、2000年)で描写を試みたように、具体的人間性という主要理念を倫理学の中枢に据えた応用倫理学の実践哲学者であり代表者である。彼によれば「人間性」とは、人間が何か目的のために犠牲にされることはけっしてないという点に成り立つ。残念なことには、**具体的**人間性という厳密にフマニテートに方位づけられた、こうした倫理学は今も昔も難儀を受ける。戦争の時代だけではない。平和な時期でも、主に市場経済的傾向の強い社会では、そうである。

　シュヴァイツァーに見られる人間性への方向性は、「疑わしいときは人間性に味方して」（**疑わしきときは、実効的あるいは具体的人間性のために** *In dubio pro humanitate practica sive concreta*）という命題にまとめられる。組織や制度、及び公式の国際関係、折々の国内法やますます国際化する法などの影響を受ける時代にあって、倫理学にとり重要なことはと言えば、人間性の声に注意を凝らし具体的な人間性を促進することである。政治、産業、経済、技術、科学が、そしてナショナリズムや原理主義※とか他のイデオロギーとかが前面に押し出して今日でもなお表し続ける圧倒的な圧迫や構造が、具体的人間性を脅かしている。こうした危機に遭遇してこそ、具体的な人間性を促進することが重要である。

　一般的に人間性を、とりわけ具体的で状況に適合した人間性を促進するためには、倫理的な基本概念と応分の中心的理念をいっそう厳密に研究する必要がある。例えばそうした理念としては、人間性一般の理念とか、実践生活や動物の扱いでの具体的な人間性の理念がある。だが、「責任性」や「良心」のような、

日本語版への序文
「責任と良心……」

　「責任と良心……」という言い回しは、中世後期、そして近代の始まりにやっと認められる。ドイツ語で「責任を負う（verantwürten）」という動詞は14世紀に、「責任」という名詞は15世紀後半に見られる。英語で「責任（responsibility）」という名詞が見られるのは、ようやく18世紀の中葉になってからのことであるが、「責任がある（responsible）」という形容詞の方はすでに早くから議会の討論で慣例的に用いられていた。フランスで「責任（responsabilité）」の表現は、1783年に初めて登場する。「良心（Gewissen）」の表現は、すでに11世紀の古高ドイツ語に見つけることができるが、この言い方は、ラテン語「良心（consciencia）」に倣っているのは言うまでもない。これは法的な概念として罪の意識を表している。キリスト教では、良心に相応するシンエイデーシス（syneidesis）という表現が新約聖書にまで遡る。

　これら倫理上の根本的な概念は、ことがらとしては非常に古くから知られている。「弁明する（ロゴン・ディドナイ logon didonai）」という言い方は、すでに古代ギリシアで重要な役割を担っていた。今日でも、ソクラテスの内なる警告の声、つまり「ダイモーンの声」が良心の表現であると解釈してよいのかどうか、これについて学者たちの間では相変わらず論争がある。

　わたしがこの書物で提案するように、良心は、意識の内に受け止められた責任性（責任感）であると解してよい。これら内的な根本概念が相互に結びついていることは、古くから周知の事実であるのは言うまでもない。東洋の倫理・宗教の伝統でも変わりがない。弁明する、責任を引き受ける、自分自身の行為を内的に自覚し反省しながら是認ないし否認する、これは太古以来、文化を誇る処であれば、どこでもよく知られた行いである。こうしたことが取り分け当てはまる文化では、いろいろな集団や共同体が、行動・行為を型どったり評価・判定するのに特段に顕著な役割を演じている。これは、格別に日本の伝統や社

会に見られるケースであったし、現に今もそうである。共同体の責任、集団奉仕という形での義務受容、それに個人相応の自己修養、これらは日本の倫理でこそ長い伝統がある。こうした伝統を育む糧としての供給源は、いろいろである。儒学に基礎を持つ社会的責任性があるし、同様にまた武士道倫理（例えば**葉隠れ**）の伝統もある。武士道倫理は、英雄的な義務倫理を表している。これは、主君への侍、つまり家臣の特異的な献身を要求し育成するような義務倫理である。ここで個人の臣従は、自己修養や克己という神秘であり、日本武士道伝統の課題と主従制度に全身全霊で没入する献身という神秘である。間違いなくそう言える。わたしは日本の倫理思想史のエキスパートではないが、こうした義務に挺身し献身する態度、それどころか自己を犠牲にできる態度が日本の近・現代でも変わらずに大きな役割を演じてきたと思われる。こうした義務の見方や責任のコンセプトが特異的な形をとって表れたのが、「義理」の概念である。義理の概念は、ひょっとすると、ヨーロッパの伝統から逸脱するような〔義務や責任の〕解釈を余儀なくしよう。「面目を失わない」とか、いつも平常心を保つという伝統的な重い要求は、もしかすると、こうした伝統的な義理概念から派生したものだろうか。関与（参画）、義務づけ、責任感、相応の内的な自己評価（例えば良心による自己評価）など、これら倫理的な根本的諸概念について、東洋と西洋との伝統の間で比較研究するなら、興味深い解明がなされると思われる。その解明は、文化の相互的な比較や文化の相互理解だけではなくて、さらに、倫理的な諸要求や諸関係、例えば義務と傾向性との間の関係をいっそう綿密に細分化して様式化するのにも役立つことだろう。このことは確かにまた、個人倫理と社会倫理ないしは社会道徳との間を比較し関係づけることにも当てはまる。倫理のヨーロッパ的伝統はしばしばどちらかと言うと個人主義の方に片寄って理解されてきたが、道徳についての見方を日本流に集団へと方位づけるような種々の洞察を媒介にすることでヨーロッパの伝統が内容を豊かにされはしないかと、わたしは思う。少なくとも、そのような比較からは、個人倫理と社会倫理という二つの極を取り結ぶ倫理学の議論のために稔りある結合点のいくつかが生まれ得るかもしれない（確かに集団道徳や社会倫理がキリスト教の刻印を受けた西洋でも十分に熟知されているのは、言うまでもない。だが、哲学的な

むしろ機能的で構造的な基本概念をいっそう綿密に分析する必要もある。極端な状況での倫理的な葛藤を、それどころか破局的事例を扱うようなケーススタディは、いろいろな問題点を特別あからさまに呈示してくれる。だが、いろいろな葛藤の雛形とそれらに即応した概念的で応用倫理学的な研究が日常生活での通常事例にも関係づけられるのは、言うまでもない。

本著は、導入部として歴史的な倫理学の伝統について概観した後で、良心の現象、人間性への方向性［態度］の現象、および個人的と社会的な責任構造の現象を研究する。そうして［種々の責任のタイプに関係した］若干の優先・選好規則を獲得する。それらの規則は、道徳的な葛藤に際して有効に働くことができる。特に応用科学に関連して役に立つ。

応用倫理学へのこの入門書が、この分野に関連した日本とヨーロッパでの知的な議論を強化できるなら、そして例えば相異なる倫理伝統を歴史・哲学的に詳細に比較するための機縁となってくれるなら、著者にとって大きな喜びとなろう。本書がそうした機縁になるなら、どんな文化に属する人間であれ、われわれに共通に人間性が義務として課せられているという根本問題は、私見によれば明瞭にその特徴を際立たせることであろう。**疑わしきときは、人間性、実効ある人間性のために**(*In dubio pro humanitate, pro humanitate practica!*)。

2002年2月

著　者

※原理主義（ファンダメンタリズム）：1920年代にアメリカのプロテスタント教会で起きた保守的な宗教運動で、聖書の一語一句に神の霊感を見る厳密な逐語霊感説を強調し、アメリカで社会的にも大きな力を振るった。新しいアメリカの聖書解釈を排斥し、排他的な姿勢を持つ反面で、世俗主義に対して純粋な信仰生活を保持しようとする。70年代以降では、急進的なイスラム復興勢力の立場の呼称ともなっている。一般に知識や文化の在り方を捉える上で、その究極の基礎としての根本原理の実現を求める思想運動を、このように呼ぶ場合もある。

凡　例

1. 本書は、Hans Lenk, *Einführung in die angewandte Ethik: Verantwortlichkeit und Gewissen*, Verlag W. Kohlhammer, Stuttgart-Berlin-Köln, 1997 を訳出したものである。
2. 原文でイタリック体で表された語句は、著書名の表記の場合を除き、訳文でゴシック体で表し、原文の„ " は、訳文では「　」で表した。著書名には『　』を付した。
3. 〈　〉の符号は、訳文を読みやすくするために用いられ、[　] を付した語句は訳者が補足したものであることを示す。
4. (　) は、原文に基づいて用いるほかに、次の場合にも使用した。
　　①重要タームや著者名に原語を付記する場合。原語がラテン語などである場合には、原則として (　) 内にその原語を入れた。
　　②同一原語について、訳語の意味を補って別の訳語を添える場合。
　　　例：倫理 (倫理学)、責任がある (責任存在)
5. 本文中の引用表記は、巻末に引用文献一覧を付したので、一部を除き、本文中の (　) 内には、著者名の原語を表記し、次に著書・論文名を省略のうえで出版年号だけを示し、続いて該当頁数を記すというように統一した。
6. 本文中の各章には、節見出し、小見出しが表記されているが、原文にあるのは、第7章の「ミルグラム実験」「自然科学者における責任の問題に関して」「(ガス) 化学戦争におけるハーバーの混乱」「現代物理学者の諸要求」「倫理委員会は道徳的ジレンマを解決するか」「人体実験と野外実験に特有の二重の責任」「競争の駆り立てと倫理的葛藤」「単独責任を伴わない共同責任性」「科学における責任についての七つのテーゼ」、以上九つの項目だけである (目次ではゴシック体で表示)。ほかの節見出し、小見出しは、すべて訳者が便宜上設定したものである。
7. 原注は「1) 2)……」を付して巻末にまとめ、訳注は、※を付して該当個所を示し、それぞれの注記を (原則として) 直近の奇数頁下段に組み入れた。

『テクノシステム時代の人間の責任と良心——現代応用倫理学入門』／目次

　　日本語版への序文「責任と良心……」　iii
　　凡　例　viii

1. 序論——倫理学の構想について見通しをもつこと……………………3
　　■倫理学の分類　3
　　■倫理学の歴史への一瞥　6
　　■普遍的モラルの現代倫理学　8
　　■現代社会での個人主義的倫理学の限界　10
　　■科学技術の時代と人類に対する責任の倫理学、そして普遍的モラル　12

2. 良心の呼び声——良心概念の概観………………………………………15
　第1節　古典的な良心概念………………………………………………15
　　■「良心」、その歴史的事例　15
　　■ストア学派　17
　　■キリスト教的な良心　20
　　■ルターの良心区分と良心の世俗化　22
　第2節　カントと良心概念……………………………………………26
　　■内面の法廷としての良心——カント(1)　26
　　■内面の法廷での人格——カント(2)　29
　　■解釈上の構成体としての良心——カント(3)　31
　第3節　カント以降の良心概念の展開…………………………………35
　　■良心の内面化と意味喪失——ゲーテ、ユング、ニーチェ、フロイト　35
　　■現代の良心理論のさまざま——キットシュタイナー、ライナー、ルーマン、
　　　ブリュードルン、リューディガー、キュンメル　38
　　■良心と責任　40

第4節　裁判での「良心」……………………………………………………41
- ■アイヒマンの「良心」　41
- ■良心と名誉、勇気　44
- ■主観的と客観的な良心概念——ある判例から　45

第5節　良心問題の捉え直し………………………………………………50
- ■再び良心問題の提起と吟味　50
- ■良心の実体化から脱却しなければならない　52
- ■良心現象への分析哲学的アプローチと解釈論的アプローチ　54
- ■良心のアプリオリの構造とは　56
- ■現代の良心理論の分類——ヴェルナーを手がかりに　57

第6節　良心から責任性へ…………………………………………………58
- ■良心を〈メタ決断の審級〉と見る理論——良心は解釈上の規範的な構成体である　58
- ■実存哲学の良心理論　60
- ■本章を回顧して　61
- ■再び、解釈上の規範的な構成体としての良心と責任性、そして人間性（フマニテート）　64

3. 自己責任性としての人間性——具体的な人間性の哲学について……67

第1節　具体的に哲学するということ……………………………………67
- ■不適切な抽象化という誤謬　67
- ■ピルジッヒの「哲理学」批判　69
- ■伝統的哲学者の尊大な思考と実存哲学のパラドックス　70
- ■尊大な思考、普遍性の思考の具体的実存による止揚——タイシェル　73
- ■具体的に哲学すること、具体的な人間性の哲学　74
- ■具体的実存の哲学も一面的ではないか——具体的な共同人間性の哲学　77

第2節　自己責任性——ヴァイシェデル…………………………………78
- ■ヴァイシェデル『責任の本質』　78

■自己責任性の三段階、そして根本自己責任　80
　　■「根本自己責任」という見方はレヴィナス流の「社会的責任」の対極にある　82
　第3節　レヴィナスでの他者と責任..83
　　■出会い、他者、そして顔　83
　　■「我責任を負っている、ゆえに我あり」　86
　　■非対称的倫理学の基礎としての責任——「他者のヒューマニズム」　89
　　■「他者のヒューマニズム」——哲学のジレンマの克服に向けて　92

4. 自己責任と社会的責任..97
　第1節　社会的責任と自己責任との統合..................................97
　　■レヴィナスの「社会的責任」は極端である　97
　　■人格に根づく責任性は、社会にも自己にも結びつく　100
　　■責任を帰するという問題の二重性——記述と評価　104
　　■改めて、責任性の二つのタイプ　105
　第2節　両者を統合する責任性と具体的な人間性の倫理学...............107
　　■責任概念は、いずれにせよ関係概念である　107
　　■責任性は具体的な人間性を表示する　108
　　■自己責任性と他者責任性との結合を引き受ける倫理学の必要性
　　　　——メタ責任　110

5. ボパール——無責任性と責任の喪失：ケーススタディ..............113
　第1節　ボパールのケース..113
　　■ボパールの大惨事——システムの非人間性の事例　113
　　■この事故をめぐる議論　116
　　■ここでは、伝統的な「責任性」は役に立たない　121
　第2節　システムの道徳的不十分さ・非人間性..........................122
　　■テクノシステムの道徳的不十分さと新しい次元の「責任性」　122

■システムの非人間性という現象　124

第3節　新しい道徳的責任性に向けて……………………………………128
■「負い目責任」・「非難責任」対「事前の配慮責任」(ラッド)　128
■「交代」ではなく「補充」——ラッド批判、そしてヨナス批判　130
■未来に向けられた道徳的責任性を徳として把え、人間性として特徴づけること（ラッド）　132
■功利主義的な個人主義に対抗する市民的な徳　135
■責任性のいろいろな次元の具体的分析(次章のテーマ)へ　136

6. 責任のさまざまなタイプ(類型)と次元……………………139

第1節　責任のさしあたっての類型的区別……………………………139
■自然科学者は責任がないのか？　139
■先駆者による「責任」のタイプの区別　141
■責任の10個の類型　143

第2節　個人の責任とグループの責任…………………………………146
■責任性の統一とグループの責任性　146
■航空事故のケース　147
■「責任性の拡張された原理」と「敏感な順応の原理」(フレンチ)　149
■人格的責任の統一性　151
■責任概念は多位の関係概念である——少なくとも五つの位　152

第3節　行為責任、役割・課題責任、普遍道徳的な責任……………154
■行為責任の種々のタイプ　154
■行為責任の具体化としての役割・課題責任　156
■普遍道徳的な責任性　158
■図表での区分について　160

第4節　責任の26個の類型…………………………………………162
■責任のさまざまな両極性——責任の類型的区別　162
■区別1～2　163

■区別3〜4　165

　　■区別5〜8　168

　　■区別9〜10　170

　　■区別11〜14　173

　　■区別15〜18　176

　　■区別19〜26　178

　第5節　責任の類型から優先規則へ............180

　　■責任のさまざまな類型的区別とその結合　180

　　■責任葛藤での優先規則　181

7. 科学者の責任へ向けて............185

　■科学者の外部的責任は、その内部的責任とは異なる　185

　■普遍的な倫理的責任　188

ミルグラム実験............190

　■実験経過・結果　190

　■誰に、どのような責任があるのか　197

　■事後の同意・正当化？　199

自然科学者における責任の問題に関して............201

　■自然科学者の外部的(外部に向けられた)責任　201

　■アルベルト・アインシュタイン、ゲッチンゲン宣言、パグウォッシュ会議　204

　■ボルンのペシミズム　206

　■自然科学者の責任をめぐる自然科学者たちの態度表明　207

　■責任性の拡大の視点──科学者の共同責任性　213

(ガス)化学戦争におけるハーバーの混乱............214

　■ハーバーによるガス兵器開発　214

　■ハーバーの弁明　216

　■ハーバー対シュタウディンガー　217

　■ハーバー評価　219

現代物理学者の諸要求 221
倫理委員会は道徳的ジレンマを解決するか 224
人体実験と野外実験に特有の二重の責任 226
競争の駆り立てと倫理的葛藤 228
単独責任を伴わない共同責任性 230
科学における責任についての七つのテーゼ 232

  原　注 235
  引用文献 241
  訳者あとがき 251
  人名索引 263

テクノシステム時代の
人間の責任と良心

―――現代応用倫理学入門―――

1. 序論——倫理学の構想について見通しをもつこと

■倫理学の分類

　倫理学は、善の概念、善という問題、そして善の理論を、特に善い行為・生活をめぐって研究する学科である。倫理学は、善い行為や正しい行為のいろいろな原則を基礎づけ、あるいは正当化する。また世に一般に通用している道徳を批判的に研究する。こうしたことに倫理学の主要課題がある。種々の哲学的あるいは神学的な倫理学がある。「倫理学」という用語は、不運なことに、この学科が学問として登場してから今日に至るまで、つまりアリストテレス以来ずっと、いろいろ多様な意味で使用されてきた。一方で、倫理学という用語で思い浮かべるのは、道徳や道徳性についての哲学的あるいは神学的な研究である。この意味での倫理学は、道徳哲学または道徳神学と同じ意味である。他方では、道徳の指図や規則を総称して、しばしば倫理（倫理学）であると言われたりする。こうした多義性の弊害は取り除かなくてはならない。そのためには、「倫理学」を最初の意味に制限するのがよい。すなわち本著では、倫理学は狭い意味で「哲学的な倫理学」を表すものとしておこう。

　「道徳」や「道徳性」の用語にも、われわれの言語では多様な意味がある。しばしば道徳という言葉で理解されていることは何だろう。それは、社会一般に通用する一群の行動規範である。社会が期待し、あるいは制裁する慣習、さらには集団に特有の慣習という意味での行動規範である。「道徳上」とか「慣習上」とか言った形容詞が、もっと狭い意味で、性風俗の領域に限定して用いられることもよくある。だから、「道徳性」という用語は、伝統的には、人間あるいは人間以外の生物に対し人間行為に課せられた人間にとっての普遍妥当的な責務、同時に絶対に無制限の責務を表してきたが、今ではもう一意的ではなくなっ

ている。われわれはこうした術語上の難点を避けるために、「道徳」という用語を広い意味で、いろいろな集団道徳や社会道徳を表すために使用する。これに対して、哲学的な倫理学（端的に言って倫理学）が探求すべきいろいろな規則や規範のほうは、「普遍的モラル」（または「基本的モラル」）と名づけられる。こうしたやり方が望ましい（この場合、規範とは、行為の評価や裁可に結びつくような〈期待されるべき行為〉、あるいは哲学的な意味で普遍的に正当化できる〈期待されるべき行為〉である。このような期待をわれわれは、他者と自分自身に向かって育むべきである）。

　大まかに言うと、倫理学は次の二つに分類されよう。一つは、さまざまな道徳的現象を記述する研究、すなわち道徳現象の経験科学的研究である。こうした研究は特に、道徳社会学、道徳心理学（ことに発達心理学）、民族学、それに文化人類学で試みられる。二つには［行為を］指図する（規範的な）倫理学がある。これは、哲学的（または神学的）に、善い行為の原則・根本規則を基礎づける。いろいろな規範の品定めもする。こうした試みの倫理学が、哲学本来の内容を持つ伝統的な倫理学である。さらに最近ではメタ倫理学というものが興り、ここでは道徳的な命題の概念・言語分析が研究対象となったし、さらに道徳的命題を正当化するための方法についての概念・言語分析も研究対象となった。道徳哲学の種々の手がかりを研究すること（たとえば、記述的倫理学・規範的倫理学とメタ倫理学自体とのあいだを区別すること）は、本質的に、メタ倫理学の領域に属する問題である。このことに関連し、そのほかにも重要な区別がある。すなわち、一方には倫理学の手がかりを認識に見る理論（いわゆる認知主義的理論）があり、他方には、非認知主義的な倫理学があるという区別である。認知主義的でない倫理学は、倫理学の課題が倫理学固有の認識にあるとは見ないで、倫理学の課題を勧めや指図といった社会的な機能に見るような倫理の基礎づけである。非認知主義的理論のうち、たとえば指図的倫理学によれば、倫理的命題とは命令の変形である。これに対し情緒的理論によれば、倫理的命題とは結局は、とっさの感情の表出にすぎない。こうした認知主義的と非認知主義的との区別に交差するかたちで、倫理学には、自然主義的な手がかりと非自然主義的な手がかりという区別もある。自然主義のほうは、倫理の規範・規則・命題を

1. 序論——倫理学の構想について見通しをもつこと

人間の自然な欲求に還元する。これに対し非自然主義は、道徳的なものには自然的でないような経験、自然科学で捉えられないような経験があるという考え方に支えられている。たとえば、直覚主義による基礎づけは、人間に固有の道徳的（価値）経験という特別の経験が［道徳生活の］基盤になっていると仮定する。さらに、現代の社会科学では、主観主義的な手がかりと客観主義的な手がかりとの区別が重要である。主観主義では、すべての規範、道徳・普遍モラルの命題は主観の選好に論理的に還元される。客観主義的な手がかりでは、主観的な価値の選り好みと普遍的モラルの命題とのあいだに推論関係が成り立たないとされる。最後に特に重要な区別を挙げよう。それは、結果倫理学と原則倫理学という区別である。結果倫理学は行為のよしあしの判定の基準を、行為結果の価値におく。原則倫理学は行為の価値を、行為の意図や動機、あるいは行為の仕方を基準において判定する。こうした心情倫理学、行為の仕方に関する倫理学の立場からすると、目的がよければそのためのどんな手段も正当化できると言うわけにはゆかない。こうした倫理学では、「義務論的な」倫理理論という用語が市民権を得ている。ところで結果倫理学をマックス・ヴェーバーが「責任倫理学」と名づけたのは、たいへんな誤解によることである。今日ではむしろ、結果倫理学は目的論的倫理学、あるいは帰結主義的な倫理学と呼ばれている。倫理学で特に最近流行し勢力を持つようになったものに功利主義がある。これは、ベンサムとジョン・スチュアート・ミルを祖とする英国の伝統に由来する。功利主義が目的論的倫理学というタイプの中でもっとも重要な変種である。この倫理学では、人間が追求すべき最高善が（人間の中での、あるいはもっと一般的に生き物の中での）「最大多数の最大幸福」として同定される。功利主義と言っても、いわゆる行為功利主義は、規則功利主義から区別されなければならない。行為功利主義では、個々のどんな行為結果についても別々に評価が下される。だが、規則功利主義では個々の行為ではなくて、規則と規範が評価される。当の行為が規則となったときにどんな行為結果を生むかが、評価の対象とされる。今日では、規則功利主義が、実践応用の倫理学、現場に目を向ける実用倫理学の領域で特に主導的な理論である。

　以上の倫理学のさまざまなタイプは、もちろん相互に重なり合って結びつく

こともある。たとえば、いわゆるメタ倫理学の多機能主義では、倫理の意味や機能の多様性が強調される。この多機能主義は、多元論から出発し、一元論的な理論に対立する。一元論的な理論では、ただ一つの原理が、善を特徴づけるメルクマールを表し、あるいは唯一の［価値の］優先関係を際立たせる。

規範倫理学のいろいろな課題を具体化するとなると、次の区別が生じる。すなわち、一方には規範の内容を指し示す実質的な倫理学があり、他方、これに対立するかたちで形式的な倫理学がある。形式的な倫理学では、もっぱら、抽象的でもっとも普遍的な原理を提示しこれを応用することにだけ、道徳哲学の課題があるとされる。

■倫理学の歴史への一瞥

内容ある実質的な規範を持つ倫理学は、疑いなく古くからある。それらの手がかりは、宗教的な伝統に由来するが、やがて、哲学的な基礎づけが試みられることで一歩一歩［宗教から］自立するようになった。しばしば、宗教的な基礎づけと哲学的な基礎づけとが混ざり合うこともあった。たとえば、もっとも古く包括的で、哲学的に普遍的な原理は、「傷つけてはならない」、「殺してはならない」という不殺生(Ahimsa)の掟※である。この掟は、インド半島に住むジャイナ教信者には最上の規範命令だと見られていた。すなわち、何であれ生命あるものには害を加えてならない。この命令の動機づけは、宗教的でも哲学的でもあった。ここに、宗教集団による倫理的革命の最古の源泉がある。この宗教集団の創設は、紀元前6世紀の仏陀と同時代人であるマハービーラ※に帰せられていたが、おそらくもっとずっと古く神話的起源にまでさかのぼることだろう。西洋では、倫理（倫理学）の端緒はデモクリトス※の幸福主義的な箴言にあろう。この箴言は、個人の幸福、節度ある善い生活態度、そして快活な気分にねらいをしぼっている。ソフィストたちやソクラテスは、人間の節度には原理があるのを発見し、個の自覚や徳の教えが、弁明という役割を担っているのを明らかにした。プラトンでは、善、真、そして美がまったく同一であるとされた。アリストテレスは、学としての哲学的倫理学の本格的な創始者である。実践的に善い生活に関する彼の理論が倫理の基礎として中心に置いたのは、個々人が身につけるべき徳という理想であり、両極端のあいだでの正しい中庸であ

る。また、善い行為や生活にかかわる実践哲学といういっそう広い枠組みの中へ、正義をはじめとするさまざまな社会的徳を組み入れた。アリストテレスでは、理論的な観照と、基本的な倫理的徳として個々人の身につけるべき徳（アレテー）とが重要であった。これに対して、ストア学派は、「理性に従うこと」、「ストア的」無感動、心の平静、そして自己充足を最高の徳と見た。アリスティッポスやエピクロスは、喜びをめざす「快楽主義的」な倫理の基礎づけを説いたが、これも幸福主義的な内容の倫理学に入る。隣人愛を、それどころか敵への愛さえも説くキリスト教道徳は、ただ単に宗教的にしか基礎づけられなかったわけではない。中世になると、特に哲学的立場からも基礎づけられ解釈された。キリスト教は、個人と個別性が高い価値、無限と言ってよいほどの価値を備えていることを格別に強調した。

　近代になって、キリスト教の徳論が引き続き影響を与えるが、これと同時に、特に突出してくるのは、スコットランド道徳哲学者たちによる道徳感情に関する種々の理論、上述した功利主義の芽生え、そしてインマヌエル・カントの形式的な原則倫理学である。カント倫理学は、付言すると、道徳哲学上の一種の革命であった。なぜなら、［カントは］道徳的義務や道徳法則自体への尊敬は、個々の幸福への手引きや傾向性に左右されるものでないと考え、普遍的モラルや道徳なるものを、こうした尊敬に局限して考えたからである。倫理学はカン

※不殺生（アヒンサー Ahimsa）の掟：あらゆる生き物の命を奪ってはならないという、古くからインド人の倫理観の根本にある第一の倫理条項である。ジャイナ教、仏教、ヒンズー教に引き継がれている。積極的には、一切の生き物を同胞として慈しみ保護する心情の掟と理解される。現代のガンディーの非暴力主義は、この思想に立脚する。

※マハービーラ（Mahavira）：ジャイナ教の開祖。生没年には諸説があるが、有力な一説は紀元前444〜372年で、仏教の仏陀と同時代の人。マハービーラとは「偉大な英雄」という意味の尊称で漢訳仏典では「大雄」と訳されている。マハービーラも仏陀と同じく武士階級（クシャトリヤ）の出身で、30歳で出家し12年間の苦行の末に知恵の体得者としてのジナ（勝利者）となった。カースト制度を否定し神々への供養を中心とする祭司宗教に反対したマハービーラは、苦の原因であるカルマン（業）の除去によって悟りに至るために、徹底した不殺生の戒律を説き厳しい禁欲主義を実践した。

※デモクリトス（Demokritos）：紀元前420年頃にギリシアに生まれ、レウキッポスの原子論を発展させた自然哲学者として有名である。倫理学についても格言が残されており、彼によれば、最高善とは幸福であり、幸福は心の快活と自信である。そうした心の状態は、節度と均衡ある生活で得られる。

トにとって義務倫理学であった。すなわち道徳性は、すべての傾向性から自由でなければならず、あらゆる経験に先立つかたちで、すべてを包括する道徳法則に、つまり定言命法に基礎を持っていなければならなかった。「あなたは、格律が普遍的法則になることをその格律によって同時に欲することができるような、ただ、そうした格律（理由を踏まえた行為への決意［原著者による］）にだけ従って行為せよ」(Kant, I., *Gesammelte Schriften*, Bd.4, p.421)。だから、「代表者にふさわしく行為せよ」が、カントが示す唯一の形式的で普遍的な指図である。この指図が強調するのは、次のことである。つまり、道徳性を忠実に守ること、道徳性に必然的に結合する価値、特に人間性という理念に注意をこらすこと、どの他人の人格にも人間性という理念を承認するよう留意すること、また、道徳的自律としての自由を守ることである。

　普遍的な法則であるという性質、必然かつ無条件に普遍化できるという可能性が、カントで言う道徳、普遍的モラルの特徴を示す基準である。カントは、厳密な義務、つまり狭義の（「容赦のない」）義務と、広義の（「功績となる」）義務とを区別している。この区別はたしかに、［カントが］後になって目標にしていること※に対し重要な意味を持つようになる。「必ずしも絶対的に命じられてはいない価値」を実現するのは、「カントにとっては、後者の広義の義務、特別に倫理学的に基礎づけられる普遍的モラルに相当する」。だが、カントの厳粛主義的な原則倫理学は、一切の功利主義の手がかりに対しては正反対に位置する。

■普遍的モラルの現代倫理学

　今日では、原則倫理学の要素と結果倫理学（少なくとも規則功利主義という意味での結果倫理学）の要素とを一つの倫理学に統合する必要があるように思われる。他者と自己とに対する義務として払うべき尊敬という要素を、好意という要素に結びつける必要がある。倫理学を純粋に形式主義により基礎づけることも、純粋に内容的に基礎づけることも、もう今では支持できそうにない。人間が道徳のために作られているのではなく、道徳が人間のために作られているのだ (Frankena, 1972, p.141) とすれば、二種類の倫理学を極端なまでにとぎすますようなことは、今ではもう正当化できるとは思えない。倫理学は、ミックスした

多様な価値を認める普遍的モラルだけを受容できるように思われる。最近、倫理学と正義論を道徳哲学的に基礎づけた興味深い試みとして、社会・世代間契約の理念を修正した考え方（Rawls, 1975）がある。また、不殺生・普遍的モラルの純粋な新哲学版とでも言うべき、ベルナルド・ゲルト（B. Gert）が行った特別に重要な試み（Gert, 1983）もある。こうした基礎づけにも、多元主義的な普遍的モラルを許容する姿勢が見られる。ゲルトは「合理的な人間のだれもが、公的に賛同するような」行為を（普遍的に）「道徳的に善である」とする。また、「合理的な人間であればだれもが、ある種の行為の実行に公的に賛同するだけではなくて、そうした行為の不実行に対して一般に罰を加えるよう要求する行為」を「道徳的に正しい」とする。「道徳的に悪い」あるいは「まちがっている」行為というのは、「その行為を実行しないことに」、あるいは実行されればこれに罰を加えることに、「合理的人間であればだれもが公的に賛同する」ような行為のことである（同書 p.243）。こうしてゲルトによれば、彼の倫理学で普遍的モラルを構成する規則を見定めるための規準となるのは、もっぱら**合理的な人間による判定**である。またゲルトは、普遍化可能性や普遍的代表性といったカント風の要求を、すべての合理的な人間による「公的な賛同」という要求に置き換えた。ここで「すべての合理的な人間」という言い方は、一定の文化、社会、集団にだけ限定して使用されることを絶対に許さないような用法である。

ゲルトは普遍的モラルの規則のためのこうした基準を使って、10ヶ条にのぼる道徳的規則を手中に収める。それら規則は、どれも「ひとは何人にも害悪を加えてはならない」（同書 p.182）という本質的に不殺生命令としての意味合いを持ち、以下のように列挙される。「1. あなたは殺してはいけない。2. あなたは苦痛を加えてはいけない。3. あなたは無能であってはいけない。4. あなた

※カントは『人倫の形而上学の基礎付け』（1785年）で、道徳の原理を「定言命法」として呈示する際、義務を、狭義の（「容赦のない」）義務と広義の（「功績となる」）義務とに区分するが、これは「完全義務」と「不完全義務」の区別に対応する。この区分が、後に『人倫の形而上学』（1797年）で、「法義務」と「徳義務」の区分にも関係し、こうした区分を前提に『人倫の形而上学』での法・権利・義務の体系が「法論」と「徳論」の2部門から成る。（平田俊博訳『人倫の形而上学』カント全集7（岩波書店）54-58頁、吉澤傳三郎・尾田幸雄訳『人倫の形而上学』カント全集11（理想社）68-72頁を参照。）

は自由を失い、チャンスを逸してはいけない。5. あなたはやる気をなくしてはいけない。6. あなたはだましてはいけない。7. あなたは自分の約束を守らなくてはならない。8. あなたは欺いてはいけない。9. あなたは法に従わなくてはならない。10. あなたは自分の義務を果たさなくてはならない」(同書 p.176)。合理的な人間であれば、だれもがこれら規則のどれに対しても、「次のような公然たる態度をとらなくてはならない」。つまり「だれでも、もし規則が破られることに公然と賛同できないのであるならば、そのような規則には服従しなければならない」という態度である(同箇所)(だから、道徳的規則を破ることに公然と賛同するということが、例外的にはありうる。たとえば、水素爆弾の発射装置ボタンを押すような狂人や暴君を数百万の人々の命を救うために殺害すること)。ゲルトは、害悪を加えることの禁止に限定されるような、こうした道徳的規則の厳密な倫理学を「道徳的理想」によって補完することによって、倫理学にいっそう広い意味を与えている。その理想というのは、「害悪を事前に防いだり、こうむってしまった害悪をやわらげたりするよう促す」(同箇所)、そのような積極的な働きかけである。だが、こうした働きかけは、狭い意味での普遍的モラルには数え入れられていない(われわれの考えでは、数え入れないのは誤りである)。

■現代社会での個人主義的倫理学の限界

　以上さしあたりのおおざっぱな概観から明らかになったことはこうである。すなわちヨーロッパの伝統では、いろいろなタイプの倫理の基礎づけも、普遍的モラルの規則も、ほとんどが個人の行為や生活にだけ関係づけられているということである。これに対して現代の工業社会では、集団的な行為という(たとえば、一つの巨大プロジェクトに数百人の人々が関与するという)現象が顕著になってきたし、その傾向がますます強まっている。戦略の行使者が有害な結果を引き起こす場合には、その被害は何よりも多くの人々に共通に降りかかる(いわゆる相乗的、累積的な効果を及ぼす)。さらに、社会的財の配分的正義という問題、またこれに似た問題が起きている。こうした問題は、厳密に個人主義の普遍的モラルでは捉えきれない問題である。だから、倫理学も普遍的モラルも、もっぱら個人主義的な局面だけに視野を限ることから決別し、道徳的な問題や現象の社会的な場面を考慮に入れなければならない。だがこの場合、逆の極端に、

つまり集団主義的な道徳、あるいは全体を政治化する道徳に陥ってしまうことがあってはならない。技術や産業が影響力を発揮する領域でこそ、いろいろな発展が見られる。これらの発展は、伝統的な個人道徳に頼ったところで、これに対応する政治的・法律的な規制の力を使っても、今ではもうきちんと制御することができなくなっている。このことは、環境という問題領域で生じてきた「共有地の悲劇」（Hardin, 1968）※を現すさまざまな現象を思い起こしてみるだけでも分かる。そうした現象には、紛れもない「社会的な罠」が仕組まれている。つまり、個人としての行為者たちが、自分を除くほかのすべての人々が共同体の規則を遵守するということを前提した上で、その条件のもとで［自分は規則を遵守しないで］自分だけ利益を独り占めにするという罠である。技術が公共的に影響し働きかける多くの領域では、いわゆる囚人のジレンマ※という構造が見られる。ここには、個人主義の立場では解決できない問題状況が現れている。人間は技術的に行為することによって、人間の力を大きくしてしまった。だからこの状況に対して人間は、系統発生的に小集団の中で発展してきた道徳では、もう対処できなくなっている。小集団の中で各人はそれぞれ知り合った間柄であり、小集団が対抗（対立）するのは、いつも別の小集団に対してであった。今では、大陸や多くの地域をまたに掛けた影響や行為が、多様な姿で編み合わされている。このことが、新しい形態の「遠隔倫理」（すでにニーチェが使っ

※共有地の悲劇：ハーディンは、"The Tragedy of the Commons," *Science*, 162 (1986), pp.1243-1248 で、「共有地における自由はすべてのものに破滅をもたらす」と主張する。人々が共有地を自由に使用することができるとすると、限られた共有地の資源は、過剰に利用され、極端な場合には枯渇してしまい、共有資源の持続可能性は失われてしまう。彼は「羊飼いと共有された牧草地」を例に、「共有地の悲劇」というモデルを提示した。

※囚人のジレンマ：ゲーム理論で有名な2人ゲームの例である。ある重大事件の確実な容疑者である2人の共犯者が、軽い別件の容疑で逮捕され、それぞれ別々に取り調べを受ける状況で、自白すれば減刑すると検事に告げられたとき、囚人が自白か黙秘かで陥るジレンマ。例えば、自分が自白し相手が黙秘すれば、相手のみが懲役10年の刑を科され自分は釈放される。逆に自分が黙秘して相手が自白すれば、自分が懲役10年の刑を受けるという自分にとって最悪の状況になる。2人とも黙秘すれば、別件の罪で2年の刑ですむ。2人とも自白すれば8年の刑を受ける。最も起こりうるのは、2人とも自白してそれぞれ8年の懲役を科せられるケースであろう。だが2人の間に揺るがない信頼関係があれば、2人とも黙秘を貫き別件の容疑だけで懲役2年の刑で済むであろう。

た「遠人倫理（Fernstenethik）」という表現に当たる）と新規の責任性を要求する。だから、特に、人類ができるだけ無傷の環境で将来も生存すること、このことに対する尊敬と責任が説かれる。また、将来世代や自然、それもいろいろの種（ただし病原体を除く）を含んだ自然に対する尊敬と責任も説かれる。すでに何年も前に、われわれの力説したように、「もっぱら自由主義的である個人倫理は」「道徳的な義務づけにとって」今では十分であるとは言えない。「個人の道徳的な不可侵の権利をどんなに保持したところで」十分であるとは言えないのである（Lenk, 1979, p.69 以下）。

■科学技術の時代と人類に対する責任の倫理学、そして普遍的モラル

「技術・科学による操作や影響力行使が可能になる範囲はいよいよ拡大し、広範囲に人工的になった環境に対して事情によっては不可逆的な変化を引き起こし、その変化は長期的にいろいろな効果を発揮する。それと同時に発生する責任の範囲は、広範囲に及ぶ。そのために少なくとも、道徳的判断の持つ重要性が時間的にも社会的空間的にも拡大する。技術の介入により経済的な依存性や生態系的諸条件の緊密度を高め、世界はいよいよ密接に編み合わされた世界となった。こうした世界ではもう、単なる隣人愛という道徳では不十分である。倫理（学）は、そうした道徳を超えて、人類全体に対する責任を実践できるようなものでなければならない。その責任は、生存する人々に対するものだけではなくて、後世に対する責任でなければならない」。「倫理（学）は、ますます力強く人類全体を照準に合わせ、いっそう社会的、協同的にならなければならない」（Lenk, 1979, p.70）。最も古くからある道徳的な掟の一つ、消極的な黄金律では「あなたは、ひとがあなたにして欲しくないようなことを、ほかの人にもするな」と言う。これに対して、積極的な黄金律では「あなたは、困窮した状況にあるときにほかの人があなたにしてくれるように望み期待するようなことを行い、はたせ」と言う。積極的な黄金律は消極的なほうに比べると、道徳的な拘束力に欠如し、単なる訴えという機能を持つが、今日また将来的には、そうした欠如や機能のいくらかを克服しなければならない。

倫理（学）には根本洞察、根本直観が変わらずにある。だが倫理（学）が、「これからもずっと静的であり続ける」ことはできない。人間の行為・産物・制度

の道徳的意義が拡大し、「実現できるもの」の可能性が途方もなく増大し、そしていろいろな問題が生じてくる。そうしたことに倫理（学）は対応しなければならない。「新しい行動の可能性が現実化してくると、責任の範囲が拡大し、責任の在り方が変容する」、このように以前すでに強調しておいた（同書 p.73）。倫理的な熟考を重ね、普遍的なモラルによる判断を下すことにより、技術の創造者、世界を変貌させる人間のさまざまな問題に、ますます力強く献身的に取り組まなくてはならない。倫理学と（普遍的な）道徳は、こうした点で、さらには社会へと門戸を開くという点で、あらゆるダイナミックな発展に直面しながら絶えず新しく創造され発展しなければならない。だから、倫理学自身が部分的には「ダイナミックに」ならざるをえない。このことは特に、新規の道徳的な問題について当てはまる。新規の問題というのは、高度に発達した技術に向かって、その影響について提起される。倫理学と（普遍的な）道徳は、たしかに普遍的なモラルの根本洞察を保持しているが、実用的な性格も持たなければならない。倫理学は、実践の現場に近づき、技術の状況や条件の変化に、それどころか情報技術時代、テクノシステム時代というものに対応しなければならない。こうした課題に対して、これまでのところ、包括的な手がかりはまだ得られていないのが実状である。

　不殺生の掟に始まり、テクノシステム時代の技術倫理（テクノ倫理）に至るまでには長い道のりがある。今日では、まったく変わった状況、条件、そして行為の可能性が台頭している。けれども人間それ自身とその倫理的洞察とは、古代に偉大な倫理的発見がなされて以来ずっと変わらずに存続している。人間とは、普遍道徳的な存在者なのか。個人各自の視点・要求を捨象すれば普遍化できるような存在者なのか。倫理（学）と普遍的モラルは、本来的に人間的なもの、さらに言って、晩年のカントが説いたように人間にそなわる神的なものであるように見える（カントは言う。「神――それこそが道徳的・実践的理性である」(Kant, *Gesammelte Schriften,* Bd.21, p.145)）。だから、倫理というものが、人間を際立たせるのであり、人間を、いわゆる自然闘争の彼方へと持ち上げてくれる。

　以上のことは、技術の時代、技術により何倍にも増加した力の時代でも、以前と変わらないのではないか。それどころか［技術の時代には］、状況にふさわ

しい鋭敏な普遍的モラルの意識が求められている。そうした意識を持つことで、自己挑発的になった科学技術の挑戦と影響力行使をうまく処理するための数少ないチャンスの一つは得られる。その［技術時代に至る］道のりは、技術的・産業的には大変遠いものであったが、これに対し普遍的モラルの視点に立てば、際立って短い道のりである。そうした道のりをわれわれは、首尾一貫した態度で連続的に歩一歩と先に進んでゆかなければならない。

2. 良心の呼び声——良心概念の概観

第1節　古典的な良心概念
■「良心」、その歴史的事例

　「私は聖書という証によって確信するつもりもなければ、明晰判明な根拠に基づいて確信するつもりもありません。そのわけは、これまで教皇も公会議もなんども思い違いをしてきたし、食い違ったことを述べてこられたから、私は教皇や公会議のおっしゃることだけでは信用できないからです。そのとき私を拘束するのは、自分の良心であり神の言葉であります。だから私は何一つ撤回できないし、しようとも思いません。なぜなら良心に逆らって行為するなら、それは危険であり、神より与えられる至福を脅かすことになるからです。神よ、私を救けたまえ。アーメン」(Fischer-Fabian, 1987, p.7)。

　これは、マルティン・ルターが1521年にヴォルムス※の国会で本当に口にした態度表明で、カール5世に向かって発せられた言葉である。だが、この言葉はたいていは間違って引用されている。すなわち、後日、宣伝ビラとして配布された聖人伝異文のなかで引用されているところによると、「ここに私は立っています。私はほかにやりようがありません。神よ、私を救けたまえ」。歴史的に理解すれば、要するにルターは、審判者である神の言葉に呼びかけることで、自己の良心と神の命令を指し示す。たしかに聖人伝異文の伝承では、彼の言葉は「ほかにやり（行為し）ようがない」と伝えられている。だが、このように決断するための源泉・基準とされているのが、自己の良心と神の命令である。

※ヴォルムス：「ニーベルンゲンの歌」で有名なドイツのライン河畔の歴史的都市。マインツ、スパーアーと並ぶローマ教会の素晴らしい創造であるドーム都市としても有名。ヴォルムスの中心にある公園にルターの記念碑があり、その像の台座には後者の言葉が刻み込まれている。

「なぜなら良心に逆らって行為するなら、それは危険であり、神より与えられる至福を脅かすことになるからです」。この言葉にこそ、マルティン・ルターの真心が凝縮している。ルターには、自分が良心と神の言葉に縛られているのが分かっている。［ヴォルムスまで］身の拘束を受けずに護送されるとの保証に信頼をおくには、実際、相当の個人的な勇気が必要なことであった。なぜなら、百年前、ヨハン・フスの場合でも自由な護衛が確約されていたが、それにもかかわらず、実際にはフスは薪の山で火刑に処せられたからである。カール5世は晩年になって、この手に負えない修道士、つまりルターを殺害しなかったのは大きな誤りであったと述懐している。

このような良心の決断は、もちろん、はるか以前の時代に起きた単なる歴史上の事柄にすぎないと言うのではない。フィシャー・ファビアン（Fischer-Fabian）著『良心の力』（1987, p.21）では、同じように、別の実例、現代の実例が引用されている。

「1944年7月、チロル出身の兵士ワルター・クラジンクは、ある部隊に配属された。その部隊には、フランス人人質を射殺せよとの指揮官の命令が下った。クラジンクは、指揮官の命令よりも自分の良心の命令を重くみた。彼が告白したように、彼の良心では、無防御な人間を殺すのはできないことである。命令が繰り返されたにもかかわらず、彼は服従を拒んだ。そのために軍法会議にかけられ、同僚の銃弾により命を奪われた」。

1944年には、別の実例がある。それは2月3日付けで「ズデーテンラント※出身のひとりの実直な農夫の息子」がしたためた手紙である。

「愛する父母へ。私は今日お二人に悲しい知らせをお伝えしなければなりません。私に死刑の判決が下されました。私とグスタフです。私たちは、ナチス親衛隊への入隊署名をしませんでした。だから彼らは私たちに死刑の判決を下したのです。あなたがたは、私がナチス親衛隊にはいるべきだと手紙で言ってくれました。私の同僚のグスタフも署名しませんでした。私たち二人は、死んだほうがましだと思っています。私たちの良心が、身の毛のよだつような行いで汚れてしまうぐらいなら……。ナチス親衛隊が果たさなければならないことを、私は知っているのです」（同書同箇所）。

これらは良心の決断で、この決断を何ものも凌駕できない。だから良心の決断は、生と死について決定を下すことができる。

もっとよく知れ渡っている現代の例を挙げてみよう（同書p.23）。ロシアからの亡命者で有名な作家のレフ・コーペレフ（Lew Kopelew）は、1945年初頭にソヴィエト軍人たちが東プロシアでドイツ人住民に加えた残虐行為に抗議した。彼は、この不当行為に異議を申し立てるべく出頭することで証明した勇気のために、ほとんど10年間にも及ぶ捕虜収容所と刑務所での強制収監という報いを受けるはめになってしまった。「『私は、ただひたすら自分自身の良心に釈明する責任を負っている。私はもうこれ以上恐れたくない。私は自分の行いを恥じる必要がないように、いつも行為したい』。これが彼の信条である」。この実例は先に挙げたほかの実例と同じ「系列」にある、そのように報告者［フィシャー・ファビアン］は言う。「その系列は、気まま勝手に続行できるしろものではない」。なぜなら、まさに例外的な出来事が問題なのであり、自己自身の自律的な良心での決断は頻繁に起こり得るものでもないからである。そうしたことをわれわれは、自分自身のことで先刻承知済みであり、日常的な状況のなかに身を置きながら知っている。もし、誰もがいつも自分自身の良心にしたがって決断していたとしたら、第三帝国のような現象はけっして起こらなかったであろう。第三帝国は、ナチス親衛隊であれ、ナチ強制収容所であれ、非人間性の極みであり、野蛮な残虐性をともなった人間蔑視の実践であった。

■ストア学派

だからわれわれは、良心について語る。良心とは何であるのか。答えは難しい。メナンドロス※は、古代に、およそプラトンとアリストテレスに続く時代に語っている。「良心はわれわれみなにとって、神である」。ストア学派も良心

※ズデーテンラント：チェコ北部のスデーティ山地に沿った地域一帯のドイツ名。かつてこの地域に多数のドイツ人が住んでいたが、この名称は転じてチェコ北部のドイツ人居住地全体を指すようになった。1938年ミュンヘン協定でヒットラーはこの地域を第三帝国に併合した。第二次大戦後、この地域はチェコスロバキアに返還され、約250万のズデーテン・ドイツ人は、国外（主に西ドイツ各地）へ移住した。

※メナンドロス Menandros（c.BC342-c.292）：古代ギリシアのアテネの喜劇作家で、日常的な人間関係を題材に、作品数は108編と伝えられている。アリストテレスの弟子であるデオフラストスの教えを受けたとされ、彼の喜劇作品は性格造形力に優れており、近代のイタリア、フランス、イギリスの喜劇に大きな影響を与えた。

をそのように理解した。良心を、まさにわれわれのうちにある審判の場、神の声だと定義した。特にセネカが、またキケロもこのように良心について語った。良心はわれわれにとって、神の声のようなものである。わたしは、ルキリウスに宛てたセネカの有名な第 41 書簡（Fischer-Fabian, 1987, IV, p.57）から少しばかり引用したい。そこでセネカが言う。「ルキリウスよ、聖なる精神がわれわれの悪行や善行の観察者、見張り人としてわれわれ自身のうちに住んでいる。この精神が、われわれによって扱われるのと同様に、この精神がわれわれを扱う。だが、神がいなければ善い人間などだれもいない（だれも善い人間ではない）。それとも、神の助けを借りなくて、運命を超出した高見に立てる者がいるとでも言うのだろうか。どんな善人の中にも『神が宿っている……』という意義深い高邁な忠告がある」。この最後の言い方は、完全に保証されているわけではない。だが、さらに 1 頁先のほうでは次のように言う。「危険に際してもたじろがず、情念にも惑わされず、不運の中でも幸福に、嵐のまっただ中に放り出されても高台から人間を見つめ、同じように神々を凝視している、そのような人を、もしあなたが見つけるとしよう。そのときあなたは、そうした人に畏敬の念を払わないでおれようか。『こうした存在者は、自分が身を置くこの脆弱な肉体に等しいと人々が思う以上に、もっと偉大で高貴である』と、あなたは言わずにおれようか。この存在者の中には、神の力というものが、贈り届けられている。天上の力が、精神を揺り動かす。その精神は、高く聳えながらも節度を守っている。その精神は、われわれが恐れたり、願ったり、笑みを浮かべたりする何もかもを、まるでとるに足らないものであるかのように無視してしまう。それほどまでに大それたものは、神という頂点がないと、成立のしようがない」。……「そうした精神は、なるほどわれわれのもとに遍在する。われわれは、その偉大で神聖な精神を間近で見て知ることができるまでに、その下賜に与る。だがその精神は、その源泉に繋がれたままでいる。すなわち、精神はその源泉に縛り付けられ、この源泉を見つめ、求めて止まず、それでいて、高貴な存在者としてある程度にわれわれの願い事（要件）に関わってくれる。このような精神とは、いったい何者であるのか」（同書 p.59）。セネカは、この精神をもっと詳しく限定し、その上で簡潔に次のように言い表している（同書 p.61）。

すなわち、そうした精神とは「人間に特有の徴表である当のもの」だと言う。では「その徴表とは何であるかと、あなたは問う。精神、精神のうちで完全である理性。つまり人間とは、理性を付与された存在者である」。**良心**（*conscientia*）という用語は、セネカでは多様に用いられている。その語はギリシア語の**シンエイデーシス**（*syneidesis*）までさかのぼる。両方とも、意味深いことに、「共にする知」や「共同意識」[1]を表す。またセネカがはっきりと見届けるところによれば、悪い行いは良心によって非難される。セネカは、「善い良心」と「悪しき良心（良心のやましさ）」について語る最初の人でもある。それどころか、「良心に責めさいなまれる」ということにさえ言及する。こうして彼は、良心が事情によってはずっと続く不安の種になり、われわれを責め立て苦しめ、そのことから人生のたいがいの苦悶が成り立っているということを見抜いている。だから、良心は一種の**声**、神に擬せられる警告の声として捉えられる。良心という声は、人間に警告を与え、態度を決定するよう呼びかける。良心自身が価値評価し、態度を決定する。良心は、ある意味で、権威ある審判の場である。しばしばそうしたものとして理解されている。良心は、このようにわれわれの心を絶えず不安にする種であると同時に、いっしょに付きまとう意識、〈共にする知〉以上のものへと超え出ていく。すなわち良心は、このように原則的に規範として義務づけるという性格を表示している。そんなわけで、ストア学派の哲学はすでに、良心に見られる三分法というものを見てとっていた。すなわち、良心は一面では〈共にする知〉、共同意識、つまり語の狭い意味での「良心（conscientia）」である。同時に良心は、他面では人格的な色合いを持った情動の力、困惑させる力、困惑させられた状態に関係した事柄でもある。良心を表す独特の表現としてシンデレーシス（Synt(h)eresis）があった。時には、テータ（th(θ)）がdの文字で言い表された。たとえば、ボナヴェントゥラやトマス・アクィナスではそうであった。だが、彼らは、こうした三分法説をストア学派から受け継いだ。両方がいっしょになって、すなわち、意識つまり共知（Mitwissen）と上のような情動の力とがいっしょになって、つぎにいわゆる良心の三段論法、言い換えれば決断の実践的な三段論法を経てから、一つの結論が引き出される。すなわち、良心による決断という結論命題が引き出される。そ

の三段論法は、アリストテレスの言う行為理論での実践的な三段論法と混同してはならない。キケロは、もちろん直ちにストア学派に数え入れることができる。そのキケロ自身が、すでに良心のさまざまな形態を区別した。まず彼は、刑罰を受けはしまいかという恐怖があってさえも、これに抗して働くような良心の「偉大な力」について語った。しかも、「良心の呵責」についても話している。「良心の呵責」というこの表現は、キケロに典拠を持つ。こうした良心は、言葉の本義に従って「噛む」、「モルデーレ (mordere)」と言うことができる。そのほかにキケロは、良心の**本物でない**形態も見ており、それは、刑罰への不安や恐怖から何かをなさないというものでしかない。彼はこうした似非良心から、**本物**の正しい形態の良心、つまりレクタ・コンスキエンティア (recta conscientia) を区別する。誰も、この本物の良心から逃れることは許されない。また彼はすでに、先を見越す働きとしての良心を、後から振り返って評価を下すような良心から区別する。さらにまた彼は、自律的な良心を特記する。自律的な良心は、どのような良心にも優先し、ほかの良心を包括する。彼にとって彼自身の［自律的な］良心は、万人の口に上るような噂以上のことを意味するのである。

■キリスト教的な良心

　以上が、良心にはいろいろな見方があるという古代出処の証言である。それらの証言は、良心の力、その若干の形態をはっきりと示してくれる。だが、まだ良心の理論的な説明や記述には至っていない。アレキサンドリア出身のフィロンは、良心を、あたかも心のうちの裁判手続きで使用される証拠（資料・方法）のようなものと見て、良心を人間の内面へと奥深く投影し投入するよう試みた。言ってみれば人間が自分自身の検察官や裁判官になるという点に、良心が成立する。良心は、秘められた一切のもくろみを暴く証人であり、同時に、内面の検察官や裁判官にもなる。良心は、人間に正しい方位を教え、改心するよう促す。また良心は、人間に先を見通すようにも指示を与えることができる。あるいは、特定の行為へ向かわせたり、特定の悪行を思い止まらせたりして、時宜に応じた命令を下すよう作用することもできる。パウロには、実際また、異邦人にさえ良心が備わっていると見なす意見を表明した証拠がある（『ローマ人への手紙』2. 14-15）。「もしも律法のない異邦人が自然のままに、律法の命じ

る行いをなすならば、彼らは律法を持たないのであるから、彼らこそが彼ら自身にとって律法である。すなわち、異邦人は、律法の命じることが彼らの心の中に記されていることを示している。なぜなら、そのために［律法の命じることを行うために］彼らの良心が、お互いに訴え合ったり弁解し合ったりするいろいろな思い（〈お互いに訴え合ったり弁解し合ったりするいろいろな思い〉というこの表現こそが重大である［レンク］）を、彼ら自身に明示するからである。この明示は、わたしの福音によれば、神がイエス・キリストにより人間の堕落を正されるであろう、その日になってからである」。前述のようにアレキサンドリア出身のフィロンの証言に見える内面の法廷という［良心の］こうした捉え方が、キリスト教徒、パウロの場合には、最後の審判をまえもって予感し先取りしていることに関係しているのは言うまでもない。だが、こうした内面の法廷という構想は良心概念の歴史で、時代が新しくなっても、さらにまたキリスト教的把握との関係がなくなっても決定的な役割を演じている。［良心概念の歴史の中で］最初の人物を挙げれば、例えばアウグスティヌスがいる。彼はもちろん古代に属するが、本質的に「実存主義的」に身構え、あるいは人格的に身を処する思想家であった。彼にとっては、神こそが内密を〈共に知る者〉であり、神がコンスキエンツィアつまり良心の中で語る。キリスト教徒にとっても、良心はもちろん「ウォクス・デイー（vox dei）」つまり神の声である。中世にあっても、わたしが先に言及したストア学派の三分法が生きている。例えばフランシスコ修道会派のボナヴェントゥラでは、［良心での］情動の乱れが共同意識と並んで重要な役割を演じている。最後にトマス・アクィナスによれば、こうした情動の力、情動の潜在力（potentia affectiva）、シンデレーシス、そしてこの情動力を駆り立てる動因、つまり良心の動機づけとなる契機、これらすべては単に可能性に留まるものでなくて、ハビトゥス（habitus）つまり習性になる、少なくともなり得ると言われる。こうしてまた、トマス・アクィナスの考えでは、人間がほかでもない良心を鍛え吟味することに人間教化の重要課題があるというのは、当たり前なのである。ちなみに「良心に逆らうことがなければ、罪は何もない」とアベラルドゥスは言っている。

　以上［良心についての］すべての意見表明が教えてくれるのは、キリスト教の

文脈でも、哲学の文脈でも良心は教化の声として見られてきたらしいということである。そしてその教化の声は、直接、あるいは隠喩的に、人間のうちにある神的なもの、より高きものを表す。その神的な、より高きものが、ある意味で人間を自己評価したり、態度を明らかにするように、それどころか自己を裁くようにさえ挑発する。こうしてまたその神的なものは、命令を下す力があるとともに、絶えず心を不安にさせ、少なくとも権威ある審判として働く。それは同時にまたある意味で、状況をつまびらかにし見通すことができるようにする審判でもある。この審判ではたいていの場合、良心のある程度の純粋性が求められる。なぜなら、肝心な点は、もっぱら神あるいは良心の声によってだけ義務づけられるということ、しかも狭義の倫理的良心によってだけ義務づけられるということにあるからである。そうした良心は、すでにキケロが見抜いたように、およそ紛い物の良心ではなく、本物の自律した良心である。[良心についての] こうした見方はよく知られ、またこれまで受け継がれてきたし、後代まで大きな役割を果たしている。そうした見方の生命線が実に、内面の法廷という隠喩にあるというのは、注目すべき重要なことである。良心の構想が、裁判というモデルで記述されているのである。すなわち、良心はわれわれ自身の中に住まいながら、一切の善と悪とを見張る番人であり、「内面の法廷（Forum internum）」である。カントも後にそのように呼んだはずである（わたしはやがてカントの言に立ち返ろう）。だから、こうした言い回しは、良心が何であり、何を果たしうるのか、またどのような働きをするのか、そうしたことについての隠喩的な解釈なのである。

■ルターの良心区分と良心の世俗化

また、良心は、良心の及ぶ範囲や良心がとるさまざまな観点からも、区分された。もっとも有名な区分の一つで最初のものは、実際、ここでもまたルターによるものである。すなわちその区分は、ヴォルムスの国会が開かれる直前に彼が行った説教、『良心を教えるための三種類の善い生活についての説教』に由来する。ここで彼は、良心の及ぶ三つの範囲を区別する。内的でない外面的な範囲と、もっとも神聖な範囲について語り得よう。後者をルターは「至聖所 (sanctum sanctorum)」と呼ぶ。これは言うまでもなく、キリスト教的な神の声と

いう観点で現れる良心の神学的な相である。この両者から区別されるものとして、[第三に]倫理的な良心の声という相を帯びた範囲がある。この範囲は、まったく「神聖」、「サンクトゥム（sanctum）」とは言えるが、「至聖所」とは言えないような広い領域に及ぶ。ルターの見るところ倫理的な良心を例証するものには、たとえば、温和、柔和、謙虚、忍耐、和順、忠実、愛、さらには躾や自己の鍛錬、だから自制心、そして純潔にまで及ぶような、いろいろな倫理的な徳がある。それらすべては、ルターによると、倫理的意味での良心という倫理的徳の範囲に、だから「神聖なもの」に属している。これに対して、まったく［心の］外側にはアトリウム※がある。アトリウムとは、いろいろ定められた形式や規範の儀礼的な遵守のことである。ここでも「良心」が問われるが、それはいわばアリバイの働きとして利用される。規則に縛られるが、この場合、もっと進んで心が千々に乱される必要はない。ペリシテ・パリサイ人の魂が、この部類に入る。ルターはこの種の良心を、「危険で有害な」良心とさえ呼んでいる。なぜなら、そうした良心は外部に向かう動因しか持たず、内的な動因へと遡って行かないからである。だが内的な動因は、実際のところ、人間に過大な要求を突きつけるであろう。特に言うまでもないことであるが、第二の範囲［倫理的な良心の範囲］ではそうであろう。ルターが言うには、もしも人間が自分の力を頼むとしたら、人間は本当に倫理的に、つまり自分自身から進んで、道徳的に善く行為することなどできないことだろう。人間は過大な要求が課せられている。だから、ルターは、信心深い人々のために**至聖所**という範囲を、すなわち神に連なる神学的な良心の相を用立てる。ひとは道徳的善を善い行いだけによって、成し遂げるよう期待することなどできない。善い行いというものは、実際また、心の負担を軽くし儀礼化したアリバイ良心という観点から目にすることができよう。良心の神学的な相で突出するのは、基本的にはただ一つ、恩寵だけである。これがルターの考えである。この考えは言うまでもなく、彼のプロテスタンティズムの教えである。1521年のこの説教でルターは、「ここでは恩寵に追従しないわけにはゆかない」とさえ言っている。

※アトリウム：古代ローマでは、住宅の中庭を、初期キリスト教会では会堂回廊で囲まれた前庭を、後世になって玄関一般を意味する。

それはそうと、こうした三分法は時代が下るにつれ、さらにもっと広い影響力を発揮するようになった。この三分法は、さきに言及したカトリック哲学者トマス・アクィナスやボナヴェントゥラの三分法に相応するが、さらにはフロイトにさえ見られる。良心の三分法は、神学的な良心理論、宗教的に基礎づけられた良心理論にとっては革命的とも言えるやり方で良心概念を細分化する。ちなみに、この良心概念の細分化を飛び抜けて詳細に提示し論究したのは、ハインツ・キットシュタイナー（Heinz O. Kittsteiner）の近著である『近代の良心の成立』（1991 年）である。この著書は、倫理学が神に基づく良心の道徳から、世俗的良心の自律的な道徳と言える道徳へと移行する、ほかでもないこの過程を記述する。しかもこの移行過程を本質的に三段階に分け記述している。キットシュタイナーも、さきのルターによる説教をまず手がかりにする。ルターの説教が神学の中に哲学的起爆剤というものを持ち込んでいると、彼は見る。すなわちルターの説教は、ある意味で宗教の倫理化と良心の脱神学化を、あるいは純粋な神的良心の脱儀式化を準備すると言うのである。こうした良心の三分法が保持され、儀礼的な良心が「危険な」「害のある」ものとして拒絶されることで、人間は倫理的な意味で自己自身へとさし向けられる。すなわち、人間は神と人格として対話し、人格的な良心へとさし向けられる。だから、この三分法が良心の世俗化の始まりである。そして、これがプロテスタンティズムの開始と発展の中で起きたというのは、まったく明らかである。キットシュタイナーが挙げている宗教の倫理化、脱儀式化と並べて、われわれは、同様に特徴豊かな契機を、もっといろいろと並べ立てることができよう。特にプロテスタンティズムにとっては、良心という相を個人**の中へと投入すること**、挿入することが格別の視点である。この視点はたしかに、おそらく倫理化というものにぴったりと収まり切るかもしれない。それは、世俗化が一般にそうであるのと同様である。だが、個人への投入というその視点は、非常に重要な格別の契機として強調されなければならない。そればかりか言うまでもなく、世俗化が一般に良心概念のこうした［良心の相を個人へと投入するという］細分化の一つの結果であると言える。こうして最終的にわれわれは、重要な手がかりを次の点に見て取ることができる。すなわち、良心は世俗化してもやはり、再びまた、監視部局

のようなものを必要とするという点である。良心は依然として、なんとしても何かに支えられている審判の場、声として把握されるのに変わりはない。良心が世俗化した今となっては、たとえもう超越的な神によって支えられていないとしても、神に代わる何かが現れる。例えば、フロイトでは社会が支えとなる。良心の声となるのは超自我であり、超自我は社会が寄せる期待の中で鍛えられ、その中に投影されたり、両親により代表される。だから、良心概念の世俗化は、こうした超自我に始まる。キットシュタイナーが詳しく示しているように、その世俗化により最初は良心の価値低下が始まる。実のところ、この良心の価値低下は17世紀後半にすでに始まっている。キットシュタイナーは、宗教的に規定された良心がおよそ1650年と1720年とのあいだで価値の切り下げに出会って、[良心の]近代化への一押しがあったと言う。その一押しは一般には啓蒙期になって起こり、一種の情動心理学へと通じていると言う。こうして良心は根本的に、心理学による取り扱いを受けるようになる。その心理学的な取り扱いが次に、良心の再躍進という結果に帰着する。

　まず何をおいても、[良心の]心理学的な取り扱いについて。その取り扱いでは例えばホッブスに見られるように、単に一般的な世俗化の哲学にだけ、その主要な手がかりが求められているというのではない。特にジョン・ロックが手がかりにしているのは、一方では、いっそう積極的な人間像であり、他方では特別にまた次のような考え方でもある。すなわち、人間は生まれながらには何も備わっていないという意味で、まさに根本的に「白紙 (tabula rasa)」として生まれるであろうという考え方である。その場合、良心もまた同様に生得的ではあり得ない。言い換えれば、良心は今となっては、心理発生的に、あるいは社会発生的に生じることができる。そのように生じた良心とは、情動制御、さらに言って習慣化した情動制御である。例えば、そうした良心は不安から生じてこよう。あるいは、愛や優しさの剥奪を人格の同一化によって何とかして避けたいという視点のもとで生じてこよう。

第2節　カントと良心概念
■内面の法廷としての良心――カント(1)

　良心概念の発展には別の方向もある。これをもっと詳しくたどってみる。それは、上述の「現実主義的・社会的な」方向と並び立つもので、特に挙げれば、近代的良心の世俗的ではあるが、キットシュタイナー（同書p.283）により「ユートピア的」と呼ばれたような路線であり「次元」である。この次元は、発生論的な思考には懐疑的で、これに対立する。それは、とりわけカントに代表される。この次元の開始には、いわゆる新しい規範、新しい観点、新しい動機が考え出されなければならなかった。良心の積極的な新しい手がかりを可能にするには、［心理学的な］宗教批判がいわば乗り越えられなければならなかった。［こうした良心概念の発展方向では］古代からすでに知られていた内的な法廷というパウロ的理念にとりわけ結びつくような、いっそう長い時代にわたる発展が問題となる。だが、この方向にはもう、良心の声の創始者であるキリスト教の神もいなければ、最後の審判の観念的な先取りも表象されていない。こうした「内面の法廷」についてカントは、1924年になって初めて公刊される運びになった倫理学講義の中ではっきりと述べている。それは、知の法廷、内的な法廷である。「**内面の法廷** (*forum internum*)、それは**良心の法廷** (*forum conscientiae*) である」(Kant, 1990, p.77)。すなわち、良心という法廷とは以下のようである。

　「なぜなら、この世の生活では、われわれの行為に神の**法廷** (*foro*) によって罪が着せられる（責任が帰せられ、責任が負わされる［レンク］）のは、**良心の働きによる** (*per conscientiam*) 以外には考えられないからである。だから、この世の生活では**内面の法廷**が**神の法廷** (*forum divinum*) である。法廷は強制力を行使すべきであり、法廷の判決には確定力がなければならないし、法律の結論 (*consectaria*) を実現する強制力がなければならない。

　われわれには、何が正か不正かについて判断する能力がある。この能力は、自分自身の行為にも他人の行為にも同じように及ぶ。この能力は悟性の中にある。われわれにはまた、何が好ましいか、あるいは好みに合わないかを自分自身についても他人についても判断する快・不快の能力がある。これは道徳的感

情である。われわれは、ひとたび道徳的判断と道徳法則を前提したのであるなら、第三に、われわれの行為について確定力ある判断を下すべく強制するような、本能、随意的だが抗しきれない衝動というものをわれわれの自然本性のうちに見つける。そうした本能や衝動がわれわれに対して、悪い行為については内的な苦痛を、善い行為については内的な喜びを、釣り合いに応じて与えてくれる」。その釣り合いというのは、「行為が法則に対して持つ関係である。良心とは、われわれの行為を判断し裁く本能である。良心はけっして［悟性の］能力ではなくて、本能である。かりに良心が随意的な能力だったとしたら、良心は全く法廷ではないことになろう。その場合には、良心はわれわれに何も強制できなくなるであろうからである。良心が内的な法廷であるべきであるなら、そうした法廷は力を持たなければならない。その力というのは、われわれを強制し、われわれの行為を不随意に判断し裁き、われわれを内的に赦免したり弾劾する。各人は思弁的に判断できる能力を持ち、そうした能力はわれわれの自由意志のままになる。だが良心は、われわれの行為を判断するようわれわれを強制するような、われわれのうちにある何かである。良心はわれわれに法則を呈示して、われわれが裁判官の前に姿を現すよう強制する。良心はわれわれの自由意志に逆らってわれわれを裁く。だから良心は、本当の裁判官である。

　こうした**内面の法廷**が、**神の法廷**である。つまり、この法廷はわれわれについてその志操自体を見通した判断を下す。だがわれわれは**神の法廷**については、われわれが自分自身を自分の志操の面で裁かざるを得ないという意味の概念を打ち立てることができるだけである。つまり、外側からは分からない志操や行為のすべては、**内面の法廷**の前に立たされるべきものである。なぜなら、**人間の外面の法廷**（*forum exterum humanum*）は、志操の面で判断することができないからである。だから、良心こそが、**神の法廷**の代理人なのである」（同書 p.77 以下、強調符は本文の示すとおり）。

　（以上の講義は、カントによって 1775 年から 1785 年のあいだに繰り返し開講された。だからその講義は、カントがいわゆる批判期へ移行する直前であるか、または批判期カントの主要著作が成立する最中のことである。）晩年になってもカントは、こうした内的な法廷という隠喩法を捨てなかったし、この比喩を彼の道徳哲学と結び

つけるように試みた。例えば著書『単なる理性の限界内部での宗教』第 4 節で、カントは「**良心は、自己自身に対して義務であるような意識である**」と言う。この記述のすぐ後ではこう言われる。すなわち「良心は、次のようにも定義できよう。良心は**自分自身を裁く判断力**である。……良心では、理性自身が（行為が正しいか正しくないかについての）慎重の限りを尽くした行為の判定を本当に自分に引き受けたのかどうかについて自らを裁く。そして理性は、こうしたことが現に行われたのか行われなかったのか、このことの証人として人間を、彼自身の**諾否**には関係なく法廷に立たせる」(Kant, *Gesammelte Schriften*, Bd.6, p.185 以下)。

カントは、晩年の著書『道徳形而上学』でもう一度この描写に立ち返る。「徳論の形而上学的な基礎」(Kant, *Gesammelte Schriften*, Bd.6, p.400) の中で彼は良心を、「法則を適用するそれぞれのケースで、人間に人間の義務を突きつけて、罪の赦免を言い渡したり弾劾したりする実践理性」と名づける。そうした理性は、もっぱら主観に関係し「客観には関係しない」。だから、その理性は義務意識を目指している。カントは、もっともその著書で次のように言っている（同書 p.401）。

「つまり、良心にしたがって行為することが、それ自体、義務であることはできない。なぜなら、そうだとしたら、最初の良心の働きを意識するようになるにはさらに第二の良心というものがなくてはならないであろうから。この場合、義務であるのは、自分の良心を培い、内なる裁判官の声に対し注意力を鋭くし、あらゆる手段を使って裁判官に耳を傾けさせること（だから、単に間接的な義務）だけである」。

同じ書物の少し先のほうでは、すなわち「倫理学の基礎論」では、「人間内部の**内的な法廷**の意識が、**良心**である。その法廷を前にして人間のさまざまな思想が互いに提訴し合ったり、弁明し合う」（同書 p.438）とカントは言う。この方式は、周知のもので、すなわち、実際上は文字通りに、パウロが受け容れていた方式である。だがカントには、最後の審判への示唆が欠けているのは言うまでもない。つまり、**世俗化した**良心が問題であり、そうした良心が内的な法廷として把握される。それではカントの場合、伝統的に良心の支え・内容・核

心の一部であった神観念に対応するものは、いったい何であろう。興味あることにカントでは、それは道徳自体、道徳的な実践理性である。もちろんカントはそうした理性を、遺稿集になると「神」と同一視している。神と言うよりは、むしろ神的な原理と言ったほうが適切かもしれない。そうしてカントは『道徳形而上学』で次のように記している。すなわち、誰か事情通の者（カントがよく使う言い方では、「心に精通した」番人）がいて、そうした人は行為のモチベーションを知り、行為の動因と動機を見抜くことができる。このことを良心の判定は前提にすると、カントは言う。行為の動因や動機を見抜くことなど、誰も外側からはもちろん観察してできるものではない[2]。カントはこのように良心を把握する。この把握と結びつけてカントが確認するのは、被告人であると同時に裁判官でもある人格が、まさに複雑な境遇にあるということである。その理由は一方では、被告人はいつも自説が正しいと主張するからである。というのも、人間が自分の正しさを立証しようとするのを弁護するのは結局はやはりエゴイズムだからである。だが他方で、『道徳形而上学』のある箇所（同書 p.438 以下）でカントは、次のように言っている。

■内面の法廷での人格——カント(2)

「**良心**と呼ばれるのは、こうした根元的で知性的な素質、しかもこの素質は義務表象だから道徳的でもある素質である。さて、そうした素質それ自体には、次のような特殊性が備わっている。すなわち、この良心という用務は、たしかに人間の自己自身に関わる用務であるとは言っても、こうした人間はやはり**他者人格**の言いつけに従うよう自らの理性により強制されていることが分かっているという特殊性である。なぜなら、ここでの用件は、裁判で**法律問題**（カウサ causa）をさばくことにあるからである。それなのに、自己の良心により訴えられた**被告人**が、裁判官と**同一の人格**としてイメージされるなら、これは、法廷の表象の仕方としてはつじつまが合わない。なぜなら、このように表象されると、それと同時に実に告発者が、いなくなってしまうからである。——だから、あらゆる義務にあって人間の良心は、（およそ人間とは別の、すなわち）自己自身とは別の**他者**というものを自己の行為の裁判官として思考しなければならないだろう。そうしなければ、思考が自己矛盾に陥るからである。さて、こう

した他者は、現実の人格であるかもしれないし、あるいは、理性が自ら作り出すような単に理想的な人格であるかもしれない」。

　カントは、以上の記述に直接続けて次のようにも言っている。すなわち、こうした人格こそ「心に精通した者である」のは必然である。「法廷」は「人間の内面に開廷」されている。だが、人間は同時にまた「ありとあらゆる義務を負わせる」存在者である。言い換えれば「そうした人格」は、あらゆることを見極めることができなければならない。つまり「そうした人格」は、自己自身の行為のモチベーションについて全知であることができ、それと同時に、人格のあらゆる自由な行為についても見渡すことができ、意のままに裁き判決を下すことができなければならない。「さてそうした道徳的存在者は、同時にあらゆる権力を（天上でも、地上でも）持たなければならない。なぜなら、そうでなければ、そうした存在者の法則はこれにふさわしい効果を失うことになるからである（効果があるというのが、裁判官の仕事にどうしても必要である）。万物に力を及ぼすような、そうした道徳的存在者は、だが神と呼ばれる。だから、良心は、神の前で自らの行いについて果たすべき責任の主観的原理として考えられなければならない。それどころか、神という概念が、たとえ曖昧なかたちであれ、道徳的な自己意識の中に常に含まれていよう」。言い換えるとカントは、こうした内的法廷という隠喩を使うことで、われわれ自身の中に潜む一人の裁判官を指し示す。このことはやはり最終的には、良心を神の声と見る神学者の伝統的見方にまったく似ていると言えよう。とはいえ［カントでは］神への関係が、外側に向けられるようなことは抹消されている。ところでキットシュタイナー（Kittsteiner, 1991, p.278）は、この点にパラドックスがあると見る。すなわち「良心の遂行は、『人間が自己自身に関わる用務』である」が、良心は他者の人格に関係しなければならない。もっとも、この他者人格は「理想的」人格であるか、あるいは理性により構成された人格であるかである。カントは次のように考えることで、ようやく窮地を脱しようとした。つまりカントは、**本体人**（*Homo noumenon*）、人間の本質をなす核心、精神的でアプリオリな核心的人間像——あるべき人間の理念を表すような人間とも言えよう——を、経験的な人間、**現象人**（*Homo phaenomenon*）から区別することで、窮地を脱しようとした。

だが、カントによると、感覚的なものに対する英知的なものの因果関係については、どんな理論も成り立たない。つまり、本体的・本質的・本来的・アプリオリなものを表す単なる英知的なものには現実に作用する力があるのか、このことを説明できる理論は何もないのである。カントは、この場合［良心理論の場合］内的な法廷という隠喩をただ指し示す以外には何の解決法も持ち合わせていないことを容認する。**あたかも**（*quasi*）神の声、裁判官であるかのように働くような理想の審判の場は、隠喩であり象徴であるにすぎないのである。例えば『実践理性批判』の中でカントは、自説へのある種の違反を敢えて犯すことで、窮地を脱している。カントは、およそ良心を単に感情に基礎づけるようなことは斥けながら、良心の本来の基礎のようなものとして、非経験的な感情というものを導入する。そうした感情を周知のようにカントは、一般に定言命法により与えられる「道徳法則に対する尊敬」と名づける。もっぱら法則、道徳法則への尊敬からのみ、われわれは行為すべきである。その場合には、こうした非経験的な尊敬が、実に**理想的**に理解されるべき意味を持ち、経験的な道徳感情を代弁し、あるいはこれに取って代わるということになろう。例えば、アングロサクソン学派アダム・スミスたちのように道徳を情動心理学や感情心理学に還元することを、カントは拒む。特にまた、良心の声を一種の経験的な因子としてだけ捉える見方を拒む。カントには、世俗的な見方があるにもかかわらず、いわば「ユートピア的な」無制約者が依然として保持されている。確かにカントは、ある意味で宗教的な良心を批判する。すなわち良心は、彼にとってはもうキリスト教的人格神にだけ結びつくようなものではない。だが、近代のもっとも影響力のある道徳哲学者［カント］はやはり、いわば神が影響力を発揮するしかたを、すなわち内的な法廷で「あたかも神のように」働く声を保持している。それどころかカントは、キットシュタイナー（Kittsteiner, 1991, p.280）が言うには、良心を再び直接に神の働きの中へ挿入する。

■**解釈上の構成体としての良心——カント(3)**

だが、良心は今では内部的におのずと変質したにちがいない。このことが、［カントでは］どのように示されているのか。良心はある意味で、「もう今となっては意識的な意志作用でも、論理的作用でもなく」（同書同箇所）、一種の虚構

として投影された審判の場であり、解釈上の要請である。つまり、前提となり、比較尺度、標準として必要となる解釈上の構成体である。だが、判断自体が良心によって行われるのではない。それは悟性、ないしは判断力により下される。カントによれば、**判断を下すのは、判断力である**[3]。とりわけ、拡張判断が問題となると、そうである。拡張判断は、単に、分析判断のように悟性に従属する論理的作用に還元できるものではない。こうして良心の発言は、意のままにはならず、止むに止まれぬものである。だが結局は、もちろんカントが言っているように、自分自身について自ら判断を下し裁くのは、ほかでもない判断力、実践理性自身である。すなわち良心とは、「**自己自身を裁く道徳的な判断力**」である。宗教書ではそのように言われている（Kant, *Gesammelte Schriften*, Bd.6, p. 186）。また、先に引用したように『道徳形而上学』でも同趣旨のことが言われている（同書 p.400、p.438 など）。カントは宗教書では再び言う（前箇所）。すなわち理性は、「理性が（行為の正しいか正しくないかについての）慎重の限りを尽くした行為の判定を本当に引き受けたのかどうか」について自らを裁く[4]。「そして理性は、こうしたことが現に行われたのかどうか、このことの証人として人間を、彼自身の**諾否**に関係なく法廷に立たせる」。

　だから良心は、内的な（解釈上の）構成体である。その構成体は、隠喩というものを使用し、同時にその隠喩を道徳的実体に結びつける。道徳的実体はカントにとって、基本的には人間の本質である。すなわち実践理性、または人間のうちにある神的なものである。これこそが、ほかでもない人間の道徳的理性により代表される。ひとは、こうした隠喩を使用することについてカントを最初は批判したくなるかもしれない。だが、その批判が的を射ていないのは確かである。なぜならカント自身には、こうした内的な法廷への言及が隠喩であるとはっきり分かっているからである。理性自体、と言うよりも判断力は、ホムンクルス※ではない。頭中に住まう自分で行為し振る舞う検閲機関といったものではない。そうではなく「行為」や「振る舞い」などは、われわれが**人格**に帰す表現であり、人格の部分能力のせいにはしないような表現である。人格と人間が行為する。実践理性が行為するのでない。実践理性だけでプレイヤーとして［振る舞う］と言うのであれば、それはホムンクルスの理論であろう。裁

2. 良心の呼び声——良心概念の概観　33

判官としての良心の隠喩では、ホムンクルスの理論が確かに、まことにもっともらしく見える。だが、この隠喩をまじめに受け取り、単に形象としてだけ理解するのでないとなると、ここでは本質的に構成体が問題であるということが見えなくなってしまう。その構成体というのは、自己解釈、自己判定、自己教訓のためのものである。それはカントによれば、経験的では全くなくて、何かを誰かの名義に書き換えるような構成体である。その構成体はそれ自体としては、行為し判断する者でも、創始者でもプレイヤー自身でもない。人格の行為を判定し、内面の良心という構想のもとで、つまり内的な法廷というイメージのもとで自己を判定するのは、人格の中に住まう小さな検閲機関としての良心ではなくて、人格それ自身である。換言すれば、ここでカントは、一般に彼の理論哲学や実践哲学にあってと同じく、構成体を使って事に当たる。この構成体は、わたしが名づけるように（Lenk, 1993, 1993aを参照せよ）、認識論的な解釈上の構成体である。

　良心もまたカントにとっては、方法論的な観点で見れば、解釈上不可欠な構想物、あるいは構成体である、そのような審判の場として捉えられなければならない。だから良心については、本来、直接的に**能動的な**審判の場自体として端的に語ることはできない。このことは、理性や判断力を能動的な審判の場として直接に語り得ないのとまったく同じである。まさに問われているのは、意識領域の中で表現された解釈上の構成体なのである。解釈というこうした観点に立てば、ささやかな良心理論を展開できるだけだとわたしは思う。良心の場合、問題なのは自己に帰せられる責任性の意識である。ないしは、責務を承認し引き受けることが道徳的な自己評価という意味できちんと意識されているということである。このことは、すでに上で示唆され、特に少なくとも良心という表現に当てはまる。そうした意識が、心理的に活性化した一定の感情の中に反映し、あるいは良心の感情的反映や共鳴の中に照らし出される。すなわち、

※ホムンクルス（homunculus）：ラテン語で「小さい人」の意味。人工的に造り出された人造人間を指し、その製造についての有名な記述はパラケルスス（1493?-1541）著とされる『物の本性について』に見られる。13世紀にホムンクルスへの信仰が現れ、そこには両性具有人における硫黄・水銀・食塩（精神・魂・肉体の象徴）の三原理の錬金術的な三位一体の考えがある。

その自己責任性の意識が、内的に義務を負うという内面化の意識の中に照らし出される。このことは疑い得ない。こうした内面化の意識は、［義務の］要求を承認するという意識的な作用体験である。だが、良心をこのように構成すること自体は、本質的には、一種の解釈の結果であり、内面へ向かう機能・形式として重要な投影である。ここで決定的に重要なのは、次のことである。すなわちカントでは、このように、あたかもユートピアであるかのごとくに理想的に理解された良心には経験とは結びつかない仕方による過度な要求があるということである。そしてこの過度の要求こそが**倫理というもの**である。この要求は、［良心の］単に経験的な感情反映というものから、すなわち感情にアクセントを置く良心の声から、きっぱりと切り離さなければならない。道徳法則への尊敬という観点に立って、良心は、責任性を自己自身に帰するものとして内面的に構想される。こうした良心構想は、良心の声が心理的統一体としての人格の中に感情的に反映するというのとは、別次元のはなしである。カントは一般に主観概念を呈示するのに、われわれが経験的に見つけ出す心理学的な主観と認識論的な主観とを区別する。認識論的な主観は、一切の表象を結合するのに不可欠な最高の統一体である。むしろ認識論的な主観は、一切の表象を結合すると言うよりも、一切の表象を一般に統一状態にあるものとして思考できるようにしてくれると言ったほうがよい。われわれは言ってみれば、人格の統一、主観の統一を仮定しなければならない。それは、われわれがわれわれ自身のために掲げる必然的な要請である。その要請はまた、われわれが他の人間に対しても、特に精神的で道徳的な力を十分に所有しているかぎりでの他人に対して、つまり人格としての他人に対して要求せざるを得ない。言い換えると、こうした良心は、良心自身としては内面に帰責する投影である。この内的な法廷は、だから基本的には、内面へ向かう方向転換というものである。だからわれわれは、キットシュタイナーの著書では、良心の声、それも起源としては宗教的である良心命令が上のように倫理化されているありさまを見てとる。宗教的な良心命令は、いわば外側からやって来るように見える。だがこの命令が、われわれの**内部**でわれわれにより神の声として表され、ないしは解釈される。こうした内面化、あるいはもっと適切に言えば、監視の内面への移動のおかげで、まさに

カントの時代に再度、良心が積極的に評価されるようになる。つまり、良心は確かに、今となっては直接に宗教的な理由づけに結びつかなくなる。だが、良心はやはり、行為を水先案内する審判の場になるように入念に練り上げられる。その審判の場は一面では、行為の判定、特に回顧的な判定を行い、他面では［なすべき］行為を督促する。あるいはまた、そうした審判の場によって［良心が］、先を見積もるような良心としても捉えられるようになる。

　カントが端的に要請する道徳法則への尊敬とは、どういうことなのか、カントがいわば道徳の本質、「理性の事実」としてこれに何を求めているのか。この点についてカントの考えにはいろいろと問題があることを、われわれは知っている。つまりは、ある意味でこうした人間の自己自身への道徳的アピールがカントでは、限りないユートピアへの必然的要求と言えるようなものである。カントによればそうした要求をわれわれは、いつも規範的には掲げなければならないし、また仮説として**仮定し**なければならない。われわれがそうした要求を自分自身持っていると思いこみ、また他者に対して突きつけているかぎり、そうである。

第3節　カント以降の良心概念の展開
■**良心の内面化と意味喪失**──ゲーテ、ユング、ニーチェ、フロイト

　だから、行為の水先案内となる良心という審判の場は、未来の行為にも向けられている。そうである以上、良心は自己を規制し、自己を監視し、自己を律するための中枢的な審級であり続ける。すなわち「**規範を与える**（*Normation*）**中枢的な審級**」であり続ける。この語は、ゲシュタルト心理学者、リューディガー（Rüdiger, 1968, p.475 以下）が 20 世紀になって述べたものである。その語はしばしば、価値観を司る機関として捉えられるし、自己を制御し自己に責任を負う人格性による中枢的な審級としても把握される。いずれにせよ内的な判定者である。

　ゲーテもすでにこのことを、よく知られた彼の詩『遺言』で、それなりのしかたで見てとっていた。すなわち次のとおりである。「……内面に目を向けるがよい、おまえはそのただ中に中心を見つけよう。気高い人なら何にも疑いは

しない、おまえは規則の存在に気づくだろう。自立した良心はお前の道徳の昼を照らす太陽だから」。これが実にパトス溢れる言葉であるのは言うまでもない。おそらく今日のわれわれは、そうした言葉をもう使わなくなったと言えよう。だが、その言葉はこれまで影響力を持ってきたし、何度も引用されてきた。

　多くの心理学者は、こうした出発点を完全に飛び越えてしまって、現代になっても相変わらず良心を一種の神の声として把握した。例えば、カール・グスタフ・ユング (Jung, 1958) が挙げられる。すなわち彼によれば、良心は「ヌーメンに関係した」※命法、つまり崇高で圧倒する「命法」として特徴づけられる。そうした命法には以前から、人間悟性を超えた高い権威が具わるとされる。「ダイモーニオン」、例のソクラテスに出てくる〈促しの声〉は、ソクラテスという経験上の人物でも良心それ自体でもないと言う。なぜなら、客観的に見ると、合理的なものを前提にすることなく、ダイモーニオンは「要求」や「権威」という点では「ちょうど神のように」振る舞うからであるとユングは言っている。同時に彼は、良心が「神の声 (vox dei)」であると述べる。ユングによれば「こうした発言は、非合理的なものをも包み込まなければならない客観的な心理学を回避するわけにゆかない」。ほかにも、こうした内面への方向転換を示す多くの実例がある。もちろんそれらの実例では、ユングに見られるような [良心の] **声**と**神**の結合が、しばしば否認される。例えばニーチェやフロイトが、そうした傾向にある。

　ニーチェ (Nietzsche, 1887) は良心を、一切の批判を飛び越えて編成されるべき審級とは全然理解していない。ニーチェが説く良心とは、人間の自己自身に向ける攻撃の〈内面への移動〉である。そうした攻撃はもう他者には向かわないで、ほかでもない判断・行為する人格自身、あるいは自我の客体化された部分へと向かう。良心のやましさの根源は、本当は敵意であり残酷である。さらには迫害・邪魔立て・転変・破壊への喜びである。一切合切の攻撃が、そうしたいろいろな本能の持ち主に対して向けられる。だから良心は、内面への攻撃であり、人間に具わる攻撃性である。そうした攻撃性としての良心は、むしろ破壊的な自己支配 (「自己への暴行」、Nietzsche, 1887, p.322 以下, p.326 以下) という姿をとるにせよ、権力への意志の表現でもある。あるいは良心はまた、投入さ

2. 良心の呼び声——良心概念の概観　37

れた道徳性であるが、その道徳性による基本的な試みは、外的な社会的コントロールだけでは果たせないような事柄を、内面へ向けられた衝動力学の力で成し遂げる。以上のニーチェの言説が、ちなみに、フロイトでも同じく重要な役割を演じる、そのような［良心の］内面化のテーゼである。フロイトの徹底した意見では、倫理は、超自我の声というかたちをまとうような、社会による命令の内面化として把握しなければならない。良心で問題なのは、はたして単に、社会的観念を内面へと投入することなのか。ないしはキリスト教的な奴隷道徳※が示すような伝統的な道徳観念を内面へと投入することなのか。実際フロイトが取り扱っている良心とは、自我へ、言い換えれば検閲・監視する超自我というかたちをとる人格へ、社会の要求や期待を投入しさえすれば成立するような何かにすぎない。そしてその何かが、罪感情というものの形成に与る。こうした良心の発生は、一種の「病因論」(Kittsteiner, 1991, p.409) を意味すると、もちろん言ってよい。［こうしたフロイト流の見方では］人間に対する良心の要求は一面では過重であるが、他面では良心はその意味を喪失する。なぜなら、単に社会のいろいろな要求を経験的に内面へ投影するだけであると言うのであれば、［良心の］情動的で拘束する本来の勢力がもうなくなっているからである。そのためキットシュタイナー（同書同箇所）は自著の末尾で、その状況を17世紀末に類似していると述べている。当時のように、宗教に囚われた良心に批判的に対処する必要があるだけではない。「歴史哲学に囚われた良心」に対しても対決しなければならない。例えば、人間啓蒙の増進という意味合いを持つ構成体や、あるいは倫理化という意味を帯びる倫理的良心に対しても、対決しな

※ヌーメンに関係した (numinos)：ラテン語ヌーメン (numen) は本来、神の力・意志を表すが、R. オットーはその著『聖なるもの』(1917) でヌーメンに由来する語として、聖の本質を表すヌミノーゼ Numinose を用いて、ヌミノーゼの体験は、畏怖と魅惑という相矛盾する二つの感情であるとした。

※キリスト教的な奴隷道徳：ニーチェは、キリスト教で説かれる献身・愛・同情の徳を奴隷道徳 (Sklavenmoral) とし、これに対立させて自らが積極的に説く道徳を支配者道徳 (Herrenmoral) と呼ぶ。何よりも生命の高揚を尊び力への意志を高く掲げるニーチェによれば、隣人愛を説き、同情、忍耐、勤勉、謙虚などを重んじるキリスト教道徳には、弱者が強者にたいしひそかに抱く反感（ルサンチマン）に基づく価値錯誤がある。「道徳上の奴隷一揆が始まるのは、反感（ルサンチマン）そのものが創造的になり、価値を産み出すようになった時である」（ニーチェ著、『道徳の系譜』木場深定訳、岩波文庫を参照）。

ければならない。キットシュタイナーに言わせると、「儀礼化」は倫理 (学) を前にしても尻込みしなかったのである (同書p.410)。そこで、断固とした良心の声による要請や呼びかけさえも、後戻りして、アリバイ機能や倫理的循環論証というものに陥ってしまうのが、容易に見て取れると言う。

■現代の良心理論のさまざま──キットシュタイナー、ライナー、ルーマン、ブリュードルン、リューディガー、キュンメル

すなわち「良心は歴史上の使命を果たしてきたが、そうした良心についての難問はパラドックスとして表される。最終的な価値観との結合なしに、良心は済まされないように見える。最終の価値観が欠落すると、[良心の] 病理化と儀式化の現象が始まる。逆にまた、責任のこうした最高の領域は、最大の危険領域であることが明らかになった。つまり20世紀になり良心という名のもとで、およそ考えられる最大の害悪が生起したからである。良心は、全体への思い上がった責任のゆえに歴史目的論に巻き込まれる。このように巻き込まれた状態から良心を連れ出してくれるものがあるとすれば、それは、ただ新たな啓蒙だけである」(同書p.410)。

キットシュタイナーがさらに述べるところによれば (同書p.410以下)、これまで良心は、けっして「閉じた」現象としてではなくて、「開かれた」現象として把握せざるを得なかった。そして重要なのは、「新たな『最終の価値』」を良心を縛る最高の拘束として、あるいは良心を支え得る支柱として展開することである。彼は、「『世界への愛』」が、だからわれわれの世界と地球の保存への愛がそうした最終の価値とはなら「ない」のかどうかと問う。つまり、最終の価値をいわば代表でき、「良心を方向づけることができる」ような「規範領域」として、そうした愛を「考えることができる」のかどうかと問う (同書p.411)。そうした彼の考えは、ある意味では、一つの解決法である。また、本章導入部での実例が描き出したように、良心にはそうした基本的な機能があるのを、実のところ一面では無視できない。そのようにわたしは思う。良心の声は手許にあり、現にここにあり、拘束する響きを打ち鳴らし、義務を負わせる。だが他面では、人格と一体になり、人格に帰せられ、だが間違いなく「体験」されるような、次の洞察も重要だとわたしは思う。すなわち良心で本当に問われてい

るのは、規範として解釈上構成されるようなもの、言い換えれば、まったく内面に転移されるように仮説的に構成された形成物であるという洞察である。この両面をともに保持することが肝心である。われわれは（内面の）解釈を糧にして生きている。

　良心のさまざまな部分や機能についての現象学というものを展開できよう。例えば、ごく最近亡くなった倫理学者ハンス・ライナー（Reiner, 1971, 1978）は、そうした試みを行った。彼の見るところ、良心には基本的な機能として、二種類の区別がある。一つには**行動を指示する機能**である。つまり指導する機能であり、一定の行動を課する要求である。二つには、**行動の監視**である。つまり、道徳的な要求や命令を果たしたかどうか、これを確かめ吟味することである。彼は「自律的な良心」と「権威ある良心」の区別についても詳しく述べる。自律的な良心とは基本的に、自己自身が判定者であるという態度決定に基づいている。これに対し、権威ある良心とは、外的な権威に結びついている良心である。自律的な良心は本質的に、指示的な機能にかかわるが、権威ある良心は、むしろ監視機能にかかわる。両方の良心とも、もちろん、過去を顧みる方向をとる［反省する］ことも、予見的な方向をとる、つまりこれからとる行動への判断を行うこともできる。さらにはまた、善い良心（良心にやましくないこと）と悪い良心（良心にやましいこと）とを過去を顧みて分析・区別できるし、善い良心と悪い良心とを予見的に、例えば、催促する良心か警告する良心かに分析・区別することもできる。そうした分析・区別のすべては、多様な良心概念を識別すべき試みではある。だがそうした試みは、良心の根本構造自体を明るみに出すために行われたわけではない。

　残念なことだが、今日実際に、間違った方向に向かう状況が起きているようである。例えばニクラス・ルーマンは、精神科学的・価値倫理学的な見方で良心概念を考察することをきっぱりと拒絶する旨のことを述べている。すなわち彼によれば、求めるべき良心概念は、特定のテーマに結びつかず、また、善と悪の普遍倫理学的研究に結びつかず、こうした研究に限定されていないような良心概念でなければならない。良心の**機能**により定義され、だから実践上はもっぱら監視機能により定義されるような概念だけを用いなければならない。そう

なると、［良心の］投入作用は、ニーチェやフロイトあるいはロックに見られるようにただ経験的であり得るだけだという帰結になろう。それは当然の成り行きであろう。その場合には、普遍的で包括的な倫理的要求というものは、およそ問題にならなくなる。ユルゲン・ブリュードルンは、良心についてたいへん読み応えのある論文集を著した。彼によると、［良心に関する］議論状況は、「たしかに……どうしようもない」ありさまだと言う。「弱さゆえの多元主義」（Blüdorn, 1976, p.4）というありさまである。「統一的な使命というものから……以前よりはるかに遠く隔たってしまった」のである。すなわち、今日のような良心の危機に会うと、もう統一的な良心現象というものは存在しない。良心は、さまざま多くの専門分野、特に心理学、社会学、哲学などの共同作業により学際的に取り扱うことができるだけである。その見方は確かに正しい。だが、良心が経験的事実として一人の人格の中に発生し展開するのは、もちろん多くは発達心理学にかかわることで、例えばリューディガー（Rüdiger, 1968）によるような、発達心理学のモデルを使って記述できる。このこともまた疑い得ない事実である。リューディガーは良心の形成を、母親との調和あるいは信頼構築という始原・根源状況——そうした状況を乱す場合があるのは、言うまでもない——へと還元する。良心は力動的な感情の構造として、根源的な信頼という基盤に基づいている。すなわち、**「愛されているという体験、および愛することができるという体験は、いつでも罪の体験に先立っている」**（同書 p.483）。

　良心に社会的な広がりを持たせることで、もちろん別の可能性が開かれてくる。例えば、ゲシュタルト心理学者フリードリッヒ・キュンメル（Kümmel, 1969, p.443 以下）は、そうした試みを行った。彼は、良心が「社会に巻き込まれているということ」を格別に強調する。いろいろな良心現象には原型があり、本当に決定的な点があり、だから良心の所持の本来的な形態があるが、それは、公共的な、**他者に対し責任を負う良心**であると彼は考える。すなわち、他者に対して責任を引き受けているという良心であり、これが良心の原型としてのモデル表象であると言う。

■**良心と責任**

　この見方は、良心を、自己に帰せられる責任の自覚とみるような見方に近い

のは言うまでもない。経験的な良心現象を、付属的な表現として、精神の表現あるいは心の表現として理解できる。すなわち、良心を所持するとは、自己に帰せられる責任性の意識である。こうして良心は、責任を帰することのひとつであり、ひとつの責任性である。そうした責任性は、言葉のごく普通の意味で倫理的な視点に立っていると言える他者と自己自身とを尊敬せよという要求に従うことで自ら自己に帰するような、そうした責任性である。責任というものの草案（下記を参照せよ）を練る場合と同じく、良心（の意識）現象とその変種の場合にも問題なのは、解釈上の構成体を作り上げることである。そうした構成体は、原型的にはまず規範としての働きがあり、次に認知的・記述的にも使用できる。良心の概念史を簡単にたどってみれば、責任と良心とが、あるいは責任を帰することと良心の声とが相互にどんなに密接に結合し合っているかが分かる。わたしはそう思う。良心とは、自己に責任を帰することの具体化と「意識化」である。また良心はその都度、特に規範的な指示・監視機能を働かせながら、具体的な状況に適宜かかわる道徳的責任のありさまを表してくれる。すなわち良心は、個人に具っている、また状況の内で具体化する人間性である。道徳的良心は、人間性に誓いを立てており、**具体的な**人間性を実現するためにどうしても必要である（Lenk, 1998 を参照）。

第4節　裁判での「良心」
■アイヒマンの「良心」

　被告人は、良心の危機を体験したのであり、基本的には自分が殺人の義務を果たすのに、実に自己の良心を乗り越えなければならなかったのだと抗弁した。ハンナ・アーレント[※]（*Eichmann in Jerusalem*, 1964, pp.185, 176, 130 その他）は、イェルサレムのアイヒマンについての報告で、殺人者、いわば合法的な国家的殺人者の良心の問題を論じた。彼女の結論によれば、彼はまったくもって良心の危機、良心の呵責にさいなまれたと言う。アイヒマン自身が、訴訟の中で折に触れ「良心」という表現を、ないしはたいてい「義務意識」（同書 p.173 以下）やこれに類した表現を引き合いに出した。ハンナ・アーレントは、そうした被告人が良心を持っていたのかどうかの問題について述べている（同書 p.130）。

「答えは明白に見えた。もちろん、アイヒマンは良心を持っていたし、彼の良心はおよそ四週間のあいだ、通常の期待どおりに機能していた。後になってから良心は、いわばひっくり返ってしまい、まことに正反対の方向に働いてしまったのである」。

アイヒマン自身はあとになって、自分は「かすかな一灯火」でしかなく、ひたすら「死んだような服従」を強いられ、自らの時代の強制に従属し、命令あるいは「法律」を遵守しなければならなかったのだ、と言い逃れを試みた。のちに彼が語ったように、国家を名目に「法律」が「合法的」犯罪を許容し命令した。審問で彼は、『実践理性批判』を読んだと言ったし、しかも、カントによる定言命法の定義をかなり正確に口述できたのに誰もが驚愕した。すなわち「私が定言命法で理解していたのは、私の意欲の原理、私の努力の原理がいつも普遍的立法の原理にまで高められ得るような原理でなければならないということである」(同書p.174からの引用)。アイヒマンは確かにカントの方式を使用しはしたが、だが彼が胸中にしまっていたのは、ハンナ・アーレントによれば、おそらく内容をへし曲げたヴァージョンであったであろう。そのヴァージョンは、第三帝国でのハンス・フランクによるカント定言命法の「新たな方式化」に関連したもので、次のように言われる。すなわち「もし総統があなたの行為を知ったなら、総統がこの行為を是認するように、そのように行為せよ」(Hans Frank, *Die Technik des Staates*, 1942, p.15 以下から引用)。アイヒマンの姿勢は、いずれにしても、定言命法を歪め醜くする。アイヒマンが定言命法を引き合いに出しているとすれば、せいぜいそれは、彼自身が「小人の日常の用に供するための定言命法」(アーレント、同上書p.175)と名づけた代物、すなわち法への服従である。「法律はアイヒマンにとって法律であった。例外は許されないだろう」(同書同箇所)。それなのに彼自身には、二つの例外があった。すなわち、片親がユダヤ人である従兄弟を助けたことと、アイヒマンの叔父が面倒をみていたヴィーン出身のユダヤ人夫婦を助けたことである。こうした辻褄のなさは、彼には、反対尋問を受ける際になっても具合の悪いことであった。なぜなら、どんな例外も許容できないという囁きに、彼はこの二つの事例で自ら逆らってしまったからである。「例外もなければ、妥協もない」。これは、いわば絶対服

2. 良心の呼び声──良心概念の概観　43

従と法への服従の総括であり、極地であった。彼は依然として「義務に従って」いると思っていた（同書 p.176）。ハンナ・アーレントは、次のように結論づけている（同書 p.185）。すなわち「アイヒマンを戦争最後の年に妥協なき行動に駆り立てたものは、彼の狂信ではなくて彼の良心であって、彼の良心は、3 年前に、ほんのわずかな期間のうちに、まったく正反対の方向へ彼を追いやってしまった。アイヒマンは、ヒムラーの指令が総統の命令に直接に逆らって下されていることを知っていた」。それにもかかわらず、アイヒマンは指令と命令とを実行すべき状況にあることに気づいていた。反倫理的命令の遂行を強制されるという緊急状態を例のように逃げ口上にすることで、もちろん彼が引き合いに出したのは、「彼の罪［を犯すこと］が……彼の服従［すべき義務］」（同書 p.294）であったのだという言い分である。**ただひたすら**彼は服従することであった。「なにしろ服従はやはり美徳として褒め称えられる」。この徳は、ほかでもない「統治者が悪用した。しかし、わたしは『指揮階級』には属していなかった」。「わたしは、ひとが決めつけるような人でなしではない。わたしは、誤った推論の犠牲者である」（同書からの引用）。これは、最後に彼が有罪判決に際して述べた結びの言葉である。

　良心を頼みにすると、奇妙な方向に進むかもしれない。良心がある意味で疑わしいし、**内容的に**疑わしくなってしまったのは、やっと第二次世界大戦になってからと言うわけではない。そのように一般に見られている。良心という審級、いわば良心の形式的な声というものにだけ頼ることで十分でないのは明らかである。ある意味でそれは、先のドイツ連邦共和国大統領リヒャルト・フォン・

※ハンナ・アーレント Hanna Arendt（1906-1975）：マールブルク大学でハイデガーとブルトマンに、ハイデルベルク大学でヤスパースに、フライブルク大学でフッサールについて学んだあと、「アウグスティヌスにおける愛の概念」で学位を得る。ユダヤ人である彼女は 1933 年パリへ亡命、パリ陥落後アメリカへ、プリンストン大学教授。『全体主義の起源』『人間の条件』など。
　彼女の著書『イェルサレムのアイヒマン』（大久保和郎訳、みすず書房、1969 年）の中で、この圧倒的な組織と統制の時代にあって、どのようにして一人の凡庸な市民が想像を絶する悪の実行者になりえたのかを、そうした平凡な悪人，陳腐な悪の出現がわれわれの時代の特徴的な現象であると彼女は報告している。アイヒマンとは、従順な属僚に過ぎず、平凡な順応主義者に過ぎないのであり、そこにあるのは思考の欠如、無思慮なのである。

ヴァイツゼッカーが、1985年5月8日の演説で語った態度表明である。つまり彼は、いわゆる第三帝国の偏向した戦略・戦術、自己欺瞞を引き合いに出した。「良心を脇に追いやり、［良心の］管轄の外に立ち、［良心から］目を逸らし、沈黙するのには、いろいろな形式があった」。このことは、特に普通の市民に当てはまる。普通の市民が、ある意味で良心の葛藤に陥ったし、陥らないわけにはゆかなかったのは言うまでもない。それはもちろん自らの知識のレベルに多かれ少なかれ左右される。もとより、7月20日に「良心の蜂起」という名が与えられるのも偶然ではない。この命名は確かに正しい。この場合、近衛兵将校の伝統的な態度である名誉と良心が一緒に役割を演じたかもしれない。だが、古くはプロシア将校、新しくはドイツ将校こそが、命令者に対する「服従」を特別に内面化していたはずである[5]。

■良心と名誉、勇気

上述のように責任の概念と良心の概念とのあいだにだけ相互関係があるわけではない。［良心には］自分を頼む自負心、かつて「名誉」と呼ばれたものとの関連があるのは言うまでもない。このことをアネッテ・フォン・ドゥロステ・ヒュルスホフ※は、彼女の詩『離すな』で次のように表現した。

「われわれみなに一つの羅針盤が刻印された

胸を引き裂き、この羅針盤を引き離した者はまだいない

地上を見つめる者は、これを名誉と名づけ、

天上を見上げる者は、これを良心と名づける」

明らかに良心は、勇気、市民としての勇気、人格の賭けに関係する。例を挙げると、ジョン・F・ケネディーが自著『プロフィールと勇気』（*Profiles and Courage*, 1955）で掲げたテーゼがある。そのなかで彼が言うには、「われわれはみな、繰り返し繰り返し、同じ基本的な選択の前に立たされる。すなわち勇気か、あるいは譲歩か」。どんな徳も反復練習される。同じように市民としての勇気もそうである。

これに対して「ちょっとした臆病も破滅に通じる」（Fischer-Fabian, 1987, p.17）。だから、こうしたわずかの臆病にも日常生活で安易に譲歩してはならない。オスカー・ワイルドが言うには「良心と臆病は現実には同じものである。良心は、

複合商社の表向きの社名でしかない」。ここには確かに皮肉が込められているが、だが、おそらく曰く言い難い意味が、何か真実があるのかもしれない。ある意味で、良心は基本的に、自己を鎮静化する一種の戦略かもしれない。ひとは、そうした戦略を呼び出すことで、ちょうど大屋根にかくまわれるかのように、進んでその背後に身を潜めたいと思う。またそうできる。だが、わたしがケネディーの自著を知ったのはフィッシャー・ファビアンの著書『良心の力』(Fischer-Fabian, 1987, p.17) によることだが、フィッシャー・ファビアンは次のように言う。「肝心なのはこうだ。つまり、同僚が上役に人前で対面を傷つけられたり、不在をいいことに誹謗されたりした場合、あるいはある人が違った肌の色や国籍を理由に侮辱された場合に、あるいは動物が虐待されるなどして、要するに不正が起き、とりわけ自分の身のまわりで起きた場合に、そのときもう二度と沈黙しないことである。こうして、自分の頭上の**蠅を追い**、できれば**これを反復練習する**ことが、もっとも効果があるように思われる」。われわれはあらかじめ言っておくことができよう。それ［そうした場合に沈黙しないこと］は、自己の良心という重大事の内部にある**具体的な**人間性の命令であると。

■**主観的と客観的な良心概念――ある判例から**

今日われわれの法律は、いくらかましな状況にある。すなわち、基本法の第4条第1項による［権利の］擁護を引き合いに出すことができる。その条項では、なかでも信仰の自由が「不可侵」であると見なされ、そして良心の自由も「不可侵」である。特に、第3項では、誰かが兵役に強制されるようなことは許されないこととされる。この権利は、基本法で擁護される。その権利についてもっと詳細な規定を知ろうとすれば、連邦法で決められていることが参照できる。言うまでもないが、こうした良心の自由には見かけ上いくらかのパラドックスがある。なぜなら、一面で良心は、恣意的という意味で自由であるような声としては体験されないからである。すなわち良心は、思いのままにはゆかないようなものとして、強制する声として体験されるからである。その声は、むしろ、

※アネッテ・フォン・ドゥロステ・ヒュルスホフ Annete von Droste-Hülshoff (1797-1848)：ミュンスター近郊のヒュルスホフ城生まれのドイツ女流詩人。敬虔なカトリック社会の出身で、独身を貫いた。宗教詩も多く書いたが、自然を細部まで緻密に表現する手法に優れている。

恣意という意味での自由をわれわれから奪ってしまうからである。とはいえ他面では、良心の声が他者のもとで承認されるという自由には、意味がある。こうした自由が、良心の決断に関係した基本法で言うところの寛容の基礎となる。

　もちろん、良心の決断を楯にとるような人は、われわれの社会でも実に苦労を強いられるのが現実である。これは特に、日々の労働生活で言えることである。これについて法廷がどんな判決を下しているか、これまであまり知られなかった。だが、次のような一つの事例がある。

　数年前の1986～87年に二人の勤務医が、雇用者による解雇通告に反対して、メンヒェングラートバッハ労働地方裁判所に大手製薬会社を相手取り訴訟を起こした。製薬会社が二人の医師を解雇したのは、抗嘔吐剤として開発されるべき化学物質の研究推進を二人が断ったためである。二人の医師は次のように疑念を抱いた。この化学物質は、軍事面で突発的に発生する「放射能症」との関連で、高い市場潜在力を持つ薬剤として開発されるだろう。また、その薬剤は特に、核戦争とその放射能に起因する嘔吐に対して、とりわけ軍人にとっては効用ある拮抗薬となろう。両医師は、医学的な理由と倫理的な根拠を指摘したうえで、この研究に参加するのを拒んだ。まさに彼らは自分たちの良心を引き合いに出して拒んだ。これを受けて、医師たちと彼らの上司とのあいだで度重なる話し合いがもたれたが、意見の一致に至らなかった。そこで二人の医師は、書面による次のような通告を言い渡された。ここで第一義的に指示されているのは、ガン疾患での化学療法のあとに起きる嘔吐に対する拮抗薬の開発であって、この化学物質を開発する目的が、核戦争を想定して軍事力を投入することにあるのでは**ない**とのことであった。だが、さらに話し合いがもたれても、すでに解雇通告が問題になっていたので、まったく意見の一致は見なかった。こうして両人には解雇通告が下され、これに対し医師たちが告訴するに至った。

　メンヒェングラートバッハ労働地方裁判所 (1987, 5Ca 586/87) も、デュッセルドルフ労働高等裁判所 (LAG 11(16) Sa 1364/87) も、この解雇通告差し止めの訴えを棄却した。労働裁判所は、[医師の] 身分規則の違反もヒポクラテス

の誓いの違反も認めなかった。なぜなら、一定の症候を抑止するための薬剤の開発は人間性に矛盾しないからである。労働高等裁判所が特に審査したのは次の点であった。すなわち、良心の自由、「正当な評価」による業績規程、そして正当な評価に基づく雇用者の管理権・指示権限のいろいろな制限、これらのことに対して基本権が及ぼす間接的な効力であった。「雇用者は、［雇用者・被雇用者］双方の利害を比較考量すれば回避できたと思われる良心葛藤に、被雇用者を陥らせるような労働を当人に割り当てることは」許されない。「正当な評価に相応するのは何か、これは双方の契約当事者が身を置く利害状況を比較考量することで確定できよう」。労働高等裁判所によれば、労働の割り当てが正当化できないのは、労働を託されることにより「被雇用者が一般的見解、つまり第三者の見地から見て、許容できない良心葛藤に陥る」、そのような場合に限られると言う。「一般的見解では」とか、「第三者の見地で」という美辞麗句が、ここではもちろん重要で、そのために労働高等裁判所の判決は支持できる。「良心葛藤が計り知れない場合であっても、……良心を根拠に契約を破棄する者は、損害のリスクを自ら背負わ……なければならない」。このことが当てはまらない場合があるとすれば、それは、業務命令が「正当かつ公正なあらゆる思慮ある人々の礼節感覚と両立しない」ときに限られよう。総じて言えば、被雇用者に良心葛藤があるからと言って、このことは、労働を行う義務が彼になかったと言えるほど重大なことではない。だから、解雇通告は正当に行われたというのである。

　こうして、労働高等裁判所とメンヒェングラートバッハ労働地方裁判所は、間主観的に探索できる**客観的な**良心概念と良心の判決というようなものがあるという観点に立った。ここで良心の判決とは、観察者の立場で、第三者である外部にある判断者の視点に基づいて決められる。しかも一般的見解によって、あるいは「正当かつ公正なあらゆる思慮ある人々の礼節感覚」によって定義される。ところが、連邦労働裁判所は、こうした下級審に**反対**の判決を下し、法律上の争いを労働高等裁判所に差し戻した。連邦労働裁判所は、労働高等裁判所に反対して、いわゆる**主観的な**良心概念から出発した。連邦裁判所によれば、良心の決断は、「どれも真摯な道徳的決断、すなわち『善』と『悪』のカテゴリー

に方向づけられた決断である……、各個人は、この決断を特定の状況で、自分を拘束し義務づけるものとして」経験する。被雇用者は、「自分の個々の葛藤状況を開示し説明し」なければならない。この際、「職務の協定で実際に良心葛藤が起きているのかどうか」は、裁判所にとって再検査できる問題である。第三者に追体験できる良心葛藤にことさら関係するような客観的な良心概念には、主観的良心を短絡視する違法性があると連邦労働裁判所は見た。主観的良心は、憲法（基本法第4条）が擁護しているからである。つまり良心は主観的である。その上で、主観的なものとして法的に尊重されなければならない。そのかぎり、連邦労働裁判所判事は、原告医師たちの良心葛藤を承認した。なぜなら、その化学物質は、核戦争のために投入するのに適しており、このことを大手製薬会社が排除していないと［原告には］思われたからである（なるほど、そんなことはあり得ないだろうという通告を、会社が伝えていたとしても）。雇用者は、こうした良心の根拠を尊重しなければならない。共同作業を進めることを良心の苦しみを理由に拒否するのは、管理権をある程度制限することと同じく、正当化できる。そのかぎり、主観的良心の保護が優先的に基本法で守られている。主観的良心は、第三者とか一般的な礼節感覚とか、あるいは普遍性とかの視点から客観的に洞察できるような押しつけがましい要求よりも優っているという優先権がある。

　だから、基本法が保護する良心は、主観的良心である。主観的良心というものは確かに、上のような問題の場合にはいよいよもって解釈が求められることがらであり、内容が満たされる必要もある。特に、込み入った葛藤事例や法律的な争いごとにかかわるとなると、そうである。

　そうした必要は、例えば、労働裁判所が次のような危惧を抱いたことからも明らかである。もしも過度に良心の主観性を頼りにしようとし、外部からはコントロールも把握もできないこうした良心を常にどんな場合でも保護しなければならないとなると、良心の決断や主観の身勝手さがちまたに溢れることになりはしないかというおそれがある。このようなことは、法の安定性や法的秩序に関心を払う立場［裁判］ではどうしても避けなければならない。だが、特に連邦憲法裁判所の見解によれば良心の決断というものがいずれにしても歴然と

現前するような場合があるということは、誰もが認めている。そのような場合とは、宗教的、倫理的、あるいは世界観上の理由から自分としては拒否せざるをえない立場に自分の立場を同じくするよう要求されたり、あるいは自分がそうした理由から正しいと見なす立場に少なくとも関わりを持たないよう要求される場合である。連邦憲法裁判所（BVerfGE 12, 45）自身は良心を、上述のように基本法第4条の意味に従って「現実に経験できる心の現象」として理解した。「その現象の要求、警告、指図は、無条件の当為という誰にとっても直接に明証的な命令である。『善』と『悪』のカテゴリーに従う真摯な道徳的決断はどれも、良心の決断と見なされる。そうした決断を個々人は、一定の状況下で、自分を拘束し無条件に義務づけるものとして内的に経験する。だから個々人は、そうした決断に逆らって行為すれば、真摯な良心の苦悩を覚えないではおれないであろう」（労働高等裁判所による判決理由の意見表明から引用された）。

こうした事例についての以上のわたしの調査は、マティーアス・マーリングの労苦に負うものである。彼自身はそうした事例について、連邦労働裁判所による労働高等裁判所への差し戻しがなされ労働高等裁判所による判決が下される前に、総括して次のように論評している。

「全体としてみれば、ほかでもない上述のいろいろな理由に基づく連邦労働裁判所による判決は大いに歓迎すべきである。その判決には、倫理学の有効性を高め、同時に倫理学の効果を発揮しうる可能性を増進・改良するという、そうした見込みを期待できることが示されているからである。なぜなら、企業に依存する従業員だけではないにしても、そうした人々にこそ、経済的利害とは別の目標や価値も妥当し得るためには、労働法の上で有効な支援が必要であるからである。良心による決断とその決断の一般的な遵守とを尊重することは、過小評価してはならない」。

連邦労働裁判所はデュッセルドルフ労働高等裁判所へ差し戻した。これを受けた労働高等裁判所は、二人の医師たちを別の部署に就かせることが被告人に可能で要求できることだったのかどうか、このことを吟味しなければならなかった。「口頭弁論と徹底した証拠調べに基づいて判決部」は、「被告人が原告人を別の部署に従事させることは許されないことであったという見解」に立ち至っ

た（デュッセルドルフ労働高等裁判所 11 Sa 1349/87, 1.2.1991）。

　良心は一方では主観的なものであり、その内容と遂行は主観的なアピールとしてしか体験できないが、しかし、拘束し強制する声として体験される。この点に難題があるのは明らかである。他方で［良心にあって］は、法律的な視点から少なくともある意味で客観化でき、またそうでなければならないような事態が問題である。すでに言及したように、連邦憲法裁判所は、良心を「現実に経験できる心的現象」と見なしている。だが、この現象をもっと詳細に基礎づけ分析することはしていない。

第5節　良心問題の捉え直し
■再び良心問題の提起と吟味

　要するに良心とは何であるか。良心では、審級が問題なのか。自ら判決を下す審級であれ、あるいは後から第二義的に自己の行為を（自己）判定・勧告・評価する審級であれ、いずれにしても人間の決断に対する最終の規準設定の審級が問題なのか。あるいは、「規範を定める」ための「器官」が問題なのか（リューディガー、上記を参照）。さらには、哲学者ヘルムート・クーンが言ったように、「超越の器官」が問題なのか。これは、カール・グスタフ・ユングにならって言うと、「ヌーメンに関係した」倫理的「命令」に呼応するものだと言える。あるいは、多くの哲学者、特にアングロサクソン系の哲学者が、たとえばクロイ（Kroy, 1974）が良心概念に関するモノグラフィーである『良心』の中で語ったように、人間の能力が問題なのか。どうにかして意識に現れる内的な声、「ウォクス・デイー（vox dei）」、神の声が問題なのか。そうした声についてはメナンドロスやセネカがすでに話題にした。あるいは良心には、内面へ投影される**対話の機能**のようなものが、あるいはカントが見たように内的な法廷があるのだろうか。「内なる法廷」では、自己を確認することと協奏しながら、自己告訴・自己告発・自己裁決という視点に立って判決が下される。そうした法廷があるのだろうか。

　はたまた問題なのは、根本的には、むしろフロイト精神分析学の意味での超自我、すなわち投入され内面化された社会的「反省」なのか。つまり良心は、

内面の精神界に超自我として顕現する超父なのか。または、ニーチェが捉えたように、良心とは、キリスト教的「奴隷道徳」の倒錯的な投入にほかならないのか。ニーチェは自著『人間的、あまりに人間的』の中で次のように述べている。「権威への信仰が良心の源泉である。だから良心は人間の胸のうちに聞こえる神の声ではなく、人間のうちなる幾人かの人々の声である」。そうなると良心とは、価値評価・規準設定の伝統というものが単に内面へと投影されただけのものなのか。あるいは良心は、別ように理解できるのか。そもそも良心は**統一的に**解釈できるのか。あるいはさらに、とある箴言家が言ってのけたように「良心、つまり習性となった文化史」なのか。良心は文化に相対的で、文化に制約され、文化に規定されているのか。あるいは良心は、ルソーが言うように自然に**生まれながらに備わった**原理なのか。ルソーが、たとえば『エミール』で主張したところによればこうである。「正義や徳の生まれながらに備わる原理は、深くわれわれの魂の中に根づいている。われわれはこの原理に従って、自分や他人の行為が善であるか悪であるかについて判定する。こうした原理に、私は良心という名を与える」。

　これらの問いに答えることは難しいし、完結した答えがあるわけではない。種々さまざまな見方が相互に斥け合っているように見える。だがそれは部分的にすぎない。いろいろの見方がオーバーラップし合っている。人間はたとえば、生まれながらに言葉の持ち主であり、厳密に言えば言葉を発達させ個人として身につける能力を持っている。これと同じように、良心の声やその自己確認の場合についても事情が似ていると理解してよいのであろうか。つまりわれわれは一般に良心を発達させ働かせる能力を所有しているが、［良心の］表出の内容・方法や良心の展開・内容形成は場合によってはまったく文化的・社会的に変わりうると、そのように理解できるのか。このことが、少なくとも一定の程度まで当てはまるのは明らかである。

　ここで本質的に問わなくてはならないのは、生まれながらに備わる良心という可能な理論を跡づけたり、良心の声が一般に生まれながらに備わるのかどうかという問題について議論することではない。こうしたことは、多分、目下の手持ちの道具立てを使っては少しも決定できないだろう。また、およそ良心の

事実性には異議が唱えられるのではないかということが、問題なのでもない。そうした異議は何人かの著者により企てられている。たとえば良心を、いろいろな何かほかの心的要因に還元したがる人々がいる。どんな自然主義的な還元にも結局は、陽動作戦のようなものが隠されている。つまるところ、良心を単に集合名称・機能集積のようなものとして捉えることも、問題でない。そうした見方を、たとえばルーマン（N. Luhmann）が要求したが、彼は良心の声という伝統的な理論が完全に「役に立たなくなって」しまったと考える。そうして、良心の**機能**を、個々の人格とは無関係に、また人格と良心との同一化から切り離して、**形式的・機能的**に分析できるなら、そのほうが稔り豊かであって、これがなし得るすべてであると言っている。

　ゲーテもまた、良心の導きについては、抑制のきいた意見を持っていた。『ファウスト』の有名な序幕で「善い人は不可解な衝動のままに、正しい道を心得ている」と言っているだけではない（この「不可解な衝動」とは、良心とは別だとすると、何なのか）。だがゲーテは、たしかにわたしの目から見るとこの場合間違った判断に導く見方だとは言えるものの、ほとんどいつものことながら、ある興味深い見方を前面に押し出してくる。すなわちゲーテは『箴言と省察』※の中で、同様によく知られた方式でこう述べている。「行為する者は、いつも良心を欠いている。良心を所持できるのは、観察する者だけである」。すなわち良心とは、後から付いてくる観察の出来事であり、解釈であり、反省という現象である。言い換えれば、行為するかぎり、本来、反省せず、反省する境涯にもない。ないしは次のようにも言える。プランを立てて行為する良心、あるいは行為に直結する良心、つまり直接的にしろ行為への決意を介してにしろ、行為に決定的に影響する良心、そうしたものは存在しない。以上の見方は、われわれの詩人老大家がおかした間違った判断である。そうわたしは思う。なぜなら、促し、警告し、予見する良心が事実として存在し、そうした良心それ自身が行為に影響を及ぼすからである。

■良心の実体化から脱却しなければならない
　だが、こうした影響力を行使するということ、またそうした良心とは、何なのか。この問いに、要するにわれわれはいっそう近づいたことには決してなら

ない。この問いに実際に答えるのに、伝統的な良心観が適してもいない。ちなみに、先に引用した法律的な良心観・良心概念も適していない。［良心という］「リアルな」現象、「声」、「審級」、内面の法廷、「器官」について語るような、以上すべての良心理論は、特に哲学のかたちをとるものも、法的に利用される理論も、良心をいわば名詞として扱っている。つまり良心に、実在らしきもの、審級、訴訟というまとまり、さらには実体と言ったような名詞を与える。すべての良心理論は、少なくとも［良心を］実体化したり、名詞化するという構想である。そうした構想は、理想的な実体、ないしは理想的な審判の場を人間のうちに求めたり、あるいは現実に作用するものとして認識するよう求める。そうした実体や審級は、人間の精神や大脳などに住まう自立的な「小さな行為者」のように、人間の決断を共に操縦すべきだとされる。［これまでの良心理論では］**良心をホムンクルスとして構想すること**が問題とされる。ホムンクルスが、良心という声で語る。だが実際は、次の点こそ問題である。すなわち、良心理論では一種の抽象的な対象性が投影されていながら、その対象性が次に行為を知り操縦することに効果を発揮できなければならない。たとえば、そうした行為への効果の発揮は、動機づけとなったり、原因として働いたり、または少なくとも判定を下したり——あたかも内面の裁判手続きとして——しなければならない。その点に本当の問題がある。読者には、カントの「内面の審議の場」というモデルを考えてもらいたい。

　こうしてわれわれは、批判的に始めなければならない。すでに簡単に言及したことだが、良心ないしはその表現形態・表出についての次のような見方に立ち返らなければならない。その良心の見方というのは、**責任性を意識的に自己に帰するということ**に基づく。しかもこの見方には、責任性がやはり本当に人格性を引き取り、かつ人格性に降りかかり、ないしは人格性を「射止め」さえするという意味合いがある。そのような良心の解釈を手がかりにすれば、良心を、精神のなかの内面の小さな「男」とか小さな役者とか見なして実体化するようなことは、受け容れる必要がなくなる。

※ゲーテ『箴言と省察』251（『ゲーテ全集』13巻、潮出版、p.241を参照）。

■良心現象への分析哲学的アプローチと解釈論的アプローチ

　分析哲学では、良心現象がこうした意味でも研究されてきた。すでに 1940 年、C・D・ブロードは、良心と良心的行為について有名な論文※を著したが、その中で彼が試みているのは、良心の定義を回避し［良心についての］一種の非目的論的な見方を展開することである。だから彼は功利主義に反対で、功利主義では一般に良心現象が説明できないと言う。「もしも功利主義が正しいとすれば、良心を持つような人は誰もいないということになる」。なぜなら、一般に、目的論的でも［行為の］結果重視でもないような、そうした基礎づけや義務づけなどは存在しないと主張するのが、功利主義の真髄で本質であるからである。ブロードは、良心を良心的行為 (conscientious action) に還元しようとする。「行為が良心的なのは (conscientious)、次のような条件が満たされるときである。すなわち 1. 行為者が状況、行為自体、そして自分の取りうる選択肢のすべてについて反省した上で、自ら行為の正しいしかたに向かって決断した。2. 行為者が、自分の手に届く事実的・倫理的な情報を頼りにして、当の行為を、彼に選択肢として開かれたすべての行為のうちで、多分もっとも正しいか、あるいはもっとも誤りが少ない (the most right or least wrong) として決断した。3. 次にもっとも大事な条件としては、行為に以上のような道徳的性格が備わっているとする行為者の信念が、それ自体として正しいことをしたいという彼の願望と一つになって、a) このことを行うための唯一の動機成分であること。あるいは、b) このことを行うための十分で必要な動機成分であること。前者の選択肢 a) が満たされているなら、つまり動機成分が、そのことを行う唯一の動機成分であるならば、その場合にブロードは、「純粋な良心的行為」について語る。だが、動機成分であるのが、ただ単に「主としてそうである」にすぎないのであれば、その場合に彼は、「主として良心的な行為」について語る。

　こうしたブロードの分析が実に形式主義的な見方に通じていることは、明らかに見て取れる。アイヒマンが、こうした意味で良心的に、極端なまでに良心的に行為したというのを、所詮誰がいったい拒否できようか。「良心的」の表現は実際、ドイツ語でも二義的である（フランス語では、「良心 (conscience)」はもっと幾重にも多義的である。なぜならその語が単純に「意識」も意味しているからである。

だからフランス人は、われわれの意味で「良心」と言うとすれば、たいていの場合「道徳的良心」(conscience morale) と言わざるを得ない)。

いずれにしても、憲法裁判所が語るような「現実の心の現象」という現象を、何とかしてもっと詳しく解明するためには、そうした概念の単なる分析的な解明や解読だけではたしかに不十分である。これは明らかである。

ある種の区別をしなければならないのは、疑うまでもない。だが、この区別がもっぱら実体の種差や方法論的なアプローチの違いに基づくような区別である必要はない。いやそうあってはならない。もし解釈というアプローチ、解釈方法論のアプローチを選ぶ (Lenk, 1993, 1995 を参照。著者の良心概念については、Lenk, 1986; 1987, pp.571-591; 1992, pp.53-75 を参照) ならば、良心現象についての区別はもっとも的を得たものになる。そうした区別がまたいろいろ多様である。一面で確かに、良心は経験・事実として否定できない。すなわち良心は事実として生じ、注目を引き、事情によっては**効果を発揮する**。もっともあらゆる人々でそうだというわけではない。なぜなら、良心に盲目であったり、良心を喪失したりすることがあるからである。そうだとしてもカントはすでに言っている。「良心喪失は、良心が欠けているのではなくて、良心の判断に意を介さない性癖である」(Kant, *Gesammelte Schriften*, Bd.6, p.401)。このカントの言い分には、どんな人であっても心の奥底にやはり良心の声が隠されているという仮定がある。それなのに、この良心の声を踏みにじり、無視することがある。このことは疑い得ない事実であり、すでに伝統として知られているところである。例えば、フェヌロン[※]は語った。「ひとは、必要とあらば自分を欺き、良心の呵責を抑えこむときほど、頭脳明晰であることはない」。あるいはジャン・パウルによれば、「良心以上にだまされやすい者など、誰もいない。女や侯爵でも良心ほどではない」。言い換えれば、一般に人間を良心により特徴づける人間学的な標

[※] ブロードの良心と良心的行為についての論文：C.D. Broad, "Conscience and Conscientious Action," *Philosophy*, 15, 1940, pp.115-30.
[※] フェヌロン Fenelon（1651-1715）：フランスの聖職者、著述家。パリのサン・シュルピス神学校に学んで、ヌーベル・カトリック修道院長を皮切りに、95 年には、カンブレの大司教に任じられるが、絶対王政批判でルイ 14 世の怒りを買い、99 年宮廷から追放される。古典文学に造詣が深く、批評家として 18 世紀啓蒙の先駆的役割を果たしたとされる。

識や顕彰のようなものがあるとすれば、それは、経験的な事実性［としての良心］であるように思われる。ヴィクトール・フランクル※は、良心を「意味の器官(Sinn-Organ)」と見ている。だから、意味経験、意味志向が頼りである人間による意味の探求・構成にとっては、良心が中心的であると見る。こうしてやはり、良心は人間学での定数と言えよう。そうした定数が、他者や自己への帰責で働いていると仮定することができる。だが、その定数は、おそらく言語と似た事情にあり、単に素質、才能、可能性や能力として蓄えられているのであって、内容や展開については、まったく可変的である。可変的だから、それはまず育成・訓練・練習できるし、またそうしないわけにはゆかない。

「社会の良心が個人の中で活性化すること」、そのようにラォシェンベルガーは個人の良心を定義する。その定義はある意味では、フロイト流の超自我という見方に結びつくように見える。確かに良心の声は、心理的な現象としては争えない事実である。だが、事実であるというこのことが、実際に、道徳的な最終審級、最終判断・決断の審級という哲学的な問題に導くような引き金なのではない。この［心理的な現象としての良心の］場合、実際に問題になるのは、心理学から手に入る実例としての資料でしかない。良心の訓練、練習そして形成は、調査・研究できる。そうした営みのすべてがたいへん役に立つし重要である。だが、それら全体が**哲学的な理論形成**に取って代わりはしない。［良心についての］哲学的理論形成は、これまでもちろん、事実上非常に混乱していた。経験的な良心を否認するような哲学者はいない（おそらくニーチェを例外とするが、彼さえもやはり、良心をいわば倒錯した異様な形を持つものとして許容している）。この点については意見の一致がある。良心の声は、事実として手許にある。こうした声が、いわば隠喩を用いると、われわれのうちで語る、というのは許容できる。だが問題はやはりこうである。こうした隠喩的な声が本当のところは、いったいどのようにして、また何を使って「話す」のか。その［声の］背後には、何が隠れているのか。何が、表出という、やはり体験されている現象を支える基礎なのか。

■良心のアプリオリの構造とは

経験的な良心と相並んで、これとは別に、良心のアプリオリの構造と言える

ようなものがあるのだろうか。そのアプリオリの構造はほかでもなく、ある意味で、単に超越論的な指図を受けることができるだけではなくて、超越へと方向を定めることができるのか。「超越の器官」、そのようにわたしはすでに、ヘルムート・クーンの言葉を引用した。基本的には良心の働きにより、ほかでもない格別の存在構造がそのベールを剥がすだろう、と彼は考える。つまり、われわれは良心を持つことで、「存在の秩序が人間の行為に関係するかぎりで、良心の中で開示されるような」、「そうした存在へと」送り届けられると言う。要するに、(理想・道徳的な) 存在がその秩序を良心の中で開示する。このことは、根本的に、存在論的な確認であり、格別の領域についての一種の存在論である。その格別の領域というのは、もっぱらこの「超越の器官」によってだけ接近できるようになるし、[そうした存在論は] 良心が示すものについてのアプリオリで格別・特別な存在論である。そうした領域としてたとえば、いろいろな特定の価値からなる理念的な (プラトン的な) 領域がある。だから、最終的な決断の審級は、ある意味で、「存在の中で」自らを自分で表現し、証示し、表示するような審級である。要するに最終の審級は、ここ [クーン] では、いわば存在の審級である。こうした方式はみな、当然のことだが、単に形而上学的であるだけでなく隠喩的でもあるような表現方法をほのめかす。そうした表現方法は、[良心の] 実体化、それどころか本質化や存在論化であるという非難を招かないわけにはゆかず、今日ではもう説得力をまったく持たない解釈である。だから哲学者たちも、こうした投影法を批判するよう試みてきた。

■現代の良心理論の分類──ヴェルナーを手がかりに

　ハンス・ヨアヒム・ヴェルナー (Werner, 1983) は、現代の良心概念についてのさまざまな議論を見渡した新たな概観を与えてくれた。この概観では、良心と良心の声についてのいろいろな解釈が詳しく引用・検討されている。ヴェルナーも彼の『水平線の旅』(*Tour d'horizon*) では、良心理論の分類に関する実に単純な解釈にたどり着いている。つまり、良心理論は次の二つに区別される。

※ヴィクトール・フランクル Viktor Emil Frankl (1905-1997)：オーストリアの精神医学者。ウィーンで精神分析を学ぶ。アウシュヴィッツ強制収容所での苦難の体験を『夜と霧』(邦訳名) で戦後発表した。独自の実存分析の方法を切り開いた。

すなわち一方は、良心を**決断の審級**と見る理論であり、他方は、良心にただ監視機能だけを割り当てて、良心を**監視の審級**と見る理論である。それは、大きな二つのグループ分けだと言える。たしかに、この二つのグループは厳然と分離できるものでないというのが普通であろう。具体的ケースでは、また著者によっては、この二つのグループがいっしょに取り上げられる場合が少なくない。例えば、リチャード・ヘアーは、そのように扱っている。すなわち彼によれば、良心は端的に審級と見なされるが、その審級は行為原則の選択にかかわる決定を下し、だから言ってみれば、決断のメタ原理を表す。こうした意味を持つ審級が、本当は、決断の器官であるのと同時に監視の器官でもある。要するに、良心という審級は、いろいろな行為原則のための決断についての監視のメタ原理を表す。

だがまた、決断の審級や監視の審級というように、良心を形式的・機能的に見る理論と並んで、これとは別の見方がある。それは、良心以外にそれ相応の価値や規範が内容的に前提されると見る見方である。例えば、マックス・シェラーの場合、そのように見られている。彼は、「良心」が最終審級のようなものであるということにきっぱりと異論を唱える。だが、良心が単に下級の審級と見なされているようには思われる。そうした下級の審級は、決定的な自我という審議の場に立たされると、ほかでもない**いろいろある声のうちの一つの声**となって生起し、もう絶対の要求を主張することができない（本書では、後で、精神分析学もいっしょに引き合いに出すであろう）。ここではもう、これ以上、こうしたさまざまな著者についての情報を提供してくれるヴェルナーの概要にいちいち立ち入る必要がない。

第6節　良心から責任性へ

■良心を〈メタ決断の審級〉と見る理論——良心は解釈上の規範的な構成体である

だが、良心を決断の審級と見る理論と、良心を監視の審級と見る理論とを、さらに良心をメタ決断の審級と見る理論で補足しておく必要があろう。メタ決断の審級の理論というのは、良心を、例えば自己や人格を一定の理想像で構成するための道徳的な審級として捉える。われわれは、道徳的な「メタ自己」の

構成について直截に語ることができよう。道徳的なメタ自己は、前もって与えられている経験的な自己を**超えた**自己を育成することで作られる。要するに、倫理的・道徳的な人格として自己を構成するには、そうした倫理的なメタ構成が必要である。この構成こそ、自己に帰せられる責任存在を自覚するという良心の機能である。そしてこの良心の機能は、上で論じた良心の監視機能や指導機能をはるかに超え出るものである。

この主張はある意味で、ノルベルト・マトロスの論著『良心として機能する自己』に示された命題であるようにわたしには思える（Matroß, 1966/67 (Blühdorn (Hg), 1976 に再版)）。彼は基本的には、良心の機能理論を展開する。マトロスの試みは、自己を作用ヒエラルヒーと見る機能主義的な理論の展開である。またその理論は、自己をいろいろな行為慣習と行為との構造体系と見て、そうした構造体系がある意味で良心のアプリオリな根拠となると言う。マトロスが良心の徴表としてまず注目するのは、良心は仮決定の状態にありながら意識され、かついろいろな質を内包しているということである。それは何か曖昧さを残す表現であるのは言うまでもない。［マトロスの理論で］さらに問われているのは、対象的でない知、すなわち**道徳的な**知（これが何と呼ばれようが）である。次の点がわたしには重要で決定的なことに思えるが、良心とは、人格だけにしかかかわらない性質を備えた**知**である。つまり良心としての知は、もっぱら人格に関係し、人格だけが関与する。こうして決定的な命題として「良心のアプリオリな根拠としての自己は、規範的な性質を持つ」が、帰結する。確かにマトロスは、この命題にもっと立ち入った説明を与えていない。そうした命題は、もっと詳しく論述・説明し、おそらくまた根拠づけなくてはならないのは言うまでもない。

［マトロスの与える］こうした手がかりは、良心を解釈上の規範的な構成体、あるいはそうしたものの束として理解する可能性をわれわれに与えてくれると、わたしは思う。そのような理解は、すなわち、自己像の明るみの中で、あるいは例えばカントが言うように、明確な自己尊重という視点で可能である。良心は自ら、こうした哲学的な意味で、解釈上規範に照らし責めを帰する働きとして現れる。良心は、まさに、このようにわれわれ自身の意識の中で責めを自己

に帰するという働きとして「存在する」。わたしがすでに述べておいたように、良心（という表現）は、自己に帰せられる責任性である。この意味で、今やわれわれは、こうした良心が人格性に直接に関係すると付け加えておくことができる。良心は、自己の方向づけであり、人格の直接的な関与である。こうした方向づけと関与は、各自の思いの中にあるが、だが、自己が方向づけられ人格が直接関与することで、良心がある意味で、助言という構造を備えた疑似**対話的な**（内面の）審級として把握できるようにもなる。良心をそのように把握するようにと、分析哲学者であり倫理的多元機能論の代表者であるノエル・スミスは主張した。この見方では、こうした対話的な審級は一種の投入作用、あるいは「内面」に対する自己解釈に基づいている。われわれは、問答というプレーを自分の内面の中へと投影することにより、義務づけをイメージする。例えばカントが述べたような、隠喩としての内面の法廷が、そうである。こうしてわれわれは良心の声を、まさに、内面の法廷という連関での裁判官ないしは告発者に見立てる。良心は、このような構成の産物としての〈自己に責めを帰するということ〉[6]である。良心は、解釈の経過の結果として、人格を規範的に自己構成するようにと道徳的な意味合いでわれわれを義務づける。われわれは自己を、責任を負う人格、規範的な人格として構成する。すなわちわれわれは、自己自身に良心というものを帰する。われわれは自己自身に、責任を負うというあり方を、そしてこうした責任性という意味で人格が関与するというあり方を帰する。**良心を所持することで、われわれは自己を規範的に自ら道徳的人格として構成する。**人間で特筆すべきはまさしく、こうである。すなわち、われわれは規範的道徳的な人格であり、義務を自ら自己に課すことのできる存在者であり、そうした存在者は意識の中で、ある種の「声」に比すべきものを認識できる。だがこの「声」は、ほかでもない対話による投入作用であり、解釈により生み出されるものである。すなわちその「声」は、［われわれを］拘束する働きとして体験される解釈上の構成体、［われわれを］拘束するようになった解釈上の規範的な構成体である。

■**実存哲学の良心理論**

　われわれは、そのようにカール・ヤスパースも理解できる。つまりヤスパー

スは、彼の実存哲学の中で良心を「私自身である声」として把握し、この思想を実存哲学の良心理論にまで仕立て上げているからである。同様の考えが、実存哲学サークルに近いほかの哲学者、例えば、ヴィルヘルム・ヴァイシェデルにも見られる（Weischedel, 1975）。彼は、良心一般を「私にとっての良心」から区別した。「私にとっての良心」は、私の人格に直接かかわる声である。ないしは、私にとり絶対的に妥当し、だから誤ることがなく、間違った判断を下すこともなく、いずれにしても声**としては**そうである、そうした投入である。声は、一般的なことについては、場合によって誤ることがある。なぜなら、私的なことと一般的なこととのあいだは区別できるし、区別できなければならないからである。私的な良心の声は、一般的な当為の領域と直接に一致する必要がない。だが、自己は、先に述べたように構成体であり、その構成体は、こうした［私的な］良心の声の中でもっとも真正かつ人格的な形で現れる。だから、良心の決断はいつでも人格的である。人格の次元は良心に関することであるが、この次元はこうした［実存哲学的］根本視点での本質である。だから良心は、この意味で、**規範の投影であるが、その投影は人格的なものを責任性に密着した姿で際立たせる**。良心は**自己の責任性についての人格が関与する自覚**である。こうしてそのかぎりで、良心は必然的に人格としての自己自身にかかわる。

■**本章を回顧して**

だが、良心はまた、世間でよく言われるような、押しつけがましい要求としても機能するかもしれない。そうした要求は、先に引用した判決に見られるような「客観的な良心」に似ている。その場合には、別の構成体が問題なのは言うまでもない。言い換えれば、［良心には］さまざまな部分の構想からなる一つの領野が開かれている。

先にわれわれは、一方に、良心に結合している警告機能（シンテレーシス syntheresis, シンデレーシス synderesis）や動機機能を、他方には狭い意味で**良心**（*conscientia*）というかたちをとる知的要素を分けて見るような、そうした中世的な区別を論じて置いた。ヴェルナーも、この中世的な区別を、その理由づけが不十分とはいえ意味のあることと見なしている。すなわち彼は、この区別が一つの話の糸口を与えてくれると言う。なぜなら、このように区別することで、

つまり、誤ることのない警告機能と当然誤ることのある知的要素とを区別することで、個々の具体的な状況に関連した一定の良心決断の絶対視も、全体的な価値ニヒリズムも回避できるからである。それは何も、良心概念の発展について予測を与えるものではなく、せいぜいのところ一つの提案であると、著者［ヴェルナー］は言う。だが、こういう議論が「許されないことは、あり得ないことだ」と説くパルムシュトレーム論証※の類であるのは、言うまでもない。つまり、われわれは一方で価値ニヒリズムや気ままを、他方ではまた良心決断の硬直した絶対性を回避したいと思うから、良心概念の**こうした解釈が選ばれなければならない**［という議論である］。この議論は確かに**存在根拠** (*ratio essendi*) としては説得力がないが、**認識根拠** (*ratio cognoscendi*) としては、もっともらしく見えるかもしれない。ヴェルナーはもちろん、意識的にはただ文献紹介を提供してくれているだけで、自分の論文で自らの良心理論を展開してはいない。

　おそらくわれわれは、良心理論に資する建築用石材のようなものは少なくとも手始めに提供するよう試みてみる必要があろう。良心は、自己や人格が関与し、しかも自己や人格の全体にかかわる。そのかぎりで良心が、人格性や道徳的人格にとって構成上重要であるのは明らかである。われわれはそのように洞察した。通例、良心はよく一種の「声」として、だから**対話的な**審級として捉えられ、そのためには距離を保つことが必要となる。そのようにしてわれわれは自分と自分の行為から、理念的に、ないしは模範的に、自己自身を解釈しつつ距離を置き、そして自己自身を価値評価し、自己の行為を評価する。だから自己には、前もって距離をとることとか二元性とか言えるものがある。そうしたものを、たとえばすでにエーリック・マウント (Eric Mount) が1969年に彼の著書『良心と責任』(*Conscience and Responsibility*, 1969) のなかで要求している。内的な対話というものが展開される。もっと正確に言えば、内面に向かって投影されるような擬似対話という虚構的な鏡像・構成体である。こうした対話が良心には必然的に具わっている。マウントも強調するように、良心と責任性とのあいだには連関が成り立っている。すなわち、自己の完全性や統一性がいろいろな行為やこれらの組み立てによって、特に行為者の責任性との関わり合

いで形成されるという連関である。他者に対する責任性が、内面に向けて投影されたのであり、「衷心から引き受けられ」たのである。これこそが、良心の特徴である。すなわち、良心は内面の拠り所、あるいは神学者ニーバーが言ったような内面的な「誠意の中心」を前提にする。言い換えればそれは、最終の関係点、わたしにとって最終的に肝心であるようなことである。これを、周知のようにティリヒは、ほかでもない「神」と同一視した。われわれはそれを、道徳的なものを人間のうちにある神的なものと同一視したカントとともに、もちろん次のようにも言い表すことができる。「神、それは道徳的実践的な理性である」(Kant, *Gesammelte Schriften,* Bd.21, p.145)。そうした神は、言うまでもなく、人格神の信仰であるキリスト教の意味では考えられていない。人間には、宗教ないしは宗教性、言い換えれば、どちらかと言うと抽象的な意味で超越論的に理解された超越への方向づけがあるが、そうしたものの倫理的な基礎づけという意味で考えられている。道徳的な理性を意味する「神的なもの」というこの言葉を、それ相応の意識、人格の自己存在[7]に関係づけるなら、その時に、この見方に従えば**良心**の基礎づけが問われる。その基礎づけは、確かに人間学的であり、超越論的・人間学的にとどまるが、だが他面では［良心を］ほかでもなく機能の面で基礎づけており、それは必ずしも、良心を「精神のなかにある小さな行為者」と見る良心の実体化には結びつかないであろう。

　だからわれわれは、良心について二つのことを区別できる。一つには、経験・現象的な良心現象で、これは、心理学者が研究する。こうした現象を人々は絶えず自らのうちに確かめることができる。こうした経験・現象的な良心がどのようにして生起するのかと、われわれは問うことができる。この現象は文化に依存しているのか。この現象は超自我のような投影なのか。それは、養成され訓練されるのか。またどのようにして養成・訓練されるのか。この現象は、いつでも手許にあるのか、ないのか。これらの問いは実際、経験的意味での道徳科学、特に道徳心理学や発達心理学や、さらに道徳・文化社会学に関係する問

※パルムシュトレーム論証 Palmströmargument：クリスチャン・モルゲンシュテルン（1871-1914）の諧謔とイロニーに満ちた詩集『パルムシュトレーム』に由来する言葉。規範的な禁止から、認識論的不可能性が推論されること。もちろん論理的に成り立たない。

題でありながら、哲学にとって大変重要で興味ある問題である。だがそれらの問題は、本来は［良心という］哲学的な根本理念や根本直観に関係しない。この哲学的な根本理念は、おそらくアプリオリ・超越論的な良心現象とか、方法論的に構成された良心という形成物とかと呼べるようなものが再現してくれるであろう。この場合には実際、**規範的な**指導理念が問題なのである。人間は、理想的な良心とその声に従う場合にかぎって、具体的に道徳的あるいは倫理的な意味で完全に人間であり、人間になる。良心は、構成されたもの、解釈上の構成体、規範的な形成物である。そうした形成物のお陰で、われわれは自己を具体的に責任を背負う存在者、義務を負う存在者であると理解するようになる。また、自己に一定の厳しい要求が課せられるのを経験し、そうした要求を意味あるもの、［われわれを］拘束し義務づけるものとして体験する。良心のなかで、具体的な人間性が規範的な（自己への）要求と他者への訴えとして現れる。

■再び、解釈上の規範的な構成体としての良心と責任性、そして人間性（フマニテート）

　だから、以上述べたように、問題なのは、厳密に人格的な狭い意味での責任性が自己に帰せられるということ（このことの意識）である。こうした責任性にあっては、他でもない人格が関与させられ、自ら関与する（自らを知る）。こうした良心という擬似声、つまり隠喩的意味での良心という声は、責任性を意識的に自己に帰するという人格関与的な意味での反省である。だから良心現象にあって問題なのは、規範として役立てられる解釈上の構成体である。言い換えれば、自己に帰せられ、われわれの人格にかかわる責任性という投影ないしは形成物であり、そうした責任性の意識的な反省である。この場合、ほかでもない、先に言及したように人格に包み込まれ専有されるということが前面に出ている。人間は実に、**規範的な存在者**である。そうした存在者はそのかぎりで、自己の良心へと、その形成へと、こうした性質の規範的な構成体の利用へと道徳的な指図を受け、規範的な指示を受ける。だから良心は、この意味で規範的な現象である。その現象は確かに、社会的な影響を受けることがあり、経験として体験されるが、だが最終的にはわれわれを拘束するもの、規範的なものとして把握される。良心は、自己自身に対して責任を負い自己自身を評価する人格性としての自己、自己構成、自己形成、自己理解に直接的本質的に（いわば

規範的・アプリオリに) 結合している。こうして良心は、カント的な理念、言い換えればカントがしばしば強調した自己尊重という理念に結びついている。自己尊重は、ほかでもない良心により反省される道徳的な現象である。他方で、人格形成や、これにふさわしい良心という態度が初めて、自己尊重を形成するための運搬車となる。だから問題なのは、規範的な解釈上の構成体であり、フマニテートつまり人間性を目指した意識的な彫琢であり、また教育に媒介されるべき錬磨であり、しかも具体的人格的重みを持つ態度である。要するに、具体的な人間性へのキックオフと展開である。良心では、絶えず過大で無理な訴えが起こるが、こうした訴えは精神的に洗練した文化に基礎を置くことがある。そうした文化はそれはそれで人間にむりやり要求されるもので、意図的な陶冶 (修養) を必要とする。良心というこうした解釈上の規範的な構成体は、ある意味で、ことさらに人間らしい人間、人格性、古典古代の「人間にふさわしい人 (homo humanus)」、要するに具体的にわれわれを拘束し義務づける格調ある人間像という意味での人間的なもの、こうしたものを表す特徴である。われわれ人間は、言うまでもなくわれわれの歴史的な現在に生きていながら、絶えず危険にさらされている人間性という理念を保持することに対して具体的に責任を負っている。そのかぎり、一方では良心という声、こうした規範的な構成体を感じることでその声を養うこと、他方では人間性の普遍的哲学の展開、およびその哲学の**具体的な**育成、つまり具体的人間性の道徳・社会哲学を展開するという課題、この両者のあいだには連関がある。この章を結ぶに当たってわたしは、さらにヘッベル (Hebbel) の次の言葉を引用しておきたい。「全然良心を持たないというのが、最高のものと最深のものとの標識である。なぜなら、良心は、神のなかでのみ消え失せ、だが動物でも押し黙る」。その言葉は意訳すれば、人間の所在が最高と最深のあいだで、神的なものと獣的なものとのあいだで、いろいろと探し求められるかぎり、そうした人間の特徴を良心がもっとも鋭く表しているという意味である。

3. 自己責任性としての人間性——具体的な人間性の哲学について

第1節　具体的に哲学するということ
■不適切な抽象化という誤謬

　著名な論理学者であるアルフレッド・ノルト・ホワイトヘッドは、バートラント・ラッセルとの共著で『数学原理』を著したが、科学と現代世界を論じた著書 [A. Whitehead, *Science and the Modern World*, 1925] では、「具体性の履き違いという誤謬」を突き止めた。その誤謬というのは、抽象的な関連、特にまた種々の関係をあまりに安易に、具体的な事物をモデルにして思い浮かべること、いわば物象化することから生じる。このことは、ホワイトヘッドが言っているように、伝統的な哲学的概念の一つである実体という概念に当てはまる。そうした概念について、それは何か具体的なものを表すと人々は考えている。だが実体は実は、彼によれば、いろいろな関係から結果として生じるものでしかない。彼は、いろいろな関係点やいろいろな関係構造の展開からなる世界像というものを弁護する。［具体性の履き違いという誤謬の］別の実例として彼が引き合いに出しているのは、物理学者たちが空間・時間上の点も少なくとも彼らの分析のためには実在として、たとえそれが誤りであっても、いわば具体的実在であるかのように取り扱う傾向にあるという事実である。こうした「不適切な具体化という誤謬推論」に対比しては、不適切な抽象化という誤謬推論もあり得る。あるいは、ホワイトヘッド流に言い換えれば、「抽象性の履き違いという誤謬」があり得る。

　以下にわたしは、不適切な抽象化という誤謬推理について論じ、哲学することのそうしたジレンマを指摘し、最後に具体的な人間性というわれわれのテーマに立ち戻りたい。ほとんど哲学の歴史全体と言ってよいほどに広範囲に、不

適切な抽象化を犯す誤謬推理がはびこっているように思われる。アルベルト・シュヴァイツァー (Schweitzer, 1960, p.325) は、「抽象化」を「倫理学の死」であると呼んだ。その際彼が倫理学で念頭に置くのは、生き生きとした道徳的な生であった。彼は、いわば抽象化の罪をヨーロッパ哲学の歴史のほとんど到るところに、特にヨーロッパ倫理学の歴史のなかに読みとった。われわれはこの主張を敷衍して、紛れもない、または度をすぎる抽象化が具体的な人間性の死をも意味すると言ってよい。この実例としては次のことがよく知られている。すなわち、例えば集中治療部の緊急事態のただ中にある医師のような立場にあるのに、いつも一般原則、普遍的法則に従って措置しなければならないとするなら、そのときに姿を現すような非人道的な行為というものがあろう。「一般的に話す人は、一般に嘘をつく」。この言葉をわれわれはアメリカ人から借用した。不適切な普遍化を行うというこうした罪は、特に、人間的な決断が求められているような具体的な状況で認められる。そうした状況では、具体的な人間性を保持することが問われる。そうした状況では具体的人間性が必要である。それなのに形式的な規範や法則にとらわれて官僚的指導や命令に固執すると、求められている人間的決断の妨げになる。こうした状況下では、当事者である人間は、具体的な人間性を頼らざるを得ない。行為する人は、具体的な人間性によって初めて本来的に人間的になる。

　科学では、このこと［具体的な人間性に頼ること］はほとんど重要ではない。この数世紀が経過するうちに、万事を科学化する動きが生まれ、この動きをしゃにむに促進し、知識、認識、できれば一切の行為をとにかく科学につなぎ止めようとする、こうした傾向が強まった。だが、科学が万事人間的なものを保証するという主張を掲げることはできない。具体的に人道主義的な意味での人間的なものが、たびたび抑圧され忘却されたり、ほかでもなく「科学化」されてきた。人間性の「事例」（確かに多様な意味で言われるが）とは、人間が「事例」になるということである。一般的な事例、普遍的規則、普遍的規則性を例示するという意味での事例になるということである。こうした科学化という問題が顧慮の外に置かれてはならない。だが、同じような危険が哲学にもある。なぜなら、ほかでもない哲学こそが昔から、抽象化し、普遍的命題・立言・原理や最

3. 自己責任性としての人間性——具体的人間性の哲学について　69

高原則へと遡り、抽象的・一般的・普遍的な思考と処置の権化になる傾向を持っているからである。

■ピルジッヒの「哲理学」批判

　文士ロベルト・ピルジッヒの成句が、以上のことにピッタリである。彼はかつて若い世代を代表する作家であったが、以前には『禅、そしてオートバイのメンテナンス技能』と題するベストセラーを著したし、最近ではヨット旅行中に小説『ライラック——道徳試論』を刊行し、ここでは実に哲学的な多くの反省を試みている。彼は、このヨット旅行にウイリアム・ジェイムズについての2巻本の伝記を携えて出かけ、その伝記がしばらくのあいだは彼の心を奪うだろうが、「眠りにつくのに、立派な古き哲理学（Philosophologie）ほどよきものはない」と言っている。

　「ジェイムズは『哲理学』の語を愛好した。その言葉は当を得ていた。その語には、何かのんびりした、鈍重な、余計なものが具わっており、そうしたものが事柄によく的中していた。哲理学が哲学に対するのは、音楽学が音楽に、芸術学や芸術史が芸術に、文芸学が文学に対するようなものである。思考するのを偏愛するのは、派生的・二次的な領域、偶然寄生する腫瘍であり、この腫瘍が、宿主の行動を分析し頭で処理することで宿主を支配する。文芸学者たちは、しばしば多くの作家が彼らに寄せる憎悪に驚かされる。芸術史家たちも同じ経験を味わう。このことは音楽学者たちにも当てはまると、彼［ジェイムズ］は憶測したが、音楽学者については十分なことは分からなかった。だが、哲理学者はこうした問題を知らない。なぜなら、哲理学者どもを断罪することもできただろう哲学者は、自らが所属する固有のクラスを全然作らないからである。哲学者たちは存在しない。存在するのは、ただ、『哲学者』だと自称する哲理学者だけである。次のような情景を思い浮かべることができる。すなわち、もし芸術史家が自分の学生たちを美術館に連れて行き、彼らの鑑賞する作品のなにがしかの歴史的・技巧的側面について論文を書かせ、数年後に彼らに学位を授与して、これにより彼らがいっぱしの芸術家だと証明されるとしたら、芸術史家は何とまた馬鹿げた振る舞いをしていることか。芸術史家は、未だかつて絵筆もノミも手にすることがなかった。彼らの知るすべては、芸術の歴史である。

だが、どんなにおかしく聞こえようと、まったく同じことが、『哲学』と自称する哲理学に起きている。学生たちが哲学することは、期待されていない。教師たちは、もし学生たちがそんなことをしようものなら、そのために何を言ったらよいのか、ほとんど心得がないだろう。教師たちは多分、学生たちの論文をミルやカントと比較するだろう。そして彼らの論文を価値のないものとけなして、論文の執筆者たちにそんなことを諦めるよう助言するだろう。パイドロスは学生のころ、もし自分自身の哲学的な理念に拘りすぎるなら、『うつ伏せに倒れる』羽目になろうと警告を受けた……。文芸・音楽・芸術学は、哲学と同じように、アカデミックな体制のなかで栄える。なぜなら、それらは容易に教授できるからである。哲学者が語ったことを写真複写し、そしてこれについて学生たちに議論させればよい。もし学生たちが議論での論証を学期末にふたたび思い出せないでいるなら、学生たちを落第させる。絵画、作曲、そして創作は、教えるのがほとんど不可能である。だからそうしたことは、アカデミックな世界にはほとんど馴染まない。本物の哲学は、一般に［アカデミックな世界の中までは］届かない。哲理学者は、ときには好んで自ら哲学しよう。だが哲理学者としてはこの願望を抑圧する。これは、文芸学者が創作活動への願望を抑えこむのと同じである。二三の例外を除けば、哲理学者は哲学することを自分たちの仕事の領分だとは見なさない」(Pirsig, 1992, p.362 以下)。

■伝統的哲学者の尊大な思考と実存哲学のパラドックス

　以上の非難は要するに、哲学的に自ら考えるという思考が他者の思想についての言説によって置き換えられたと言うのである。哲学の代わりにまさに**哲理**を弄してきた。哲学者では全然なくて、むしろ哲理学者、哲学記号論理学者である。デリダが伝統的なヨーロッパ哲学を槍玉に挙げた非難によると、伝統的ヨーロッパ哲学はあまりにも論理中心主義に仕立て上げられており、悟性思考と（これは「ロゴス」を意味するのは言うまでもない）思想についての言説とに限定されている。われわれは、自分で考える人であるより論理中心主義者である。実際このことはある意味で危険である。長いあいだ哲学を支配し、これまで同様これから先も支配する危険である。だが二三の哲学者はこの危険を、19世紀以来、批判し浸食し拒否してきた。ここでは特に、ニーチェとキルケゴール

3. 自己責任性としての人間性——具体的人間性の哲学について　71

が名指しできる。この二人は、個人と個的実存（キルケゴールの言うような実存、それがやがてその後の実存哲学の用語、基本的な構想に導いた）との根源性を前面に押し出した。個人の思考や行為を類概念に服従させることは、どれもある意味で次のような試みである。すなわち、誰か人を、運命を、生あるいは出会いを、普遍的な秩序のなかに押し込めたり、むりやりにプロクルステスのベッド※に寝かせたり、一つの「引き出し」の中に詰め込んだり、あるいは数ある引き出しのシステムに収納したりする試みである。もちろん、現代世界が「引き出しへの収納」へ向かう傾向にあるのは言うまでもない。そうした「引き出しへの収納」は、単に、一般的な整理整頓の始まりや手段にすぎないのではない。同時にまた、認識による収拾の始まりや手段にすぎないのでもない。それは、認識による収拾であるのと**同時に**、さらにまた事柄そのものの支配の手段でもある。認識が、整理整頓する能力、支配すること、干渉と織り合わせられている。「知はいつも支配」（Lévinas, 1989, p.147）であると、エマニュエル・レヴィナスが言うとおりである。このことについては、個々にもっと正確に論じる必要はあろう。だが、伝統的な哲学者による尊大な思考は、一種の知的または精神的な干渉、少なくともこのための試みであると見ることができよう。哲学的な、または知的な干渉、これがヨーロッパ哲学の広範囲にわたる戦略であった。こうした戦略に対して、ニーチェやキルケゴールのような急進的な思想家が、またひょっとしたら、正確には分からないが、歴史上のソクラテスも異論を唱えた。

　実存哲学者たち自身との関連で、オットー・タイシェルは著書『自己存在——実存の哲学の必然性とパラドックス』で、一般化、不適切な抽象化、そして「干渉」のテーマを論究した。これは、まずは逆説的に見える。伝統[的な哲学]でも実存哲学の展開でも、こうした干渉という理念が、基本的には干渉の拒否が一定の役割を演じてきたが、それにもかかわらず結局のところは、著名な哲

※プロクルステスのベッド：ギリシア神話に登場する巨大な怪物、強盗であるプロクルステスは、街道で旅人を捕らえて、自分のベッドに寝かせ、身長が足りなければ叩いて引き延ばし、長すぎれば頭を切り落としたという。「プロクルステスのベッド」は一般に、あらかじめ合致を無理矢理要求するような図式を比喩する語として用いられる。

学者の何人かがこうした干渉という理念を迎え入れた、そうしたありさまを、タイシェルは描写する。彼の叙述は次のとおりである (Teischel, 1986, p.208 以下)。

「ニーチェは、包括的な干渉を途方もない抑圧と感じ取ったから、**一切の道徳を、人間外のどんな権威も**追放し、そのことで新たなドグマを打ち立てたが、そのドグマで彼は最後に自分の身を滅ぼした。キルケゴールは、同じような限りない孤独の状態にありながらキリスト教の啓示への信仰に服し、この歩みを救済に至る唯一の本当の道のりであることを宣告した。ハイデガーとヤスパースは、実存の状況を体系立てて記述することで、彼らが個人の現存在との関連で不適切だと見なしていた学的な客観性への要求に、どれほど彼ら自身が図らずも基本的に服従する羽目になったかを実証している。現存在への吐き気をもよおし、世界の希望のない不条理を見つめるなかで、世界の本質が明るみに出てくるのであり、個人の自由がひとえに不安から生じてくるのであると説く。この主張は、おそらく自己自身の悲劇的な運命からのみ理解できる。すなわち、苦悩を体験し、これへの絶望的な反抗が唯一の残された逃げ道である」(これは言うまでもなく、ハイデガーと結びつくサルトルやカミュに関係する)。「基本的には、サルトルやカミュは確かに、本質哲学の本質的な思考をただ極端に推し進めただけである。実に彼らは不安、苦悩、個人の限りない孤独を、同時に絶望を、決定的な基本的気分と見なすという見解の特徴を遺憾なく示している。だから唯一のチャンスは、こうした状況を意識的に甘受することにある。このことにより初めて、こうした恐るべき運命に対して途方もない英雄的な力を奮い立たせることで勝利を収めるという試みが可能になる。実存のいろいろの限界を、これらの限界が外的な自然に帰せられることであれ、自己自身の負うべき弱さに帰せられることであれ、同じように克服しようとする戦闘的な根本姿勢、極限的な骨折りは、どんな［実存哲学の］観点にあっても、同じようにはっきりと示されている。このことは、人間的な状況の一定の評価を表す。このように評価することで、結局は、自己規定的な実存に至る能力を個々人に与えるという意図をますます覆い隠す結果になる。なぜなら、個人の生き生きとした現実性を全体として顧慮し、しかも、理性と感情、統一と数多、普遍的認識と個人的苦悩という矛盾が並存するままに個人の現実性を受け容れるという必然性、こ

れが形而上学的思弁と哲学的体系に対して、最初に思われたほどには際立たなくなっているからである。可能的な自由の代わりに、再びまた一つのドグマが、［自由の］もっと先にある最終的な意見表明の主張が姿を現す。不安と絶望は、自己実現が成果を発揮するための、いわば物差しとされる。この場合、人間の限界状況が、特に自己の死すべき存在の認識が人格の自由の突発的出現にとって決定的な意味を持ち得るというのは問題がない。人格の自由は、こうした避けられない運命を意識的に引き受けながら、おそらく最大の試練を乗り越えなければならない。だが、だからといって［最大の試練である］限界状況が、到底まだ人格の自由の唯一の根拠と言うことにはならない」。

■**尊大な思考、普遍性の思考の具体的実存による止揚──タイシェル**

　タイシェルの意見はこうである。すなわち、悲運であるのは本質的に、個人を大なり小なりおのずから干渉するように導き惑わさないわけにゆかなかった尊大な思考、普遍性の思考、こうした形式的・抽象的・普遍化の思考であった。哲学することは、今日、こうした要求を根底的に止揚しなければならないと言う。

　「そうした統一を意識する哲学は、もう尊大な思考ではあり得ない。つまり、客観的な事態、『事実』を記述し相互に体系的に整理するという試みではあり得ない。**こうした試み**が学を意味するのであるなら、また、［学の名の下では］主観的なものを軽視して客体化の見方を一面的に強調して世界と人間とを我有化体得することが成し遂げられなければならないのであるなら、そのときは、哲学は神話となる。すなわち、生と盟約を取り結ぶ人々による『秘密の知』となる。そうした人々は、なお個人の自由の意義を**信じている**し、互いに愛し合いながら出会うことができる。愛は彼らには自らの現存在によってすでに与えられたのである」(同書p.233)。

　タイシェルは次にまた、思考の**具体的な**実存とは何であり得るかを記述する。本質的にそれは、一面ではまず、哲学による伝統的な干渉に対する批判的な対決である。他面では比類なき制限であり、この制限は「一切の人間と世界観での開かれた、愛に溢れた出会いのなか」に、なお存続している。すなわち、その制限は、「自分自身の立場に普遍性を」授与し、「そうすることで互いに干渉

し合うべきではないという義務」である。開かれて具体的に哲学するうえで大切なのは、問うこと、話すこと、互いに開かれていること、互いに愛を持って交わることであって、他人が服従せざるを得ないような、またそうすべきであるような普遍的な指図を全然行わないことである。

だが、そうすると、あるジレンマに陥る。もちろん哲学は本質的に、概念・カテゴリー・言語形式・思想を扱う。だから、もしも本気で具体化に直面するなら、哲学することは、避けることも解くこともできない困難、アポリア、「出口のなさ」に陥ってしまうように思われる。タイシェル(同著 p.192)によれば、そのジレンマとはこうである。すなわち、「どんな任意の立言でも、その結果は個人に干渉すること」になる。なぜなら哲学は「前もっての哲学の自己理解からして、世界と人間についての本質的で普遍妥当的な規定だけを提供する意図を持っているのは明らかだからである。それほど望みの高い要求が掲げられることで、いずれにしろ具体的な個人にはなお一つの脇役が割り当てられてはいる」。確かに、こうした成り行きは「決して強制されるものであってはならない」。「もし、それ(著者の哲学)がその目標を、視野の制限の代わりに視野の拡大にだけ置き、新たに限界を確定する代わりに新しい可能性を開くことに置くなら、もしその哲学が法則をアピールに、体系を情熱的関心に置き換えるなら[それは結構である]」。これに対して、もし伝統的な学や哲学では、「生が理論に」身を持ち崩し、「そうして真理が計算問題に」(同著 p.193)堕落したのなら、そのとき世界はいわば、「単なる体系」として把握されたのであり、その世界は本来の生き生きとした現実性にすっかりと覆いかぶさり、「生き生きとした現実性のほうは、破壊されて」しまったのである。

■具体的に哲学すること、具体的な人間性の哲学

以上の叙述のすべては、少々誇張され、先鋭化しすぎた嫌いがある。だが、少なくとも、これにより本物の危険は明らかに示されている。本物の危険、これはただ現に**具体的に哲学すること**だけで回避でき、あるいは少なくとも和らげることができる。実際は、この危険が全然回避できないというのが現実であろう。だから実際はジレンマが生じる。すなわちわれわれは、もし普遍的で類的な、種類に関わり一般的であるような概念を用いているなら、必然に抽象化

3. 自己責任性としての人間性──具体的人間性の哲学について　75

を行って、ある意味で部分的には、不適切な普遍化に服従せざるを得ない。言説はすべて、類型・カテゴリー・包摂・構造化する。言説はすべて、比較的には普遍的・類的（種類的）・一般的である。少なくともそうしたことは、客体的な表示、言説に当てはまり、言説は普遍的妥当性への要求を掲げており、あるいは例えば大学で教授される。もちろんまた、別種の言説、相互の直接的な語り合い、例えばまったく内密な人格的対話というものがある。だが、われわれのいろいろな言語形態は始めから、ものごとを、ほかでもない具体的・（共同）人間的なものを単に一つの「事例」として整理整頓するという普遍化やそうした可能性と危険を指し示しており、そうした方向へと誘う。だから言説は、普遍化し「抽象化し」、いろいろな事例について語るように、絶えず誘惑される。

　これに対して現実の生は、具体的であり、個的であり、その都度の個人に関係している。たとえ、そうしたことの背景がさらに問われることがあっても、そうである。こうした現実の生こそが、「実存」の哲学、具体的実存の哲学の関心事である。「実存哲学」という言い方は、おそらく何か不運がつきまとう。なぜなら実存哲学では、本質的には、根本的な個別化が志向されているのであって、存在として実存するという意味で、あるいは何かが「存在している」という意味で「実存」が言われるのではない。実際、実存哲学がさしあたり関わるのは、それはキルケゴールの場合にまったく急進的にそうなのだが、具体的状況であり、具体的可能性であり、個人の具体的体験・理解である。これについてはハイデガーが見事な表現を見つけたが、だがこの表現がまた再び、私見によれば、幾分誤解を招いた。すなわちハイデガーは、「現存在の各自性」について語る。それは、ひとはつねにその都度、唯一者であるということである。だが「各自性（Jemeinigkeit）」はまた、所有代名詞に結びつくような、だからこの場合「わたしの」という所有を指し示す言い回しに結びつくような概念である。だからおそらくは、あたかもその概念は「所有」あるいは所有関係を指し示すかのように誤って受けとられる危険に陥ってしまう、そうした概念である。だからおそらく「各自性」の代わりに「唯一性（Jeeinzigkeit）」と言うべきで、この語では、具体的状況にある個人が人格として代替不可能であることが理解さ

れるべきであろう。つまり、何人かの実存哲学者（例えば、Weischedel, 1933, 1972²）やタイシェルが言うように個人の「自己存在」が理解されるべきであろう。具体的な実存哲学、具体的実存についての哲学、さらに言ってよければ具体的な唯一性の哲学をこのように理解しながら、代替不可能性を弁護し、これを反省し意識に呼び起こして、「自己存在の力を証言する」（Teischel 前掲書 p.235）ことが、哲学の課題であろう。ここで「力」の表現は、確かに隠喩として理解されなくてはならない。だが、少なくとも問題なのは、自己の存在、自己自身による自己理解、唯一性、人格としての唯一性である。そうした唯一性が疑いもなく、具体的・人間主義的な哲学や具体的・実存的な哲学の試みを際立たせるメルクマール（徴表）として把握されなければならない。

　具体的な人間性（フマニテート）の哲学は、具体的な生に直面しながら人格的な状況での生のいろいろな問題と対決するような哲学を要求する。そうした問題は、およそ干渉しようと企てるような視点だけでは、例えばお節介な話し合いでは見えてこないで、実に干渉**しない**対話や共同の探求に現れる。タイシェルによれば、どんな哲学の干渉も、理論的であれ実践的であれ、取り除かなければならない。なぜなら、哲学は干渉**であることによって**、あらかじめすでに実践的な制圧あるいは少なくとも理論的な制圧に導いてしまっているからである。しかもそれは時には一種の暴行になる。こうした具体的な意味で哲学するということは、概念的にも実践的にも従属や支配に導くものであってはならない。その理由は、概念的な従属がたちどころに端的に［実践上の］従属に落ち着くからである。いまではもう、哲学で「どんな尊大な思考も」存在することが許されない。他者への押しつけがましい要求は、他者のための理解、必要なときは自己自身に自ら突きつける要求に置き換えられなければならない。「**処方箋のある自由というパラドックス**」（同著 p.234）をおかすようなことがあってはならず、またおかすべきでもない。そうしたパラドックスこそ、カントに結びつく伝統的な倫理・哲学の特徴をあらわに示し、例えばまた名指しされた著者（特にヤスパースとハイデガー）による実存哲学の大部分の特徴を示している。

　哲学するということは、個人やその人格・状況に方向づけられた**具体的な**意

味で、人格・自我・社会状況の唯一性を確認するということにある。社会状況というのは、特定の彼や彼女、ないしは幾人かの個々人がその都度、身を置くような状況である。

■**具体的実存の哲学も一面的ではないか──具体的な共同人間性の哲学**

　自己存在はいつも個人に関係している。自己存在が具体的実存のこうした哲学では、もっぱらその都度の個人の人格に関係できるのは、言うまでもない。このことがまたすでに、一種の批判に通じるような問題を顕わにしている。そうした立場も同様に、一面的で極端なのではないのか。個人とその唯一性を哲学することから、必然的に、急進的な孤立化の視点へ導かれてはいないのか。確かに実際のところ、伝統的な実存哲学では、また具体的な実存の哲学でも、いずれにしても出発点から見ると急進的な孤立化への基盤が設定されていると言わざるを得ない。個人は根底的に孤独で、自分だけが頼りであるとする、そうした見方は、生の生き生きとした**社会的な**現実性の観点や主要内容からの独断的な隔絶である。個人は、実存哲学者や伝統的な実存哲学が思い描いたように個々に孤立して実存しはしない。レヴィナスが言うように、伝統的な理性的存在者、アリストテレスが人間の定義とした理性的動物は、「動物」である以上は、自然へと解消すると言ってよい。「**理性的動物**は、**動物**であるかぎり、自然へと解消する。理性的であるかぎり、理念が出現する光に曝されると、その存在者は色あせる。こうした理念は、自己自身に立ち返る概念であり、論理的で数学的な連鎖・構造である」(Lévinas, 1989, p.68)。実存哲学にあっては、極端な孤立化のせいで、**社会的な**構成要素がいわば切断されてしまっていないのか。これも同じく、色あせと言えよう。実存哲学では、唯一性や現に実存することを到るところで強調するにもかかわらず、今や「個別」のカテゴリーだけを視野におさめることで、やはり**抽象性の履き違いという誤謬**のようなものが、［伝統的な哲学の場合と］まったく同じように企てられていないのか。その都度に他者および**他者**の唯一性・各自性に開放された具体的な実存や具体的な生・体験の哲学というものを、**共にある**人間としての連帯性を顧慮し、これに格別に関与しながら展開するのが、どうしても必要なことではないのか。具体的な人間性（フマニテート）の哲学は、いつまでも、具体的な**共同人間性**

(*Cohumanität*) の哲学であり続けるという課題があるのではないのか。これは事実、レヴィナスが自分の哲学で視野に置いていた主要目的であり、断固たる処置でもある。

第2節　自己責任性——ヴァイシェデル

■ヴァイシェデル『責任の本質』

　自己責任性は、特に実存哲学で探求された。例えば、ハイデガーの弟子であるヴィルヘルム・ヴァイシェデルに、『責任の本質』(Weischedel, 1933, 1972²) という著書がある。ヴァイシェデルは責任性を、彼が多くの実存哲学者と同様に用いた概念である自己理解、「自己存在」[8]から根底的なしかたで、おそらく極端と言えるしかたで基礎づけることから出発する。奥深い自己責任性というのは、さしあたり自己自身を**まえにした**責任を意味する。わたし自身が、自己自身をも判定する審級である。だから、わたしは、自己自身への一種の対話の関係にある。なぜなら、自己自身を判定できるためには、わたしはわたし自身から距離をおかなければならない（そうできなければならない）からである。そうした場合にだけ、わたし自身を**まえにした**責任が生じうる。言うまでもなく、自己責任には、わたし自身に**対する**、わたしの行為に**対する**、わたしの態度に**対する**、わたしが人格として発展することに**対する**、わたしの自己に**対する**責任というものも含意されている。このことは、ヴァイシェデルでは直接に主題にされてはいないが、いっしょに考えられてはいる（だから、「自己責任性」という言い方は、二重の意味を含んでいる）。「**奥深い自己責任性**」（同著 p.75）は、ヴァイシェデルによれば、「**人間の根底的な自由**」（同著 p.110）ということである。すなわち人間は、自己自身に対する責任を引き受けなければならないかぎりで、それどころか何よりもこうした責任を作り出すことができるかぎりで、そのかぎりで自由である。ヴァイシェデルは、「根本自己責任」（同著 p.63 以下）について語る。これが本来意味するのは、わたしが自己自身で自己に掲げる要求であり、行為に際し自ら措定した典型の投企である。言い換えれば、ヴァイシェデルが実存哲学的に公式として示したところによると、「**根本自己責任の『本質』は、実存の典型として表される**」。彼は、「典型へと自らを方向づける実存」

を、こうしたほかでもない「根本自己責任」として特徴づける。わたしは、自己自身に対して要求するのであり、典型を展開し、わたしはこの典型を模範にして生きなければならず、できるかぎりこれを満たさなければならない。そのかぎりで、この種の本来の責任状況は、わたし自身の実存とその意味や自己評価とに自ら思いをはせることに全力を尽くすことにある。わたしは、わたし自身を**まえ**にして責任があり、わたし自身に**対して**責任がある。この二つは、ともに対話的な自己関係を前提にする。

ヴァイシェデルは、社会的な責任性(「対他責任性」、同著 p.38) があるのを否定しない。だが彼は、自己責任性がいっそう奥深いところにあり、いっそう深く「基礎づけ」られると言う。すなわち**自己責任性は、社会的責任性のための審級である**」(同著 p.102, p.26 以下と p.103 以下も参照せよ)。換言すると、社会的責任性一般について語ることができるには、わたしは基本的にあらかじめ自己責任性を自分自身に面と向かって感じており、これを展開済みであり、少なくとも分析的に前提しているというのでなければならない。神に面と向かった宗教的な責任性というものも、ヴァイシェデルは自己責任性に還元する(同著 p.51 以下)。自己責任性はそれ自体、神に面と向かっている責任性よりもいっそう深いと言う。なぜなら、わたしが神に面と向かい責任を負うと感じるつもりでいるのかどうかについて、たえず決断が下されなければならないからである。そうした決断は、わたしがほかでもない自分で自己自身をまえにして責任を負わなくてはならないような決断に基づく。こうした通常見られる責任性の二つの基本形態[社会的責任性と宗教的責任性]は、彼によれば結局は、[責任性の]第三の変種である〈自己に責任を負っているという存在〉へと還元される。

ヴァイシェデルは言う。自我は、人がどんなふうにあり得、またありたいと願うにしろ、また何をするよう義務づけられ決断するにしろ、いつも「典型」に向かって「自己を方向づけている」「実存」であるが、こうした自我が、実存であるのと同時に、自己をまえにして自己に対して責任があると言う。このような具合に「根本自己責任」の中で、「実存[かどうか]の疑わしさ」を克服することができ、責任性の意味を見つけ出すことができると言う。奥深く〈自己に責任を負っているという存在〉が、責任があるということ(責任存在)の根源で

あり根本規定であると同時に、また生の意味自体を会得するための根源であり根本規定でもある。「責任があるということ（責任存在）の根源にあって、実存の疑わしさは克服される。すなわち、人間は、顕わになった根本『自我』にありながら実存しつつ自己を根拠づけるよう決意する」（同著 p.72）。「**本来の意味での根本自己責任が、自己責任性へと決意する**」（同著 p.74）。あたかも、根本自己責任が自分で決意するかのようだ。これはなるほど、ホムンクルスの言葉であり、隠喩としての用法であり、「根本自我」のようなものを前提にする。この自我が決断できる。そこでもちろんのこと、この根本自我が何であり、［ホムンクルスという］小人の根本決断者としてどう振る舞うことができるのかと批判的に問うことができよう。すなわち、そうした見解はすべて、後から付け加わる反省的な構成物、自己解釈ではないのかと問えよう。どうであれ、根源的な「存在可能」（「根本自我」）から出発して人間自身への要求を掲げるのは、実存哲学者にとっては、自己を投企する「自己存在」であり、「純粋な〈自己に基づくこと〉」（同著 p.79）である。そのかぎり、このようにヴァイシェデルが仮説として要求する根本自我は、「**人間**」自体「**よりもいっそう根源的な**」のである（同著 p.80）。わたしが自己を理解したいと思っているような［自己の］根本解釈、やむなく受諾したいと思っているような［自己の］根本解釈というものと、自己とをわたしは比較する。わたしは、自ら自己を投企し、その後で決断する。だから、わたしが根本自己責任へと決断し、自己を賭する自己責任性を展開できるためには、少なくとも以上のような存在可能、責任を引き受けることの可能性、さまざまな形態の自己展開の可能性、未来に行為する可能性が根本自我により構造化され、前もって定められていなくてはならない。

■自己責任性の三段階、そして根本自己責任

さて、自己責任性のこうした展開には、三つの異なる局面（「段階」）がある。1. 根本自己責任性は、ひとが一般に責任性の引き受けという問題や責任性への要求に心を開くことによって、表示されねばならないし、部分的には実現されなければならない。責任性への要求というのは、もちろん第一には、ただわたし自身に由来することができるが、要求あるいはむしろ機会としては、理論的には他者から生じてくることもある。2. この要求は、わたし自身に向けられる

3. 自己責任性としての人間性──具体的人間性の哲学について　81

ことで、つぎには自己存在という要求であり、典型である。そうした要求や典型は、わたしが承認せざるを得ないものである（わたしは心を閉ざして［責任性への］要求に心を開かないことで、第一段階での心を開くことに逆らうことができるが、これと同様に、つぎにまたその［自己存在という］要求を承認せずにこれを拒絶することもできる）。だが、これはまだ第二の準備段階である。3. 決定的な局面は、根本自己責任性を「自ら受諾する」というものである。つまり、わたしはこの責任性を**身につけ**、自己責任性へと**決意する**。「実存の最終根拠のうちに、**奥深い自己責任性は、人間の根底的な自由として**その根を下ろしている」（同著 p. 110）。自己責任性は、このように投企される根本責任性の構造と、その投企の前提となる根本自我、ないしは根本責任性とその特徴をともによく表す根本自我とに基づいている。こうした自己責任性が、責任関係を、わたしのまえでの責任とわたしに対する責任とを展開する。ヴァイシェデルは、根本自己責任の本質を規定することで、こうしたことをすべて一まとめにしようとする。

　「根本自己責任は形式的意味で、〈自己になるよう意欲する〉か、〈自己になるよう意欲しないか〉についての決断である。本来的意味で根本自己責任は、実存の引き裂かれた内的分裂性に基づきながら自己自身との合一へと転回する。実存は、負い目ある既往存在であると同時に、根源的な未来としての自己存在という要求を持ちつつ顕現するというのが、実存の内的分裂性である。こうしたものとして根本自己責任は、〈自己になるという〉方向へと出向く。だから根本自己責任は、〈自己をまえもって呼び寄せること〉であると規定される[9]。わたしがわたしをまえに責任を負うというのは、要するにつぎのような意味である。すなわち、**わたしはわたしを、言い換えればわたしの実存全体を、負い目ある既往存在で分裂しているわたしの存在から脱して〈わたしが自己であるという存在可能性〉へと向かうように、まえもって呼び寄せる**。この存在可能性は、〈わたしがわたしに基づいて存在しうるという可能性〉および〈わたしがわたしと一つであり得るという可能性〉であり、この〈わたしがわたしと一つであり得るという可能性〉は、わたしがわたしの根源的な未来であることを必要とする」（同著 p.86、強調は原典どおり）。

　「負い目ある既往存在」というのは、わたしが何となく負い目ある行為をし

たかもしれないし、だから責任を持って負い目を引き受けなければならないということを意味する。「根源的な未来」とは、わたしがいつもわたしの構造全体からして、いろいろと展開できるように、わたしを出し抜いて存在するように、典型とかわたしが自分に掲げる要求とかに向かうように設計されているということである。わたしがこうしてまえもって方向づけを受けているということを、わたしの責任性を形成するためのある種の「根・源」と見なすかぎり、そうなのである（ここでは実際、実存哲学の手法で表情豊かな演奏が行われているが、だが、おそらくそこからは、二三の洞察を引き出せるということは、見て取れる）。「根本自己責任での〈自己をまえもって呼び寄せること〉」をヴァイシェデルはつぎのように記述する（同著 p.82）。「本来の応答、本来の意味での根本自己責任は、自己を連れ出すことである。このことで人間は自己を、自己にとって本質的に先立ってある自己の未来のなかへと呼びにゆく。つまり人間は、前方に進み出て自己を連れてくる。だからわれわれは、本来の意味での**根本自己責任**を、つまり［自己責任性という］出来事全体の第三の契機を、**自己をまえもって呼び寄せること**であると特徴づける」。

　負い目ある既往存在にある実存、根源的未来、さまざまの可能性のまえもっての投企と引き受け、こうした自己存在の三つの契機を持つのは、本質的には、「自己をまえもって呼び寄せること」や「自己に先んじてある存在」としての根本自己責任である。根本自己責任が「自己存在」を、前提となっているいろいろな直観から展開させると言ってよい。だから、こうした反省のありさまと決意が、責任性を特徴づける。わたしが自己自身を責任を負う存在者として把握せんと意欲するよう自由に決断しないわけにはゆかない以上は、そうなのである。だからこうした根本自己責任は、「**能力としての自由**」（同著 p.89）であり、自己存在の自由や（自己）決断の自由である。しかも、人間に可能な決断の根底にある自由である。

■「根本自己責任」という見方はレヴィナス流の「社会的責任」の対極にある

　さて、こうした細かなことにわたしはいちいち立ち入りたくない。そうしたことが必要なことではあろうが、わたしは以上調べたことがらをもっぱら、責任を根底的には社会的なものと見るレヴィナスの捉え方に対立する構想として

見ておきたい（以下参照）。実存哲学的な解釈も同じく根底的（「根源までたどる」）であり、その解釈では社会的なものは、つまりわたしへの他者の呼びかけは、自己規定ないしは自己存在に還元され、そしてまたわたし自身に向かい合った［わたしの］要求に、だから結局は自己責任や自己責任性に還元される。だから、自己責任性は、いわば**最高で究極の審級**であり、とりわけ、わたしの実存自体に結びついた責任性である。この責任性をヴァイシェデルは、「根本自己責任」（「根本自己責任性」と言ったほうがより適切であろう[10]）と呼ぶ。われわれが**唯一の最高の審級**を持たなければならないのは、あるいは**そうした審級**にまで立ち返らなければならないのは、どうしても必要なことなのか。われわれはどんな責任性も自我や自己や自己責任に（定義の上であれ、公理上であれ）還元するのが必要なことなのか。そうして、ヴァイシェデルがレヴィナスと極端に対立しておこなっているように、社会的なものを、わたしへの他者の要求をまったく顧慮しないでおくのが必要なことなのか。このように問うことができる。これはちょうど、一つの極端から別の極端への突然な移行であり、不適切なあれか・これかという極端視を表す事例であるように思われる[11]。こうしたあれか・これかの思考が、双方の著者に見られる。つまりレヴィナスによるところの「社会的責任」という見方にも、また、ヴァイシェデルの意味する排他的な自己責任性への立ち返りにも、そうした思考が見られる（責任の社会的な基礎づけを簡潔に「社会的責任」と呼んでもよいとしての話であり、このレヴィナスの場合には、社会的・人道主義的な課題に対する責任が意味されているのではなくて、責任性が他者との出会いという状況に根拠づけられるという深い意味での社会性が言われている）。深い意味での社会性に対立する実存哲学、この対立は克服できない対立であろうか。本当はそうではない。なぜなら実存哲学的な思考には、いろいろな社会的経験による強力な刻印を受けたような変種もまた、もちろんのこと存在するからである。

第3節　レヴィナスでの他者と責任
■**出会い、他者、そして顔**
　レヴィナスは、強制収容所で自分の家族を亡くした。だから彼の急進的な哲

学は責任性を、寄る辺のない傷ついた「他者」の絶え間ない哀訴に直面しながら劇的な姿で現実化する。そうした彼の哲学の少なくとも一つの根源は、精神外傷的な運命体験にあるのかもしれない。だが、彼の哲学には際立ったキリスト教の鉱床が脈打っている。もっとも、このキリスト教的なものは、取りたてて神学的に解釈すべきでないのは言うまでもない。それは、せいぜい社会・人類学的に、具体的な実存との関わりでは特に倫理的に、まさに哲学的に解釈されるべきである。レヴィナスは言う。「人間とは、わたしが［存在者と］出会うことそのことをその存在者に表現しないことには出会うことのできない、そうした唯一の存在者である。ほかでもないこのことによって、出会いは認識から区別される。人間的なものへのどんな態度も、挨拶するということを含意する。たとえ挨拶を断るということであっても、そうである。人間的なものへの態度では、慣れ親しんだ背景のもとで個人と関わり合うために、地平というものへ向かって、つまり私の自由や能力や所有の及ぶ領野へ向かって知覚が投企されるというわけではない。人間的なものへのどんな態度も、純粋の個人に、存在者それ自体に関係する」(Lévinas, 1983, p.112)。これら術語の二三の用途は、まだ実存哲学を頼りにしている。特に、「眼差し」(「顔」)や「他者」についての彼の言い回しは、たしかにサルトルの『存在と無』による影響を受けている (あるいは、サルトルの構想が、レヴィナスの初期著作を知ることで影響を受けたという裏づけがあるのか)。いずれにしろ、こうした哲学のやり方はそれ自体が、過激な意味での一種の実存哲学であり、実存現象学である。まさに徹頭徹尾、他人から規定を受ける実存現象学である。だから、一般にわれわれがただ**出会う**のが可能であるだけの唯一の存在者とは、すなわち人間である (一なる神を信仰する多数の人々はまた、**神には出会う**のが可能なのであって、だからこそ神を**認識する**ことはでき**ない**と言うかもしれない)。わたしはこの箇所でこのことについて、もっと詳しい反省を加えるつもりはない。わたしに決定的に重要であると思えるのは、人間と共にする出会いが伝統的な似非科学的意味での認識とは別物であるということである。出会いは、カテゴリーへの整理ではない。出会いは、「引き出しへの収納」(本書 p.71 以下を参照) ではない。出会いはほかでもない、深くて根底的な体験であり、身に降りかかり直面するということである。このことが

具体的な人間性の哲学や、レヴィナスの眼中にある具体的なヒューマニズムにとっての出発点である。「他者のヒューマニズム」は一種の具体的な人間性であり、こうした人間性が実にラディカルに深く他人の方へと向けられ、他者によって規定される。他者との人間の出会いが自己の実存や自己の意識的な生、さらには意識自体の形成や自我の一種の対話による構成にとって決定的なことであり、もちろん他の人々との交わりにとってはますますもって重要であるというのが、実のところ、根本の考え方である。本来の生は、まず他者との具体的な出会いに始まる[12]。わたしは、わたしの助けを必要とし傷つきやすい存在である他者に対面する。こうした他者は、われわれみなと同じように死すべき存在であり、無器用なありさまを表し、この意味で「裸の」存在であり、保護されないままにわたしに呼びかけてくる。すなわちこうした他者は具体的な状況にあって、わたしに助けや配慮を絶え間なく哀訴するような姿勢をとって、あからさまに「襲ってくる」。あるいはまた、「わたしを殺さないで、わたしを惨めにしないで」、おそらく付言してよければ「とりわけわたしを独りにしないで」といったような視点で、連帯性を嘆願してくる。他者がこのように「裸であること」は、言説でも説明でも記述でも媒介できず、顔をもっている他者と対面することにより伝えられる。ここで「顔」でもって意味されているのは、単に外的な顔つきだけでは全くない。顔は、レヴィナスにとっては基本的に、単に他者の現象にすぎないのでなく、他者の寄る辺なさの表現である。他者はまた、そのように表現されることで固定され確定されはしない。他者は、「限りなく」接近や懇願の標的と見られる。それでいて他者は、われわれに直接出会い、「自己自身によって何かを意味する」（Lévinas, 1983, p.321）。つまり、他者がわれわれにとっての意義を獲得するというのは、われわれは自己を他の人々や一定の他者の方へと方向づけ、そのことで初めてわれわれの自我を責任ある自我として形成し構成しうるという深い意味があるからである。「顔で自己を顕示する他者は」、自分自身の感性という領域、「自分自身の具象的な本性」を「突き破る」。そうした他者は、それなのに遠く離れており（同著p.221）、理解し把握するのがむずかしい。他者は他者であり、他者であり続ける。だが他者は挑発であり、実にこの意味でわれわれにとっての「試練」である。外的な顔

つきが、出会いのなかで本質的に他者を他者として媒介し、こうしてわれわれへの挑発を媒介する。出会いのなかで生み出される関係は本質的に、内的かつ外的な近さや接触への願望、いやそれどころかある意味では愛への願望という特徴を持つ。ここでレヴィナスが理解する愛とは、エロチックな愛ではなくて、責任性である。かいつまんで言えば、「共同人間としての他者への欲求は」われわれ一般に見られる欲望から区別されるべきである。すなわち、「他者を欲するというのは、われわれの社会的存在そのものであるが、その欲望は、存在への素朴な関係ではなく」(Lévinas, 1983, p.219)、カテゴリーには関係しない。そうではなく、他者は「生へ舞い降りてくる」。神が生に舞い降りるように、そのようにまた、超越と他者の現在性との体験もわれわれにとり重要である。単に通常の意味で重要なのではなくて、われわれが人格として実存し、われわれの自我が形成されるために重要なのである。しかもレヴィナスは、「絶対者」と「他者」の「顕現」(啓示される現在性)とについて語る。両方とも、結局は思考の出来事ではあり得ず、もっぱらこうした出会いや直接的な現在性での出来事であり得る。すなわち、感性のただ中で「超越」が遂行される。「愛撫は感性的なものを超越する」(Lévinas, 1980[7], p.235)。換言すると、他者はわたしにとって根本的には、何とかして感性に還元しなくとも、重要な存在者となり、現実の存在者となる。

■「我責任を負っている、ゆえに我あり」

こうして他者の代替不可能な唯一性がまた、わたし自身が唯一の存在であることの根拠になる。このことは疑うことができないし、しかも、次の文脈でそうだと言える。つまり、今や、第二番目の決定的な概念が、効力を発揮する。すなわちその概念は**他者の方へと方向づけられた根底的な責任性**という概念である。こうした出会いという状況下で他者に呼びかけられることで、直接に責任というものが生じる。要するに、わたしは責任へと呼び起こされるが、こうした責任性は、すでに(出会いという)状況によってわたしに課せられている。わたしは責任性を、あるいは責任を選びはしない。わたしは責任性をまったく選ぶことができない。わたしは他者からの要求によって、紛れもなく「人質」に取られる (Lévinas, 1983, pp.317/320 以下)。たしかにこれは極端すぎる言葉で

3. 自己責任性としての人間性――具体的人間性の哲学について   87

ある。だが、他者はわたしに関係し、このことによってわたしは、面と向かっているかれ（の近さ）から遠ざかることができない位置へ移されている。わたしは、他者の傷つき易さに対し自分の心を閉ざすことはできないし、そうするよう許されてもいない。根底的な「呼びかけ」や「試練」（同書 p.221）が重大事であり、これが、他者に**向かい合った**責任を、そして同時にレヴィナスの言う一定の状況にある他者に**対する**責任を、しかもある意味ではわたし自身の意志に逆らうような、あるいは少なくともわたし自身の意志によらないような、そうした責任を生み出す。ことによるとわたしは、わたし自身の傾向性に逆らって責任を引き受けるよう迫られ、責任をとらされる。他の人々や一定の他者に対するこうした責任性が、自我の唯一性や倫理的人格性の形成のための根拠、一般に自我のための根拠であるとレヴィナスは考える。**自我とは、責任を負う存在者である**。「自我存在は……責任を回避できないということを意味する」（Lévinas, 1989, p.43、1983, p.224 も参照）。しかも上で述べたような根底的な意味での責任を回避できないという意味である。こうした責任性が、いわばわたしを代替不可能な存在にさせる。なぜなら、他者に対する責任があるお陰で、自我は代替不可能な存在になったからである。他者に今、この位置で応答できるのは、唯一者である。「責任が自我の唯一性を確証する」（Lévinas, 1983, p.43）。責任は、選ばれるのではなくて、「舞い降りてくる」。ましな言い方ではないが、自我のほうが、責任によって、要するに状況にあっての責任性によって「選ばれる」。この言い方はいずれにせよ、隠喩として理解されなくてはならない。自我自身は、この場合根本的に、きわめて受動的である。いずれにせよ自我は、外部から責任を引き受けるように指示される。責任を引き受けるということは、それ自身は再びまた、本当に言おうとすることをどこかでゆがめているような概念である。なぜなら、責任の引き受けという概念は、対面という出来事をあらかじめすでに能動性であると誤解してしまっている。能動性は［実際は］、責任を受け取ることから後になってからようやく生じるか、あるいはこの［責任の］引き受けのただ中で成立する。だからわたしが思うには、「状況により責任ある立場に立たされる」というのが術語としてはいっそう適切であろう。〈責任のある立場に立たされているという存在〉は、レヴィナスによれば、すでにわたし

への他者の要求と呼びかけが生じるのと同時に生起している。責任はこの意味では、いつも**直接に**体験され経験される。その後になって第二次的に、責任は引き受けられる。つまり第二次的にやっと、われわれは［責任に］同意できる。だが責任自体は、通常のどんな自由よりも先立っている。自律よりも先立っている。どんな自己自身の参画（アンガージュマン）よりも先に与えられている。言い換えれば、責任性が主観を唯一なものとして措定し、主観を代替不可能な存在にする。自我の唯一性とは、誰もわたしの代わりに応答できず、だからわたしが応答する存在者であるという現象である。わたしは応答する、あるいはわたしは応答するよう挑発を受け、まさしく責任を強要される。その後でわたしは、責任を受け取り引き受ける。わたしは責任がある、だから、わたしは存在する。言うならば、**我応答する、ゆえに我あり**（*Respondeo ergo sum!*）。**我責任を負っている、ゆえに我あり**（倫理的な存在者として）（*Responsabilis sum, ergo sum*）。要するに、**我責任を負っている**（*responsabilis sum*）。言い換えれば、何よりもまず他者に対して責任のある存在者として初めてわたしは、倫理的な自我である。自我が唯一であり同一であるのは、他者に対する責任がこのように取り替えることも取り違えることもできないという関係であるという点に成り立つのであり、出会いにあるわれわれに押しつけられる。その場合われわれは能動的では全然なく受動的であると、とにかくレヴィナスは考える。われわれはこうした責任性を回避できない。自我存在それ自身は、われわれがこうした責任性を回避できないという、実にこの点でこそ成立する。われわれは、ただ責任のある存在者であることによってだけ本当の意味で実存している。だからわれわれは基本的には、他者によって挑発を受け［責任のある立場に］立たされている状況を手がかりにする以外に自己自身を理解できない。「人間は、他者を起点にして初めて、そこから自己自身に至る」（Wenzler, 1989, p.XX）。このことが、主観や自我、そればかりか意識形成のもう一つのやり方だとレヴィナスは言っている。すなわち責任を引き受けることによって、あるいは最初にまず責任を体験しその後にそれ相応の［責任を引き受けることへの］同意を示すことによって、初めて道徳的な自我が生じる。自我と道徳性とは、責任のなかでまさに同一になる。自我と道徳性とは同じである。自我は責任性にあって構成される。**自我が**

3. 自己責任性としての人間性――具体的人間性の哲学について　89

ある（自我存在）というのは、責任がある（責任存在）ということである。レヴィナスの言うように (Lévinas, 1981, p.81)、「倫理は、普遍的な原理へ立ち返らなくとも我・汝・対話のなかで始まる」。最初には、カテゴリーや道徳法則が与えられているのではない。そうではなく道徳的な挑発は、実存的に直接に身に降りかかるということで、他者との出会いで、そしてそこから生まれる共同人間の責任性のなかで成立する。このことが、事実、具体的・倫理的に哲学するプログラムである。自我の構成は、ただ自我の責任性によってだけ理解できる。自我が責任ある存在であるというのは、こうした倫理的意味で理解されるのであって、ほかの意味ではない。これが基本の観点であり、この観点は、レヴィナスが哲学的学科の通常の理解を転換するほどに拡張する。認識論や形而上学や存在論、あるいは何と呼ばれようと、そうしたものは今ではもう、第一哲学ではない。倫理学がそうである。哲学は倫理学から育ってくる。こうした意味での倫理的な挑発が、いわば哲学の誘発契機・根本・基盤である。

■非対称的倫理学の基礎としての責任――「他者のヒューマニズム」

こうした倫理学は、たしかにある意味で左右非対称である。ひとはたしかに隣人のことが気になる。なぜなら隣人はわれわれに責任をとるように呼びかけるからである。だが、あちらとこちらの入れ代わりがおこらなくて、責任がわれわれに課せられており、その際他者がどう応答するかはどうでもよい。[人と人との] 近さや接触がレヴィナスにとっては出発点であったが、さしあたりそうした近さと接触のなかで欲望が満たされるが、欲望は満たされてもけっして止むことなく、繰り返されさらに深まることで、つぎにそうした欲望がレヴィナスにとっては「善意」の前兆となる。これと同じようにレヴィナスは、責任があるということ（責任存在）に潜む根本的なパラドックスを認識する。すなわち、こうした理解によれば「**責任の増大**」が、「責任を引き受ける」その「度合い」に応じて現れる。責任が、ないし義務が、それらの満足の度合いに応じて拡大する (Lévinas, *Totalität und Unendlichkeit* (『全体性と無限性』), 1987, p. 360)。言い換えれば責任は、課題がより大きくなるに従い増大するのであって、減少はしない。責任は、務めあげることも、任務を済ますことも、仕事を果た

し終えることもできずに、そうした「左右対称でない倫理学」の基礎となる。この倫理学は、責任ある存在者としての自我をまさしく他者への原則的な関係に基づき理解するのであり、この関係を相互の期待により根拠づけることはけっしてない。隣人のことが気にならないわけに行かないのは、こうしてわれわれに「課せられた」ことなのである。その気遣いは、他者の傷つきやすさに基づき、そのかぎりでは特別に根底的である。こうしてレヴィナスは、他者への自我の運動を「作業」(Lévinas, 1983, p.215 以下) と名づける。この呼び名は、独自の技巧的な言い回しで、これは「帰還のない作業」であるという意味である。すなわちこの作業は、行為者や自我にまで引き戻されることがない。なぜなら、もし自我にまで引き戻されるとしたら、作業は基本的にカテゴリーへの分類ということになろう。そうなると、作業はほかでもない再び抽象的なものとなろう。他者への自我の運動は、帰還することがない。この点にこそ、倫理的な左右の非対称性が成立する。われわれには、欲求を持ち挑発するままの他者に出会うという唯一の可能性がある。そうした唯一の可能性が、他者に責任を持つことであり、「他者に責任を持つこと」によって「置き換えられるもの」である（同書 p.317）。こうした置換により、根源的な受動性が変成する。この変成が、こうした責任性を受け容れ同意することにほかならない。

　こうした対話の状況には、代替できず、交換もできず、一回限りであり、その都度唯一であるという性質がある。そうした性質を持つエートスが示してくれるのは、自己自身の理解・発見が不断に責任に結びつくということであり、また、このエートスでは一切がまったく根底的な意味で責任というこの状況に還元されるということである。責任と［自我の］同一性の樹立とは、選び取られた以上は拒むことが難しい。この拒み難さが、他者のヒューマニズムの哲学を構成する根本契機である。こうした哲学は、いわばわれわれにとり第一哲学となり、他者への倫理的な関係をわれわれに押しつけがましく迫り、われわれにとりいわば避けられない関係にするような哲学である。

　自我がこのように深く社会的に規定される。こうした自我の規定が、広い範囲にわたり伝統的な哲学の営みのラディカルな転回を意味しているのは言うまでもない。伝統的な哲学の営みはもちろん、もともとは「我思うゆえに、我あ

3. 自己責任性としての人間性――具体的人間性の哲学について 91

り」という自己理解、自己意識から始まった。ところが今では、いわば出会いで他者と共にする具体的で実践的な生という状況を基点に、一切は境界設定され、一切がそこから展開し描写される。一切は多分、先に言及した抽象性のジレンマに陥らないためにも、本来の意味で「説明される」ということがない。いずれにせよ、他者のヒューマニズムをこのように具体的に哲学するという意味での哲学は、実際に深く**社会的**な刻印を受けているというのが、その特徴である。人間は、他者を基点にして初めて自己自身を構成し形成し理解することができる、そうした存在者である。この命題は、人間の最深である実存の挑発であり、同時にいつも具体的な挑発である。そうした挑発は、普遍的な認識ではまったくないと言う。

　さて、その命題は原則的に、そのように［普遍的な認識でない実存的な挑発として］理解し、首尾一貫して遂行できることなのか。レヴィナスは、そうだと言う。わたしが自由であるから責任があるというのでないような責任は、他の人々や他の人々の自由に対するわたしの責任である。なぜなら、わたしは責任があるのだが、それは、わたしが傍観者であり続けることができたかもしれないような場合にあって、傍観せずに応答するよう要求されているというただそれだけの理由によるからである。「わたしは傍観者であり続けることができたかもしれないが、そうした場合にあってわたしは責任がある……そのドラマはもう遊びではない。すべては真剣である」(Lévinas, 1989, p.78)。だからわたしは、他者との出会いに見舞われている状況にあって、こうした責任性に不可避的に身をおくのは、わたしが［そうした状況から］身を引いて傍観者にとどまることもできたかもしれないからである[13]。わたしはこうした行為の選択があったかもしれないかぎりでは、わたしはあらかじめすでに、他者の（助けを求める）要求に相対して責任を負っている。このことをレヴィナスは折に触れて、哲学者を「人間性の団体役員」と呼んだ彼の教師であるフッサールと対決することで積極的に表現する。きっとそんなこと［哲学者が人間性の団体役員であるというようなこと］はないにしても、レヴィナスが言うには「わたしならまったく月並みな言い方をしよう。的確に人間的と言えるものは、この言葉に嫌気がささないでほしいのだが、愛である。わたしがまったくその言葉で言いたいのは、愛に

負担をかけるすべてのことがらである。愛、もっと適切には、責任性と言ったほうがよかろう。パスカルが『無欲 (sans concupiscence)』と言ったように、本当のところ愛は責任性である。愛はとりわけ唯一者への通路である。わたしがいつも言っていることだが、類から種そして個へ進むような論理的な操作を使って、知を媒介にすることでは唯一性には届かないのだ。実に、愛や責任性が、唯一性という意味を付与する。その関係は、必ずしも互恵的ではない。愛は、愛されていることを気にかけなくても成り立つ。そのようにわたしは、非対称性を理解する。この瞬間に、他者、愛する人は唯一の存在である。そして**わたし**は別の意味で唯一の存在である。つまり選び出されたもの、責任性へと**選び出された**ものとして唯一である。もしわたしがこの責任を、ある他者に帰せたり委任したりするなら、わたしは倫理から抜け出していることになる。そして哲学は、倫理についての意識であり、倫理についての語らいであり、まさにこうした議論にたどり着く」(*Gespräch E. Lévinas - Ch. v. Wolzogen*, Lévinas, 1989, p.134)。

■「他者のヒューマニズム」──哲学のジレンマの克服に向けて

こうした〈責任のある立場に立たされているという存在〉は、他者との出会いにより活性化される核心的な契機であり、同時にいわばわれわれを圧倒し襲い、われわれの生に侵入する核心的な契機である。ここでは徹底的に、具体的実存という問題が持ち出されている。それは、別の手段を使っての実存哲学の続行であると言ってよい。つまり別の領域、他者という領域、そして社会と深く結びついた領域、さらに言えば社会的に構成された領域での実存哲学の続行である。他方では、レヴィナスは伝統的な現象学から出発するが、その現象学が自己自身の感覚や体験そして精神的な「知覚」に対して超越した存在であるようなものへと適用されている。そのように言って正しい。他者は、それ自体で存在する何ものか、限りなく疎遠なもの、離れたものであり、それでいて、われわれの生のなかに割ってはいり「侵入」し、そうしたものとして責任性を生みだす。その意味で、先のように言うのは正しい。

さてレヴィナスは、哲学のジレンマ、すなわち哲学が一方的に抽象的に公式化したり独断的に思考したりするジレンマを完全に回避したのかと批判的に問

3. 自己責任性としての人間性——具体的人間性の哲学について　93

わなくてはならない。「他者のヒューマニズム」は基本的に、著者が思うとおりに、はたして具体的に開放されているのか。あるいはむしろこの他者のヒューマニズムにもまた、ある意味で押しつけがましく干渉する尊大な思考というものが含まれていないのか。われわれは他者を尊重しなければならず、その都度他者によってこのわれわれの状況に立たされ、われわれがこの状況に反応するよう迫られる。今では、こうした認識に関しても、先の疑問が起きる。他者が［われわれを］「人質に取るということ」が、責任性のなかで顕わとなり、［他者との］対面により生じてくる。こうした隠喩からしてが、自己自身に根底的にさし向けられた存在という実存哲学者の伝統的な見方に対し、他者のヒューマニズムが極端に鋭い鋒先を向けているという事態を表している。ある意味では次のように言える。すなわち一方には実存哲学での根底的な自己存在があり、他方には対面してくる他者に対する根底的な責任存在があるが、この両者の構想は二つともに、具体的な生き生きとした生であるとどんなに表明してみたところで再びまた、少なくとも傾向や術語としては一面的で抽象的で、だからまたある点では独断的である。具体的な自己存在の哲学は、他者を基本的に頼りにするということと結びつく必要がある。だから人間も人間の自己理解も特に人間の責任性もまた基本的に社会に繋ぎ止められているということに、具体的な自己存在の哲学は結びつく必要がある。両者の始まりに対してある程度素直であることが重要である。

　一般的で抽象的な術語が使われているという、わたしがすでに批判的に言及した点を度外視しても、一体どうしてレヴィナスは「**特定の他者**」についてだけ語るのかと問うことができる。なるほど彼は、第三者［三人称］が存在するということ、あるいはこうした［二人称との］対面が事情によっては第三者に観察されながら生起しているということを、さりげなく論じている。だが、このことは体系的には何の役割もない。彼は「**特定の他者**」をどう理解しているのか、まだ明らかではない。その言い方は、一人の男や一人の女に、その都度の状況や出会いでのただ一人のパートナーに関係しているのか、あるいはむしろその言い方は、類に、つまりその時々の他者に、それぞれの他者に関係しているのか。前者の場合であれば、唯一性が誇張されたことになり、次の事情によって、

（多くの社会的なパートナーを包括する多面的な）生き生きとした生が根本において見捨てられてしまうのは言うまでもない。それというのは、こうした唯一性の関係ではたしかに、おそらくは自我の唯一性や自我の他者にとっての代替不可能性が逆に根拠づけられようが、だが本物の社会生活に向かい合っての責任性という型どおりの経験のほうは、制限されるということである。つまり、そうした経験が抽象的なままにされ、あるいはほかでもない通常の出会い状況が「ねじ曲がった」ままに置かれる。わたしにわたしの人格の唯一性や責任性を請け合ってくれるのは、具体的実存にあるただ一人のパートナーだけであると、このように言えないのは火を見るより明らかである。だから、類概念のほうに鞍替えしないわけにはゆかないだろう。だがそうなると今度はまた、現実の単一的な出会い状況を見放して、ものごとをカテゴリー化し一般的な記述に終わらせてしまう。こうしてひとは、干渉がましく話せない具体的なものについて一般的に語るという哲学のジレンマの虜になってしまう。そのかぎり、こうした哲学もまた一種のジレンマ、あるいはパラドックスに巻き込まれる。出会いでは他者が共同人間として襲いかかるということ、深い実存の責任性をこのように根底的に捉えること、自我が出会いという状況により社会に基礎を据えるということ、これらのことは普遍化できないし、普遍的概念やカテゴリーで記述することができない。たしかにある種の方法で、後で模写できるようなイメージのかたちで構想されるとは言っても、せいぜいのところ**輪郭を示す**ことができるだけである。人間の具体的な相互の出会いというこの哲学は、事実、具体的な生の現実を表す表現である。ただしそうであるのは、われわれはいつも生のいろいろな連関のなかでお互いが理解せざるを得ないし、またそのなかでだけ理解できるが、そうした生の連関がいつも最深のところでは他の人々の刻印を受けている場合に限られる。その点では実際、人間性（フマニテート）の哲学や他者のヒューマニズムが具体的な共同人間性の哲学に基づいており、人間と固有の自我とが本質的に深く他者により、また他者への関係のなかで事実上理解されねばならない（なるほど、この「関係（Beziehungen）」という言葉は抽象的すぎるし「空虚」であり、レヴィナスも強く拒否しているが）というのは、賢明な言い方である。だから具体的人間性を哲学するとは、具体的な**共同**人間性

(*Co*humanität）を哲学することであり、奥深く根底にある基礎としての具体的な共同人間性を哲学することである。そのかぎりでは、伝統的にあまりに自我論的である実存哲学、言い換えれば強い意味での自己存在に照準を置きすぎるような実存哲学に対して、その対抗措置をとろうとすれば、哲学が他人に向け、また共同人間性の契機に向けて開かれるというのは、もちろん感謝すべきことである。人間は実に、共同人間として、共同人間に関与（参画）するものとして、共同人間に対して責任を持つものとして構成される。このことを、レヴィナスは特に1970年ごろに起きたいわゆる学生反乱との関わりのなかで、生の信頼性・誠実・真正という概念に関連づけた。次の引用文は、そうした時代との関わりで、その時代背景から理解されるが、だが今でも相変わらず意味を失わない。その引用文は、とりわけまたサルトルやカミュさらにはハイデガーに見られる実存哲学のペシミズムや英雄主義に比べてみると、ぜひとも肝に銘じて置くべき言葉である。「若者たちは信頼にたる存在である。ただし［ただ単に］次のような若者でなくてはならない。すなわち、誠実という使命を持つ若者である。そうした誠実とは、暴力行為へ信仰告白するような残忍さではなくて、他者への接近であり、人間的な傷つき易さから芽生える隣人への気遣いである。文献は責任を免除するが、そうしたうっそうとした文献に覆われながら、さまざまな責任性を再び見つけ出す能力があるのは、若者たちであった。……譲り渡し消えゆく老人たちでは、もうなかった……、若者たちが人間の人間性としての姿を現した」（Lévinas, 1989, p.104）。

4. 自己責任と社会的責任

第1節　社会的責任と自己責任との統合
■レヴィナスの「社会的責任」は極端である

　われわれがすでに分かったのは、こうである。レヴィナスによる責任性の社会理論では、自我は、いわば他者と出会うと同時に責任のある立場に立たされ、責任を引き受けるように強制されている状況のなかで初めて倫理的な自我として形成され得るというのである。だが、こうした理論はたいへんラディカルで極端である。こうした極端な立場はすでに批判しておいた。だが実際は、正しい点もある。すなわち、もし助けを必要とする、ある他人にわれわれがある状況で出会うとすれば、われわれがこうした助けの必要さを確認し、われわれの助けへのその他人の要求に見舞われるかぎりで、われわれは自分たちに責任があると感じる。われわれが責任を負っているのは、われわれが傍観者にとどまることができたかもしれない、そうした可能性の程度に応じてである。そう、レヴィナスは言う。だが、逆に次のようにも言える。おそらくその逆の場合のほうがいっそう劇的であろう。すなわち、オリンピック公園での事故のことを思い浮かべてほしい。その事故［原注13)を参照］では、三人の若者たちが溺れたときに、その場に居合わせた並みいる傍観者たちは手出しをしなかった。［この場合のように］われわれは行動することができ、行動すべきでもあったのに、単に傍観者に**とどまって**いたとしたら、その程度に応じてわれわれは、ますますもって責任がある。

　［他人がわたしに］助けを求めている事態にわたしが襲われることで、すなわち出会いの状況にある他人の実存にわたしが襲われるということで、わたしは不可避的に責任を負う存在になる。わたしが**存在する**のは、原則的には何より

もまず責任を負う者としてである。わたしは責任を負っているがゆえに、わたしは存在する。こうしたことが、レヴィナスの根本的な考え方である。それはまた、逆に理解できるかもしれない。すなわち、わたしは実存する人間存在者として、いろいろな出会いや行為状況に包み込まれる。そのかぎりでわたしは、わたしに可能であり期待され要求される行為の範囲内で、またわたしの身に降りかかる種々の出会いと経験に遭遇して、人と共にする責任を引き受ける。それと同時にわたしは、人格として関与（参画）し関わり合う。こうした種類の〈襲われるという〉責任や責任性をある仕方で追体験することができるのは言うまでもない。それにもかかわらず社会的・法律的実践では、そうした追体験に取りかかるのは、そう頻繁にできることではない。なぜなら、通常の理解によれば、責任性は自己自身の行為に関係し、わたし自身がわたしの行為や仕業で引き起こす（した）行為結果に関係するからである。社会的な状況へと定められているレヴィナス流の根底的な方位づけでは、他人が自我をいわば直接に初めて倫理的に構成するという具合になっている。これは、たしかにある意味でもっともなことであるが、だがそれは極端で偏向した言い方である。このことは、われわれがすでに分かっていた。なぜなら、固有の存在や自己存在というものを実存哲学者の意味するように、レヴィナスとは違ったように把握することができるからである。そうした場合にも、決断について語り、自己に対して自己自身のために責任を引き受けるということについて語るであろう。だから、人間を、あらかじめ責任のある存在者として規定し、責任を引き受ける能力のある存在者として把握するとしても、こうした特徴づけはレヴィナスとはまったく別様に理解することもできる。つまり、人間存在のこうしたメルクマール（徴表）は、レヴィナスの言うようなラディカルな社会性という意味でのみ理解する必要は全然ない。そうしたラディカルな意味で理解しないからといって、社会的な責任、社会的責任という構造が否認されることには少しもならない。［社会的な責任についての］レヴィナス流のラディカルな見積もりを、少なくともこれに対比して別の見積もりを立てるか、あるいは双方の見積もりを統合することによって少しは乗り越えるよう試みる必要はあろう。レヴィナスでは、主観はもっぱら、他者との出会いにあっての責任性からのみ構成される。だか

ら主観は受動的にとどまる。主観は呼びかけられ、責任を呼び起こされ、責任のある立場に立たされ、強要され、追いつめられる。その場合に主観が、最初から自分自身で積極性を発揮することはほとんどない。

　行為できるという能力が顧慮されなくてはならないのは言うまでもない。だから当然また、ひとは**別様に**行為することができたであろうという、行為理論的には周知の必然的な条件も、顧慮されなくてはならない。こうしたことは、第二の要点である。ひとは、自分自身が行為することができるという能力を受け容れなければならない。このことは、単に責任のある存在者にとって必然であるにすぎないのではなくて、およそ、意味のある倫理（倫理学）を構築するうえでも必須のことである。そのかぎりでは、次のように言ってよいであろう。ことによると倫理（倫理学）が事実上レヴィナスでは、存在するものに、存在に、出会いという状況のなかで見つけ出されるという存在に過度に縛られすぎていて、行為への方向づけを欠いているのかもしれない。だとしても、「もしわたしが傍観者であり続けることができたとしたら、わたしは責任のある存在である」という［レヴィナスの］命題を、「もしわたしが単に傍観者にとどまっていたとしたら、わたしは責任のある存在である」という別の言い回しも、次のようにひっくり返して、つまり行為へと方向づける仕方で表現し直すことはできる。すなわち「わたしは行為することができたとしたら、また行為すべきであったとしたら、それゆえにこそわたしは、助けが必要な出会いという状況にあって、責任のある存在である」と言い換えることができる。

　だから、レヴィナス流に責任を共同人間的に基礎づけるのは、なにも行為への方向づけを排除するわけではない。わたしへの他者の呼びかけは、ほかでもなく積極的であるようにと要請する。いわば受動的に（共同的な）責任をただ引き受けるだけで、だがわたしへの他者の呼びかけから何事も続いて生じさせないでよいと言うのではない。責任をただ受動的に引き受けるだけということは、政治家の責任転嫁という戦術でしばしば、それどころか普通に行われている事実である。レーガン大統領は「イランゲート事件」※とそのスキャンダルへの対抗とに対する「完全な責任」を引き受けた。だが、起こったことは何もなかったのだ。ドイツの民主主義の政治生活でも、大臣が場合によっては自分で責任

をとって完全に引退することもあろうが、その前に連邦政府次官にまで及ぶ下級責任者たちに早めに(次官ではきわめて高額の)年金を与えて退職させるというのは、異例のことではない。大臣自身が引責で引退するのは、実に最終的な対応として起きる。それは、当の「ババ札」をもうこれ以上どこか別に転嫁できなくなった場合にだけである。だから、損害が自分の身に及ばないようくい止めること、そして自己に対して寛大であるという聖フローリアン戦術※は、政治家が好んで採用する通常の戦略手段である。だが、そのやり方は、言うまでもなく外部へと方向づけられている。ほかでもない「ババ札」が、たらい回しにされる。公開の場で繰り広げられる責任という遊びが、一種独特の規則に従っているのは明らかである。誰かが、責任を引き受けなければならず、公開の場で「責任をとる」立場に立たなければならない。これが、その遊びの理念である。こうしたことは、何も西欧のデモクラシーだけで通用するのではない。極東でも例えば日本でも通用しており、日本では責任性の特殊な概念(「義理」)が紛れもなく、こうした形態を帯びている。個人の私的な生活でもそうである。すなわち、外部に向けての面子が保たれ、誰かが責任性を引き受けなければならない。責任を負うべきとされる行いは、彼自身のせいであり、彼がそれを始めた者であったのかどうか、そのことは第二義のことでしかない。

■人格に根づく責任性は、社会にも自己にも結びつく

責任のこうした変種(代物)も、われわれが倫理的な深い意味で責任概念を分析しようとし、人格の責任というものを規範の支柱として構想する手がかりを求めるときに練り上げようと思っているものではない。レヴィナスでは責任性はまるまる全体が社会に繋ぎ止められている。こうした責任性の把握は極端に走りすぎていた。このことを、わたしはすでに述べた。人格に深く根づく責任性で根本的に問題になるのは、基本的な方向づけが他者にあるのか、あるいは自己にあるのかという、あれかこれかの二者択一ではない。そうではなくて、責任性は社会に結びついている**と同時に**自己にも結びついている。これが問題である。ここで責任性が自己に結びついていると言うのは、わたしが何かに自分で責任を負うとか、わたしが何かに人格として責任を持つというような意味での個人的人格的な責任のことであると理解されてよい。だから、責任性の状

4. 自己責任と社会的責任　101

況がどこまでも社会的であるということは、絶対に斥けられない事実であるが、この社会性はそれ自身として、さらにはその基礎づけに当たってはなおさらのこと、これを極端に一面的に理解することから開放しなくてはならない。われわれは責任をそれ相応に個人主義的な見方で構想することにより、その社会性を補うなら、先の極端な一面的理解からの脱却は容易に達成できる。個人主義的に構想される責任とは、わたしが自分自身で自己に帰すると同時に、自己をまえにして引き受ける、そのような責任性である。こうした自己責任性が、行為責任、すなわちいつか過去になされた自己自身の行為や将来の自己自身の行為に対するわたしの責任を含むのは言うまでもない。だがそれと同時に自己責任性は、助けを必要とする他者との出会いという状況のなかで〈何かが身に降りかかっている〉という責任を活性化することも含んでいる。こうした自己責任性があるために、責任性に襲われて責任主体のレヴィナスまがいの「受動性」に固執するのは、「無責任な」ことに思われる。自己責任性が、[他者への]助けに関与（参画）するようにという道徳的な要求を活性化する。〈何かが身に降りかかっている〉という責任は、「行為への必要」、道徳的に行為すべきという当為を生み出す。〈何かが身に降りかかっている〉という責任と自己自身の行為責任とが相互に分離されるのは、単に分析的な見方に立ってのことにすぎない。「深く」社会的に基礎づけられた責任と自己に基礎をおく責任とが分離される

※イランゲート事件：同盟国に対してはイランとの武器取引を厳しく規制していたアメリカが、レーガン政権下、秘密裏にイランに武器を供給し、その代金を密かにコントラ（ニカラグア反政府勢力）に渡していた事件が、1986年11月に発覚した。調査の結果、85年と86年に、アメリカ人人質の解放を目的に、イスラエル経由でイランにアメリカ製武器供与がなされたこと、その上その売却代金の相当部分がスイスにあるコントラの銀行口座に振り込まれていたことが判明した。レーガン大統領は、イランへの武器供与の事実は認めたものの、コントラへの資金援助は、大統領に知らされずに、国家安全保障会議（NSC）のスタッフの一人オリバー・ノース軍政次長（中佐）の独断によるものとされた。ノース中佐の解任と彼の上司ポインデクスター大統領補佐官（国家安全保障担当）の引責辞任で一応の決着が図られたようである。
※聖フローリアン戦術：聖フローリアン（Florianus）は、ヨーロッパ中部（現オーストリア）にあった古代ローマ帝国ノリクム州の官吏であったが、ディオクレティアヌス皇帝によるキリスト教徒迫害でエンス川辺のロルヒの地で受難し（304年頃）、殉教者に列せられている。ノリクム州総督は、キリスト教徒迫害の勅令が下るやいなや、州官吏たちに犠牲を捧げるよう命じたが、州の要職にあったフローリアンは、これに従わなかったので、首に石の重しをつけて身投げさせられるという刑に処せられた。

のも、同様である。
　レヴィナスが、他者の「眼差し」や「顔」はわたしを一定の状況へ移らせるという自分の考えをサルトルから受け継いだというのは理由のないことではない。「他者の視線」は、サルトルの場合、自我や自己や実存が己を超出するという関係のうちにあるまことに本質的な根本構造を構成する。このことは部分的に、たしかに全然違ったニュアンスを帯びてはいるものの、ほとんど文字通りにレヴィナスにも受け継がれている。たしかにレヴィナスでは、この考えがラディカルになっている。わたし自身の責任性と自我形成の基礎、その本来的な基礎となるのは、ほかでもない他者である。だから倫理学が第一哲学となる。これに対してサルトルでは事態が逆である。すなわちサルトルでは、自我が根本実存として評価される。構成という課題、自己決断（＝自己生成）という課題として与えられる。サルトルでは、他者は、ちなみにこの点はレヴィナスでも同様だが、およそ自分の手に届くようなものではない。そのうえ他者は、この点でレヴィナスと異なるわけだが、もっぱら［自己の］対極である。わたしはこの対極にぶつかって、いわばいつでも座礁する。「地獄、他者はそうしたものである」※。サルトルではそのように言われる。人は繰り返し繰り返し他者に衝突して、他者により自分の実存が妨害を受ける。このことをサルトルが心底から遺憾に思っているのは明々白々である。これに対しレヴィナスにとっては逆に自我こそが、他者に具体的に関係し、出会いの状況に立つことで初めて構成され生み出される。もちろん前者（サルトル）は、どちらかというと相手や世界をペシミスティックで心底不信の態度で見つめる方向に進む。他方、後者（レヴィナス）は根本では、他者に必死にすがりついており、救いを求めながら連帯性・社会性という安全地帯（島）を形成する方向に進む。さて、こうしたレヴィナスの見方には多くの真理がある。われわれは深く思索するなら次のように問える。われわれが互いに連携し合っているということ、他者と連帯関係にあると見なし、そのように行動・感得するということ、そうしてまた他者に臨んで善意志が跳ね返ってくるという明かりのなかでわれわれ自身を共に把握するように絶えず試みてみるということ、そうしたこと以外にわれわれ人間にとり世界のうちに残されているものとして、いったい何があろうか。こうしたことに取っ

て代わる(厳格な実存主義者が採る)選択肢は、ラディカルな孤独・無意味・不条理であろう。それは、意味の真空状態という沼地から自分の身を自分自身の髪をつかんで引き上げようとするような、英雄主義者によるミュンヒハウゼン※流の骨折りである。意味というものは、納得の行くように、連帯と共有のなかで生み出され基礎づけられる。少なくとも、われわれの[意味を]探すという働きは、この働きを試みるよう繰り返し繰り返しわれわれに迫ってくる。この試みが繰り返し失望させられることもまたあり得るのは、言うまでもない。

　要するに、あれかこれか、自我の奥底での社会的な構成**か、あるいは**ラディカルな自我関係性、社会的責任**か、あるいは**自己責任性、こうした二者択一は結局は満足の行く選択肢ではまったくない。そうした選択肢ではくみ尽くされない、さまざまな可能性がある。社会的責任性とは、社会的な状況やその都度の他人に[自我の]奥底が結合しているということだが、これが、奥底の自己責任性と結びつかないと言うのはどうしてなのか。両者は完全に結合できるし、結合しなければならないだろう。両者を結合することこそが、具体的な人間性(フマニテート)の命令である。奥底を社会に定置することと、奥底の自我結合や自我発見とは、一つの体系となって相互に結びつき合うことができる。引き合いに出されている二人の思想家[サルトルとレヴィナス]がたった一つの基礎として前面に押し出してくるもの、実はそれは、いわば二つないしはいくつかのヴァリエーションのうちの**一つ**であると理解できる。それらヴァリエーションは、並び立っている(ことができる)し、それどころかある意味では体系的に相互に関係し合っている。そのほうがそれぞれ一面的で徹底した見方よりも、はるかにリアリズムに適い具体的であるし、われわれが通常の生活で見つけ出すものにもいっそう適している。人間とは、現実にもっとも奥深いところでは、「社会的な」責任を負う存在者である**とともに**同時にまた自己責任を負う存在者でもある。われわれが責任を負う存在者としての人間について語るとすれば、

※「地獄、他者はそうしたものである」：サルトル『出口なし』サルトル全集8巻、人文書院所収。
※ミュンヒハウゼン K. F. Münchhausen (1720-1797)：「ほら吹き男爵」と呼ばれる。戦争と冒険旅行に関してでたらめな話を残す。

これは実際、人間を他の高等動物に対して際立たせる特徴であるが、この場合**二つのこと**が意味されている。特に、社会的な状況にあって〈何かが身に降りかかる〉という責任は、もっとさらに進んで概念分析的かつ社会・行為理論的に探求する必要があろうことは言うまでもない。すなわち、意識や言語の発達にまでも及ぶほどに、人間がきわめて奥深く社会に埋設・投錨されているというありさまを取り上げる必要があろう（言語がもっとも深く社会的なものであるのは言うまでもない。そのために次のような議論の火蓋が切って落とされる。すなわちそれは、後期ヴィトゲンシュタインとの結びつきで、最近の数十年間のあいだに本質的には認識理論で、また部分的には分析哲学で闘わされた議論である。人間は奥深くで**本質構成上**社会に結合している。そうであるからこそ、われわれは一切の表現や文化的営みを、そればかりか類的存在者であるとともに個別的存在者でもある人間を、こうした奥深くで社会的に状況設定されていることから切り離して見ることができなくなる。このことはまさしく、倫理の本質構成や道徳的人格性の形成にも関わっている）。

とにかくわたしが思うには、社会的責任性と自己責任性とが結びつくことで初めて、人格に具わる人間の責任性（Humanverantwortlichkeit）が成り立つ。

■責任を帰するという問題の二重性──記述と評価

第一に、責任性の問題は分析すると、責任性を帰するという問題である。われわれは責任性を、誰かある人に、あるいはわれわれ自身に帰する。しかも責任を帰するというのには二重の可能性がある。一つには、誰かが誰かに向かって何かに対して責任が**ある**ということを、われわれは何かある基準に則りながら**記述的に確定する**。あるいは、われわれは誰かある人に、またはわれわれ自身に**責任があると評価する**かである。われわれ自身に責任があると評価するというのは、すなわち、われわれが自分自身に責任を**負わせる**ということである。言い換えればわれわれが、責任を**問われ**たり、責任を引き受け、自己自身に責任を問う。われわれは自己に義務を課し、規範的な縛りを課す。責任性や責任を帰するという言い方は何であれ、原則的には記述的か規範的かのどちらかの方法で用いられる。しばしば、この二つのことが同時になされ、ときには混同される。記述と規範とは、たしかに細心の注意を傾けて区別しなければならない。だがその分離は分析的である。もしわたしが自分自身に責任を感じたり、

自分に責任があると評価したりするのであるなら、特に込み入っている場合に、そうした分離を適用するのは大事なことである。こうした場合には、わたしはわたし自身を単に理論・認識的に、「責任がある」という術語が当てはまるような、誰かある人として理解しているだけではない。わたしはわたし自身に規範的に責任を負わせる。わたしはわたしに、いわば自分自身で義務を課し、この義務づけを請け合うよう覚悟する。たしかにわたしは、どんな規範的な自己拘束であれ、これを把握するには記述的なカテゴリーもまた使用する。わたしはわたしをまた「責任がある」**ものとして**記述する。だから、責任を自己に帰するという場合には、どうしても二つのことが、すなわち記述するという契機と（自己に）指図するという契機が生じるであろう。このことは、他人に責任を帰するという場合には、いよいよもって当てはまる。

いずれにせよ特筆すべきはこうである。すなわち自我は、一般に責任あるものとして理解しようとすれば、社会的責任の上でも自己責任の上でも同じように、ある意味で道徳的倫理的な主体として捉える必要があるということである。この場合、ヴァイシェデルが言うように社会的責任性が自己責任性に還元されるのか、あるいはレヴィナスの意味で言われるように自己責任性が結局は社会的な根本状況で自我が倫理的な存在者として形成されることで初めて、つまり他者と対面し他者に助けを求められることで初めて生まれてくるのか。こうした問題はこの際第一次的な事柄ではまったくない。

■改めて、責任性の二つのタイプ

二つの責任性がある。ひとつは、**わたしが責任のある立場に立たされている**ような、自分で選ぶことができない責任性である。**そうしてまた、わたしが自分自身に与える**ような責任性がある。この場合にはわたしが**自ら責任性に応じる**のであって、わたしが自分を責任のある立場に立たせたり、自分に責任性を課題として課し、かつ受け容れたりする。事実、こうしたパラフレーズは一種の対比のように見える。対比することで、もしかするとこれら責任性の二つの見方・変種の特徴がよく示されるのかもしれない。この二つは、責任性の副次的なタイプと見なしてよいであろう。**社会的な**責任性の状況、身に降りかかるという状況では、わたしは責任ある状況のなかへと**立たされている**。いわばわ

たしは何よりも受け身の立場で、出会いや他者の**呼びかけ**に**圧倒される**。他者の呼びかけは、共感 (Empathie)、同感 (Sympathie)、共苦の気持ちをわたしに起こさせることができるし、またそのはずでもある。これに対し、別の場合である自己責任にあっては、わたしは積極的に決断する者として自ら自分自身に**要求**を掲げ、あるいはそうしなければならない。少なくとも、品性とか人間性とかフマニテートとかの典型というものを持って自己に義務を課すという視点に従って、そうすべきである。この第二の場合には、わたしはわたしの責任を自分自身で「負う」。わたしは責任を身につけることによりわたしの自己を「練り上げ」たり、自己に自ら要求を掲げることで自己を下書きし構成する[14]。この第二の場合には、自己像や自己規定が、また自己規定への自由が大きな役割を演じるのは言うまでもない。自己規定とは、自律であり、自己自身の人格形成の自由である。自己規定とはまた、わたしがそうするように自己に対して拘束されていると見なすようなことがら、わたしがそうするように決断するようなことがらでもある。

　責任性には、二つの異なるタイプが対比されるが、この二つが責任を負う存在者にあって主要な役割を演じているし、演じなければならない。このことが分かる。一方を他方なしに理解しようとしても、それはできない。ひょっとしたら次のように言うべきであるかもしれない。すなわち、これら二つの変種はどれも現実に他方よりもいっそう奥深いというのではなく——それぞれが他方よりもいっそう基礎的であるとすれば、それはもちろん分析と遠近法に従っての話であろう——、二つは人間に対して等しく基礎的な拘束性を表す。いずれにせよこのことをわたしは、一方ではヴィトゲンシュタイン・クリプケ流に社会に奥深く結びつける方法と、他方ではヴァイシェデルの実存哲学とのあいだに闘わされる現代の議論から引き出すことができると思う。これら二つの基礎となる候補者のあいだに、あれかこれかは存在しない。一方も他方も同じように語るのが、ずっと意味のあることである。社会に奥深く結びつくことも、自己発見と自己拘束も捨象できない。同じ一つのメダルの両面、分析的にはなるほど区別できる両面が問題である。社会的な機会というものは、典型や自己主張を自己に差し出すという意味で自己を証明したり形成したりするための挑発

であると、ひょっとするとさらには、自己に距離を保ち対話的である意識を形成するための基礎であると見なすことができる[15]。

　だが、奥深い社会的な責任性と一緒になってまた、道徳的倫理的な自我形成、身に降りかかるという状況下での責任ある存在の形成、だからまた自己責任性が生じる。社会的責任性と自己責任性との二つの構成は、互いにかみ合い作用し合う。区別は単なる分析的な区別に帰着する。

第2節　両者を統合する責任性と具体的な人間性の倫理学
■責任概念は、いずれにせよ関係概念である

　基本的に言えるのは、「責任性」という概念は一般的に奥深い社会性と奥深い自己性との結合を生み出すことができ、いわばこの二つの構成要素のための屋根を表すということである。わたしが責任があるというのは、いつも、あるいはしばしば、少なくとも原型としては、一定の状況にあってであり、他人との関係でわたしの課題であるような物事に対してである。自己責任性は、対話的であると仮定されている自己関係の特殊なケースである。だから「責任性」は、一方の深い社会性と他方での人格的な自己関与とのあいだにまさに理想的な仕方で結合を生み出すことができ、橋渡しを築き、あるいは共通の決定的な核心としての意味であるという役を果たす。責任性が核心的な意味の役を果たすということは、他人である〈誰かに対する配慮〉と〈わたしに対する〉あるいは〈わたしのための配慮〉との結合にも当てはまる。〈わたしのための配慮〉には、自己責任性という意味、実存哲学的な方位にある責任性という意味がある。両者の配慮の場合にあって、責任を負う存在者はつぎのように責めを負うよう強要される。たとえば、助けが求められている状況でわたしへの他人の呼びかけが起こっているとき、他人のことに対して責めを負う。それはちょうど、わたしが自分の前で自分のことに対して（この二重の意味で）「責めを負い」、責任のあるような状況、だからわたしが自我像に従って自己の証を立てるよう自己に向かって要求を掲げるような状況で責めを負うのとまったく同じである。「……に対して責めを負う」というこうした根本構造は、社会的責任性と自己責任性という両面に当てはまるように求められている。事実、さらに個々に細

かく解釈されるべきことではあるが、責任概念は関係概念である。すなわち、いつも類型としては一方には責任のある人格、責任のある自我や自己があり、他方には審級や受取人がいる。責任概念は、この両者のあいだにいろいろな関係を多様な仕方で作りだし、だが、こうした関係をいろいろな特有の徴表や基準や位層などに応じて作り出すような関係概念である。だからこそ、いろいろな責任概念を序列づけるための相当複雑な立体配置が開示され、だがその序列を一望できる構造があからさまになる。そうした構造は、伝統的な倫理学や倫理学の歴史に多大の重荷を背負わさなくても基本的な骨組みについて明らかにできる。とにかく一般に責任性は屋根構造あるいは核心コンセプトとして、理想的には一方の自己関係性と他方の社会関係性とを結合するようにしてくれる。しかもその結合は、責任がいつも自己責任性と社会的責任性という両面でとにかく特定の受取人に向かい合い、特定の審級のまえで（そうした受取人や審級が上述のようにわたし自身であることがある）「実現される」という具合に果たされる。つまり、責任が帰せられるのは、ある種の拘束性の要求を伴ってである。責任が構成概念であり、しかも相関的な概念、関係構成概念であるのはもちろんである。問われているのは、ある状況下での特定の課題や義務づけを解釈するのに適合するような概念である。だから問われているのは、どちらかと言うと形式的ではあるが、だが（同じく——たとえば社会的に——構成された）相関関係を表している解釈上の構成体である。相関的に関係する諸項は、区別でき、自己責任性の原型的な実例としては、自我がそうした関係項であり得る。だが相関関係の諸項というコンセプト（着想）は、いろいろな集団、しかも事情によっては法人、そうしたものの責任性にもまた関係することがある。道徳的な集団責任性、すなわち集団の倫理的な責任性や法人の倫理的な責任性と言ったものがあるのかどうか、単に個人の責任性だけがあるのでないのかどうか、この問いは最近ではホットなテーマである（その後に続いて問題となるのは、つぎの緊張感あふれる問題である。すなわち、共同体の道徳的な責任性と人格の道徳的な責任性との連関は、どのように記述すべきなのかという問いである）。

■**責任性は具体的な人間性を表示する**
　たしかに、われわれが慣れ親しんでいる［責任性の］原型的な概念は、道徳的

あるいは法的な意味での個人の人格的な責任性という概念である。あるいは、わたしが契約や課題や役割などを媒介として引き受けたので満たさなければならないような義務づけとしての責任性である。同じくまた原型となるのは、わたしがいつもわたし自身の行為に対して責任があり、そしてこの行為から明らかに生起する結果に対して責任があるという具合に抽象的に図式的に描写されるような状況である。

　そこではまた帰責という問題が浮上するだろうことは火を見るより明らかである。わたしは、ある行為をまず**わたしの行為として**勘定に入れてもらわなくてはならず、わたし自身に責任を帰せなければならない。つぎには、責任を負うことのできる行為結果は、この行為のうちに結果**として**勘定に入れることができなければならない。言い換えれば、本質的に**この**行為の結果として捉えることができなければならない。そのとき初めて、責任を道徳的あるいは法的に帰するという本来の帰責が、たとえば負い目として生じてくる。これらは、それぞれまったく異なる歩みであって、注意深く区別しなければならないが、だが今はまだ論じることができない。こうした連関で重要なのは、さしあたってはこうである。すなわち、責任性は一面で自己責任性として、他面で他者責任性、つまり他人から突きつけられる責任性として捉えられ、双方が実践的にも基礎的本質的にも同等の役割を演じるのであって、こうした二つが相互に排他的に対比できるのは抽象的にだけである。二つの形態の責任性は、通常の場合には、責任ある行為とか「身に降りかかる」責任存在とかの各具体的状況のなかで生じてくる。だから、責任性を（二重の意味で）「引き受けること」に具体的な人間性が実際に結びついていると言うことができる。

　逆に次のようにも言える。すなわち責任性は、具体的な人間性とか具体的な人間性の倫理（倫理学）とか言えるものがあるとすれば、そうしたものを解明し規定するために役に立つような概念である。具体的な人間性は、責任ある交わりのなかで、つまり他人および自己自身との交わりで責任を認識し承認し引き受けるなかで表示・形成・構成される。その都度、状況に適合しているということ、人格の問題や人格の対応に関して釣り合いがとれているということが考慮されなければならない。こうした契機が、もとより具体的な人間性という特

徴を、正確に言えば、一般的な人間性の抽象的な要求に対比される具体的な人間性の哲学の特徴をなしている。こうした具体的な人間性という特徴が、責任性を伴っている交わりのなかに表示されている。しかもまさしく原型的に責任性の状況のなかに表示されている。このことは明々白々である。だから必要なのは、哲学というものを、あるいは人格の責任ある関与として哲学するということを、具体的な人間性の哲学を発展させることに結びつけるかたちで——この発展に代わる二者択一としてではなくて——要求し促進することである。しかもその際、適切な状況の要求とのその都度時宜を得た人間的な交わりを考慮するよう求められている。こうした意味での人間性は、われわれが責任の葛藤を自己のうちにいっそう深く体験するという点で成り立ち実証されていると、間違いなく言える。アルベルト・シュヴァイツァーでは、われわれが責任の葛藤を「ますます深く体験する」という点でわれわれを「真理」へと導いてくれるのは、倫理（倫理学）なのである（Schweitzer, 1960, p.340）。具体的な人間性は、われわれが葛藤を、責任の葛藤を引き受け、自己の心の奥底で「体験」し、そしてその際に人格的に関与するように試み、他人たちに眼差しを向けながら、それでいて自己責任性を見失わないという点に成り立つ。

■自己責任性と他者責任性との結合を引き受ける倫理学の必要性——メタ責任

だから問題なのは、ことがらを束ねる視線を発展させ、自己責任性と他者責任性とを結び合わせる倫理的な哲学、これを単に発展させるだけでなくて、この哲学を能動的に生きることである。われわれは、こうした意味で結び合わされたわれわれの責任性から逃れるべきではない。われわれはこうした責任性から逃れることは許されない。われわれはたしかにそうすることが可能であるが、そうすることが許されていない。さらに次のようにも言えよう。すなわち、それ相応の他者責任性と自己責任性とのこうした結合が、その時々に固有の生活状況のいろいろな条件や要求を満たすなら、また行為・判断・決断の釣り合いや適合性のいろいろな条件や要求を満たすなら、文字通りに、われわれの独自性と状況内での個人の唯一性とを表現できる。それと同時にわれわれは、具体的な人間性の個人主義の部分に与することになろう。もしわれわれが能動的であるなら、そしてこのようにして責任性の社会的要求を結び合わせながら責任

性の自己による要求を能動的に（上述の二重の意味で）「引き受ける」なら、そして状況に適合しつつ特に**人格**の把握の観点でそうした要求を主張するなら、その場合にはわれわれは、具体的人間的な責任ある行為に格別に道徳的な価値が具わっていると言うことができる。そのときわれわれをある意味で唯一な存在として特徴づけるような、こうした結合をわれわれは回避してはならない。場合によっては、われわれはその結合を避けることが可能だとしても、避けるべきでないし、避けることが許されない。何はともあれ、われわれはつねにこの種の結合した責任性を責任を持って引き受けなければならない。われわれはそうした責任性へと一部分は立たされるのであり、一部分はそうした責任性の立場へと自ら進んで立つ。われわれは、責任という複雑な構築物を引き受けるように責任を持って決断しなければならない。ここでは紛れもなく、「メタ責任」や「超責任」を話題にできよう。そうした責任は、通常の行為責任よりも一段と高位にある。なぜなら、そうした責任は、責任という概念や着想を発展させ、責任ある生活を営むことに対する責任を含むからである。すなわち、責任性を行為への一般的素質とか「性格」として発展させ保持し実現するということに対する責任を含む。クルト・バイエルツは、かつて哲学者のメタ責任について語ったことがある。哲学者は、倫理学とくに責任理論の展開を進めて行くことに対して責任を負っており、こうした責任とは、責任という着想（を司ること）についての特別に優位を占めるべき責任、いわばメタ理論的な責任であり、だから高次の段階にあるメタ責任である。抽象的な構成体を作り出すことによって初めて記述できるような責任性という統一を一般に見届けようとすれば、メタ責任というものは、哲学者の場合と同様に、個人生活に関連しても見届けることができる。だが、個人生活でも非常に重要なのは、人間性という具体性の命令の要求であって、その要求によれば、責任性という説教を垂れることではなくて、具体的・人間的に責任を負って行為することが取り立てて道徳的な価値を持つ。

　無類であること、唯一であること、このことをわれわれはおそらく、状況に適合したかたちで引き受けるべき責任性を自己責任性と他者責任性とのあいだで結合して一つにすることによって、実現すべきである。そうした唯一性は、

個別的人格性という意味での個人を特徴づける徴表として把握できる。一般に言われてきたように、個人とはそれぞれ**一つの**仕組み（機関）である。すなわち一人の人格に限定されているが、だが（普通の社会的な制度と同じように）規則や規則的な行動や種々の形式や秩序やさまざまな構造そして期待を、だからさまざまな規範を、おそらくさらにいろいろな制裁形式を備えているような仕組みである。だから人は自分自身を褒めたり罰したりすることができる。この意味でおそらくまた次のように言える。すなわち、個人であるというのはある意味では、責任というものが人格というかたちをとって仕組まれているということである。そうした仕組みは、社会的な行為責任とさまざまな行為期待とが交わる交差点に見られるもので、だから次のような規範的要求を備えている。すなわち、統制され仕組まれた行動期待として、あるいは価値評価の命令としてわれわれが捉えるような要求を備えている。そうした仕組みは、ほかでもない周知の責任衝突の中にも見られる。だから個人は、責任というさまざまな相のもとで自己を構成するという観点に立って、一種の規則的人格性として、一種の自己を仕組むこと（機関）として、あるいは自己演出として自己自身を形作る。そのようにしてわれわれは、いずれにしても、自己責任性と他者に制約された社会的責任性とのあいだの一種の包括的な結合を見届けることができる。事実、何人かの社会心理学者もまた、事態をそのように理解していた。たとえばアーヴィング・ゴフマン（Erving Goffmann）がそうだった。ゴフマンは、1959年に日常生活での自己表現についての著書（『日常生活での自己の表現』）を著したが、これはドイツ語では『われわれはみな、劇を演じる』という特徴的なタイトルを付けて出版された。かれは、〈自己自身を表現するということ〉を社会心理学的に洗練した仕方で**外的な**結合として把握する。だが、道徳的な責任性という当面の要求にとって、これで十分なのか。わたしには十分ではないと思われる。人間を責任ある存在者として構想することが、このように**一つに**自己を錬磨したり仕組んだりすることを深めてゆくために、どれだけ寄与できるのか。この点が今や明らかにされなくてはならないであろう。

5. ボパール※──無責任性と責任の喪失：ケーススタディ

第1節　ボパールのケース
■ボパールの大惨事──システムの非人間性の事例

　深く社会に根ざしている責任のコンセプトがある。それは〈何かが身に降りかかる〉という責任である。これと並んで実存的な自己責任というコンセプトがある。後者は本質的に、自己の行為と、自己の人格・成長・実存に対する徹底的な意味での責任性とを前景に押し出している。両者のコンセプトのあいだに、われわれは橋を架けようと試みた。つまり、社会的な親切な心配りの責任と伝統的な行為責任とがともに成立するように責任性を調整し、あるいは結合するよう要求するという形での橋渡しである。それに対して、引き続き責任の概念の拡張へ向けて新たな展開が生じるだろう。そしてその際わたしは、特にまた実際にあった極端な例を引いて、すでに第3章で言及した具体的人間性の顕著な欠乏というものを、システム技術時代や専門家・メディア・組織・制度の社会と関連づけたいと思う。だから、そうした事態はおそらく**システムの非人間性**（Systeminhumanität）と名づけることができよう。われわれはすでにメディアや世間におけるシステムの非人間性について語った。われわれはその際、いかにしばしば、いわば潜行しながら非人間性が現れるかを見た。経済的な利害や目標がしばしば人間性の重要性を隠してしまう。特に安全性の問題に直面す

※ボパール：1984年12月2日20世紀最悪の産業大惨事がインドの100万都市ボパールで起こった。ボパール市の北端にあるアメリカ企業ユニオンカーバイド社から、合計40トンを超えるメチル性異シアン酸塩やシアン化水素など、毒ガスが漏れ出したのである。最初の1週間における公式の死者数は2500人とされ、10年後には4500人にのぼると言われているが、正確な犠牲者の数は不明。この事故は、技術者倫理の格好の事例として取り扱われている。

るとそうである。特別な理由でわたしは一つの例に立ち入りたい。ちょうど10年前に人類史上最大の産業大惨事が起こった。すなわち、1984年12月3日にインドのボパールで、全時代を通じてもっともひどい産業事故が生じた。インドに姉妹会社を持っていたアメリカのユニオン・カーバイド社でイソシアン酸メチルを詰めたタンクがいわば「爆発」した。少なくとも3000人を越える死者を直接もたらした。目下死者の公式の数字は4500人にとどまっているが、死者は1万人まで及ぶと見積もられている。なぜなら表に現れてこない数値が非常に高いからである。概算の結果は、重傷者が10万人から30万人に及んだ。およそ、50万人がガスにさらされた（それもあまりに数が少なすぎたように思われる。なぜなら、そうこうしているうちに、人的損害を伴う書類上のケースは60万人に及ぶことが判明しているからである。この数は下限値を示す）。この惨事が襲ったのはもちろん人間だけではない。多くの動物たちをも襲った。責任を追求する問題が法的にも道徳的にも浮上する。さしあたり法律的には、この事例はたとえようがないほどである。上告されたもののうち若干のものは係属中である。生存している犠牲者に対して当初は、30億から60億ドルの損害賠償の支払いが請求された。そうこうするうちに、白熱した議論を経た和議のすえに4億7000万ドルで一致した。その代わり刑事訴追は放棄された。もう一度強調しよう。会社の責任を負うべき人々――たとえ誰であったにせよ――には、［原告による］刑事訴追の断念が確約された。そうした確約は、インドの最高裁では、もちろん違法であると宣告された。しかし、いままでのところ会社に対する告訴はなかった。けれども新聞報道によれば、アメリカのユニオン・カーバイドの元取締役アンダーソンに対する身柄引き渡し請求が今なお成立しているらしい。アンダーソンはたしかに自分では次のように断言した。アメリカ人にはそもそもいかなる責任もない。というのは、アメリカ人は誰も現地ではもう働いていないし、さらにインドの法規則に従って安全のために必要と思われるすべてのことをなしたからである。そして安全の欠如はただ間違いだらけの整備のせいであるからだと。そのあいだに、ユニオン・カーバイドは工場を売却してしまった。売却収益は、およそ9300万ドルだったはずである。それは、裁判所命令により、生き延びている犠牲者と後に残された人たちに役立てられ

5. ボパール——無責任性と責任の喪失：ケーススタディ 115

るべき金額である。また新聞においてつぎのように報告されている。分配されることができなかった5億1600万ドルの弁償総額は政府の勘定負担に置かれる。死の犠牲者の遺族たちは、彼らがボパールに住んでいたときだけ、総額1万ルピー（およそ550マルク）を手にした。そして生き残った犠牲者たちは毎月200ルピー、したがって11マルク（たったの11マルクだ）を手にした。これに対して、破局の時にこの地方に偶然滞在していたひとは何も得なかったし、得ていない。

　事故そのものに戻ろう。事実は次のようであった。その夜に労働者たちは、イソシアン酸メチルの生産のために施設の導管を掃除するはずだった。まず間違いがないのは、このことを知らされていなかった一人の未熟な労働者が、問題のタンクと結合していた導管の一つに水を送り込んだことだった。そしてその際、彼はそれを知らなかったので、追加の安全弁を閉めることを怠った。その結果、水はこの瞬間におよそ5万リットルのイソシアン酸メチルで一杯だったタンクの中へ侵入することになった。このイソシアン酸メチル（MIC）は、水と非常に激しく反応する。クロロフォルムと鉄がそこに加わった。そして発熱性の反応が、ある種の爆発が、正確には突燃が生じる。すぐに鼻を突くような臭いでタンクには一つの穴があるに違いないということがわかった。労働者たちはそれに気づいたが、監督者は——真夜中だった——小休止してからこの事態に取り組もうと決めた。つまり、どんな危険が迫っているのかを誰も予感しなかったらしい。0時30分タンク内の圧力はすでにとてつもなく高くなっていたので、タンクは振動し、そして今にもひび割れしそうだった。白いガスが大きく噴出し漏れ出た。そしてとうとう、労働者や社員はどんな危険に襲われたかを知った。彼らは、遅きに失したが、放水をタンクに向けるよう試みた。しかしそれは十分高く届かなかったし、そもそも、もう効果がなかった。爆発の危険が非常に大きかったので、男たちはついにガスマスクを装着し、正しい方向へ、すなわち風に逆らって現場から走り去った。そしてタンクを放置した。タンクからは突燃でたくさんの毒ガスが流れ出た。高度の毒ガスが27トンと見積もられた。MICを中性化するための既存の設備は、スイッチを切られていた。だから機能しなかった。一般の人々に、ないしは、この何年間に立てら

れた工場の周りに住むスラム住民¹⁶⁾に、警告する者は誰もいなかった。いずれにせよ警告されることなくこの惨事に至った。住民は準備する手だてが全くなかった。安全対策と災害防止措置が不十分だった。この絶対的な破局は、警報システムがどれも作動することなく、避難計画もなく、効果的に収拾するしかるべきチャンスもなく進んだ。したがって極度に多大な犠牲を強いた。安全対策はどの観点でも十分に設計されておらず、また機能しなかった。設備に関しても、同じく整備に従事する従業員の準備に関しても、そうだった。緊急事態に対処するどんな備えも、避難計画も全くなかった。訓練を積んだ従業員もいなかった。十分な数の酸素マスクもなかった。警報サイレンは作動しなかった。警察には通知されなかった。小さな漏れ口は報告しないというのが、どっちみち経営ポリシーであった。住民は適時に警告されなかったし、全く警告されなかった。適時に警告されていれば、そのうちの多くの人々がおそらく救われたであろう途方もない数の死者が悼まれた。従業員と同様に、下級管理者の場合での瑕疵も特に深刻だった。このような危険な科学技術が十分に保全されないで、そして安全性に少しのランクづけしか与えられていないのは、明らかに問題である。とりわけ推測できるのは、安全性のための低コストがある意味きっかけになり、会社がこの工場をまさにボパールで建設したということである。なぜなら、会社（ウェスト・ヴァージニア／USA）には匹敵する生産施設があったが、それほど大きなタンクは備えていなかったからである。工業諸国でははるかに小さいタンクしかない。だから、一つの場所でこのように極度に危険な物質をそんなに多く備蓄しない。他のケースのピント事件※で、フォードの当時の指導者、アイアコッカは「安全はペイしない」と言った。安全性は減価償却できない。大惨事を今や特に道徳的観点から特徴づけるなら、こうである。すなわち、[経営者が]意思決定や経済的価値評価を熟慮する際には、安全性はただ従属的役割しか演じない。いずれにせよ第三世界の国々では然り。

■ **この事故をめぐる議論**

　道徳哲学者ジョン・ラッドは、この大惨事を、さらにまたコンピュータの間違った決定に関連して起きたいくつかの他の大惨事も調査した。そして彼は幾人ものエキスパートと議論したが、何人かのエキスパートは、そのとき次のよ

5. ボパール——無責任性と責任の喪失：ケーススタディ　117

うに応じた。すなわち、エキスパートたちはラッドに向かって「結局インド人はわれわれがするほどには生の価値を高く評価しない」と言った（ラッドによれば、そのひとは「とびぬけて上品な紳士」であった）。要するに、インド人の生はアメリカ人の生よりも明らかに少ない価値しかないのであろうか。責任の網細工をそもそも解くことができないほどに、たくさんの瑕疵の結合や重なりがあった。自明なことだが、そしてそれはあまりにも人間的に見えるのだが、該当する諸グループは、ババ札を再三再四転がし先に送った。すなわち、責任を負うべきものはいつも他人である。

　責任性の問題がまったく容易ならない形で立てられるのは、とりわけ、関係

※ピント事件：1960年代後半、フォード社が設計したコンパクト車ピントは、重量900キロ未満、価格2,000ドル未満で販売された。フォード社は、新しいコンパクトな日本製輸入車と競争するために、通常は3年半かかるところ2年弱でピントを生産ラインに乗せた。この短期間の開発の結果、ガソリンタンクが後部車軸とバンパーの間に置かれることになったが、差動歯車ハウジングのボルトの頭が露出していたので、後ろから衝撃を受けた場合、ボルトがタンクに穴をあけることがありえた。実際、12回の後部衝突実験のうち11回が不合格であって、衝突の結果ガソリンタンクが破裂し、車体が炎上した。したがって、フォード社の技術者と経営者は、明らかに、ピントの運転者が危険にさらされることを知っていた。フォード社の自動車安全ディレクターは、ピント1台につき11ドルの費用をかければ設計を改善することができることを知っていたが、それでは社会的に「ペイしない」という趣旨の報告書を提出した。「ペイしない」理由は次の通りである。
　　（11ドルの設計改善費用をかけた場合の受益）
　　節約可能な 焼死者数 180
　　節約可能な車体炎上による重傷者数 180
　　節約可能な炎上車両数 2,100
　　単位費用 死亡者一人につき 200,000 ドル
　　　　　　負傷者一人につき 67,000 ドル
　　　　　　炎上車両一台につき 700 ドル
　　合計受益　180×200,000 ドル＋180×67,000 ドル＋2,100×700 ドル
　　　　　　＝ 49.15 百万ドル
　　（11ドルの設計改善にかかる費用）
　　販売車数　乗用車 1,100 万台
　　　　　　軽トラック 150 万台
　　単位費用　乗用車一台につき 11 ドル
　　　　　　軽トラック一台につき 11 ドル
　　合計費用　1,100 万台×11 ドル＋150 万台×11 ドル＝ 137 百万ドル
　フォード社は、経済性原理にしたがって、賠償保険料を支払ってもピントを売り続ける方が利益になると判断した。そして、ピントが販売された結果、約500人が焼死した。フォード社は、多くの民事裁判で敗訴し、少なくとも5,000万ドル以上の賠償金を支払った 。http://www.bun.kyoto-u.ac.jp/phil/pros/03/haji.html より。参考：『科学技術者の倫理』日本技術士会訳、丸善出版、pp.374-376。

者の誰もが罪になる意図のために責められることがなかったという理由による。

　その当時、ユニオン・カーバイド社の副社長はまた次のように言った。誰にも責任はない。この災害に対して何がしか因果関係的に責任を負わせられるような、作為も不作為もなかった。そのかぎり直接には責任がない。だが、副社長ブローニングがそうであるように、いわば自分の同情心を、「われわれの道徳的・人道的義務を尊重する意図」を表現したがる人がいる。その限り、ある種の補償の支払いを果たすことの承諾をあらかじめ意思表明している。そのように副社長は言った。明らかになったのは、こうである。すなわち、この途方もない災害は、これほどにおびただしい数の人間の命や苦痛を強いたので、このことは何らかの人間の処置により言い尽くしたり処置したりすることのできるものではないし、また、基本的にはある種の責任を担えるものでも、あるいは改善できるものでも全くない。この種の破局がそれにもかかわらず可能であったということ、そしてそのような種類の危険が今日の高度技術社会においても現れるということは、確かに疑うことができない。だからわれわれは、ほぼ安全に近い確からしさでこうした破局を閉め出し、そしてそれが起こる可能性ないし損害の大きさを少なくできるような安全対策を前もって講じておくよう試みざるを得ないだろう。しかも、もしかするとある種のサボタージュ行為があったのかもしれないという意見を、アメリカの会社は持っていた。そしてこの説を長い間主張した。しかしこの説は維持されはしなかった。

　その後、議論はエスカレートした。サボタージュが話題になったことに触れたが、そのことは証明されなかった。確認されたのは、会社の共同責任である。なぜなら、安全対策が機能しなかったからである。アメリカ人たちは、インドの姉妹会社に過失を押しつける傾向にあった。彼らはまだ、その株の50.9％を持っていたのに。

　事実は明らかに次のようである。個々の当事者に、特に現場にいる個々の社員に、罪になる意図をなすりつけることはできない。そうではなくて、ある仕方である種の非人間性がシステムの中にあった。それは、だらだらした仕事ぶり、あるいは不十分な安全対策であった。これらは、第三世界の国々でしばしば慣例であり、そしてこのような危機に曝される状態へと導いた。だから、わ

れわれは間接的な道徳的負い目について語ることができるが、直接に関与した社員の罪あるミスについて語ることはできない。特に、法的事例に見られるように、直接の関与者を、罪になるミスで直接に非難できるというような意味で、［直接に関与した社員の罪あるミスについて］語ることはできない。しかしほとんどすべての種類の安全対策上の欠如があった。特に装置上のものだけではなくて、組織上のものもあった。したがって、ここで立てられる問いは、こうした場合にはシステム全体についての責任のようなものが引き受けられる必要はないのかどうか、あるいはミスを引き起こす蓋然性のようなものがシステムの中に組み込まれていなかったかどうかである。

　ある一人の親しい化学者が、わたしのこうした考え方に若干コメントを書いてくれた。そして、ちょうどGAU（想定可能な最大の事故）に言及した箇所では、そのGAUがまだ最悪の事故ではなく、こうした状況には逆説があると、彼は書いた。実際に、ボパールは多分、超GAUのようなものだった。毒ガスの毒性は正確に調べられていなかった。そのとき言われたことは、わたしの友人化学者によっても言われたことであるが、中間生産物の毒性は化学産業で通常は調べられない。なぜなら、それはいわば通過段階だからである。だから、きわめて有毒な作用の仕方がまったく十分に知られていなかった。そして十分な安全対策は一つとして行うことができなかった。確かに中性化するための安全対策は設備されていた。しかしそれは一部機能しなかった。一部スイッチが切られていた。なぜこのような万一に備える安全装置が、災害が生じたときにいつも初めて開発されたのか。それはあまりにも人間的な法則であるように思われる。だから、その化学者が——わたしは彼の名前を挙げるつもりはない——使用したこの定式化を、わたしは「M氏の化学法則」として特徴づけたい。われわれの社会では、とにかくそうなっているのだ。「起こらなかった災害は新聞に載らない」。それは正しい。一切のことをふさわしく取り扱うことができるほど、はじめから十分準備しているようなことはない。このような破局が起こり得ないほどに責任をはじめから決めておくなどという可能性は、ある意味ではまったくあり得ない。もちろん化学［者］の内部では、長い調査の結果として、本質的にメンテナンスが欠点だらけだったし、

おそらく従業員の訓練も欠陥があり、また一般に認めざるを得なかったように、安全設備の準備や作用能力に不備があったという意見があった。冷却装置は何ヶ月もずっと運転していない。ガスクリーニングは、MICを中性化するために十分な苛性ソーダを含んでいない。容量はあまりにもわずかだった。補助タンクは空ではなかった。漏れ出るガスを燃やして処分する装置はあまりにも小さすぎた等々。従業員は十分に訓練されていなかっただけではなく、差し迫った危機的状況を何らかの賢明な仕方で評価することができなかった（まず最初に一度小休止を実施すること、そしてそれから初めて警戒信号を気にかけること、こうしたことは、確かにすでに監視責任者の決定から生じる）。いざというときにそなえて、避難や装備のために十分に準備することがなかったのは、実際のところ会社の欠陥だらけの事前の配慮のせいである。そしてさらに他にも好ましくない行動様式が多くあり、それらが準備を官僚的に取り扱うことで一種の織り込み済みの無責任性へと導いた。それぞれ個々のケースで負い目（過ち）があったということについて語ることはできない。しかし多分多くの場合には、これら連関の中に高度の不注意（これは例えばドイツ法の中で債務形態 (Schuldform) でもある）があることは話題にせざるを得ない。──しかもすべての次元でそうした不注意があり、そのことが多分決定的なことである。システム全体が明らかに非常に粗悪に設計され、その安全性が劣悪で、いろいろな任務の整備と保持が不十分すぎるので、その結果、特に会社、企画者、主催者、経営者の側で、ある種の責任の組み合わせが生み出される。しかしこの意味でまた立法者もそうだった。当時、安全性を高めるためのどんな履行義務もまったく存在しなかった。大惨事には多くの事情が寄与した。だから、アメリカの会社の言い分は次のようであった。大惨事という出来事の全体は、あまりに多くの不幸な状況や偶然の結びつきであって、それこそがまさに根拠だったと言った。明らかにまた事情は次のようであった。最悪のケースを想定し、それに応じて事前に配慮することの必要性に拘束され、この必要性を洞察することが必ずしも十分でなかった。結局、大惨事へ至ったとき、人々は本質的にババ札原理に従って行動した。それは今、残念ながらあまりにも人間的であり、一般的な意味で人間的である。問題を順々に手渡すこと、と化学者の友人がわたしに書いてくれた。そして、

基本的に責任性をあっちこっちへ転がし、事情によっては安全性のリスクに目をつぶり、一般大衆がこれを負担しなければならないのは、実際に大きな危険である。経済人たちは、自分の会社の結果・帳尻において有効でないコストの外在化、社会化について語っている。利益の私有化、コストの社会化、それは（今日においてもなお）一つの原理であり、第三世界の国々でだけ妥当性を持っているのではない。**安全はペイしない**（*Safety doesn't pay*）（アイアコッカ）。**道徳はペイしない**（*morality doesn't pay*）も妥当するのか。その命題は特に官僚的な大組織において、システム連関において、大規模プロジェクトにおいて、巨大な設備において大きな危険であるように思われる。なぜなら、われわれはすべてを規則に、そして他の人々（まさしく自己自身にではなく）に転嫁する傾向が強すぎるからである。——この危険をわれわれは確かに制御することができず、せいぜい次のように訴えることができるだけである——先にわれわれの議論した具体的な人間性を主旨とした自分自身の具体的な関与（参画）に挺身するようにと。責任の伝統的次元や見解のすべてが、ここでは機能しないということのようである。

■ここでは、伝統的な「責任性」は役に立たない

　このような大災害と関連した責任性は、伝統的な意味で把握することができない。このこともまた明らかである。負い目ある意図の帰責、法学者たちが名づけているような「犯意（mens rea）」の帰責、したがって当該の行為に対して非難され得る意図の帰責が、ここでは言及したように、現れていない。そうした帰責は、一般にシステム工学の時代における技術の破局やリスク要求に対しては、責任の関係を基礎づけるために今ではもう十分であるとは思えない。なぜなら、主観的に負い目のある意図は、たいていの場合、大災害に関与した誰にも見られないからである。だから、何か重大なものが根底にあるに違いない。つまり、責任性についてのわれわれの確信全体が変えられ、細分化されなければならないように思われる。われわれは伝統にしたがって、後から個人に負い目を負わせることを主張するだけであってはならない。このようなことをしても、災害を前もって避けたり、リスクを評価したりすることに役立つことはほとんどない。これほどの破局をもたらし得るような、新しい、危険な、きわめ

て複雑な技術を取り扱うには、特に役立たない。責任性についての伝統的な観念は、ここではある意味で役に立たず、あるいは少なくともあまりにも狭すぎるということが分かった。われわれは、法に類似した仕方で道徳的に、あるいはとりわけ純粋に法的にそして単に法律的に、しかるべき関係者に後から負い目を割り当てたところで、今ではもう通用しない。もちろん事後の責任は、依然として無条件に必要である。だが、事後責任では、前もって阻止するという問題を十分に把握することが出来ない。そしてボパールの事件で補償の例が的確に示すように、一端生じた損害を本質的に和らげることはできない。要するにここで基本的に問われているのは、法的に把握可能で確定可能な諸次元の一切を越え出てゆくような問題である。

第2節　システムの道徳的不十分さ・非人間性

■テクノシステムの道徳的不十分さと新しい次元の「責任性」

　次のように言うことができる。われわれが責任性について伝統的に持つ標準的な前提は、こうした負い目に方位した法的あるいは合法的モデルにあまりに方向づけられすぎていると。たいてい以下のことが前提されている。すなわち、行為する者に過失が割り当てられるという負い目の帰責が明白に存在するということ、つまり、関係者個々人がひとりあるいは触発因として損害を、あるいは当該の破損を決定的に引き起こしたということである。さらに仮定されているのは、彼の行為と結果のあいだには一本の線のような因果的結びつきがあるということである。その際「負い目のある意図」あるいは少なくともこの点で脆弱な意志が、仮定されている。すなわち義務の不履行、受動的な逸脱行為、軽率、あるいは不注意が仮定されている。すでに述べたように、義務の不履行というものはボパールにはなかった。いずれにせよここで言うことができるのは、多くのプロジェクトにおいて——特に第三世界では——深く根を下ろした、あるいはこっそりと定着した不注意が支配したということである。なぜなら、危険の規模にどう見ても適切でないような不十分極まりない安全対策しかとられていなかったからである。したがってわれわれは、水をタンクに放出した作業員が確かに「原因」だった（あるいは彼は彼がどんなリスクを引き起こしたかを知

らなかった）と言えるけれども、個人がミスしたという意味での負い目の前提には同意し得ない。そうではなくて混乱していたのは、システム全体だった。リスクを伴う高度技術を持った複雑な巨大テクノシステムは、特別に異様である。その「故障」あるいは大惨事の潜在的な影響力の次元と比べるとなおさらのことである。それに加えて、複雑な技術システムが持つ「傾向」のようなものが成り立っているように思われる。すなわち、一種の**道徳的不十分さ**が現れるという傾向である。ラッドは、「道徳的欠陥（moral deficiency）」と言っている。後に他との関連では、ラッドは取り分けそれをある種の潜行する道徳的「腐敗」と名づける。この腐敗というのは、われわれが特に他人の幸福や利害を十分に顧慮しないということ、産業・技術的文脈（とりわけ応用的な電子式データ処理（EDV）システム）に具体的な人間性の心情が欠けているということ、人間性の自覚が不足しているということのうちに見られる。ラッドが断言するには、複雑な体系では、特に巨大技術あるいは官僚機構のシステムでは、いわば「人間性に欠けた精神（mens deficiens humanitatis）」がはっきりと現れ、それどころか操作上の必然性から開花するに違いなく、したがって人間性への顧慮に欠けた特徴を持つ態度や立場が現れるという（ここでそもそも「精神（mens）」あるいは「精神態度」について語り得るかどうか、わたしは確信を持てない。そうではなくてここで生じているのは、ある種のいわば自然と奏でながら忍び込むような作用である）。

　ここではいずれにせよ、高度なあるいは巨大なテクノロジーなら何であれ、特別な問題、あるいは少なくとも潜在的に特に息詰まるような問題があるように見える。この問題は、責任の問題をきめ細かく熟慮するきっかけを与えてくれるに違いない。この熟慮は今や、われわれが負い目責任を他のコンセプトにただ置き換えなければならないと言えばそれで済まされるようなことではない。ラッドはこうした置き換えの方向へと向かうきらいがある。わたしはそれを正しいとは見なさない。そうではなくてわれわれは、追加されるべき諸次元を、拡張された責任性を取り入れなければならない。そして特に、この新しく構想された「責任性」のなかでは、一般的にもまたその都度の個別状況との関連でも、他人の無事息災への関与が、それゆえに人間性の根本理念がふたたび勢いを増さなければならない。そしてこれは、単に訴えだけによるのではなくて、

ことがらを具体的に把握できると同時に実践的にも有意義である方法によるものでなければならない。特に、今ではもうあってはならないのは、具体的な人間性を尊重する者は「愚か者」であり、そうであり続けるということ、そして他人を押しのけてのし上がる風潮のまかり通る社会や自説を主張する社会に見られるように、人間性や人間らしくすることを意に介さない人が常に特権を与えられているということである。

■**システムの非人間性という現象**

この問題を解決するラッドの試みは、ある新しい種類の**積極的な**道徳的責任を導入しようとすることにある[17]。人道的な、あるいは具体的人間的で倫理的な基準をなおざりにすることへの傾向は、高度技術的に、情報ネットにより、巨大組織的に支配された体系のなかにまさしく「プログラムとして入力」されているように見える。この傾向は確かに、体系を網目状にすることと結びついていて、この網目は個人にとってますます見通し難くなっている。個人は、なるほどいっしょに作用しているのだが、ほとんど全体を見渡すことができない。それは特に、人命が失われることもあるコンピュータの故障あるいはエラーで起きるような問題でもある。しばしば起きた間違った確認に基づく飛行機の撃墜を考えさえすればよい。ソヴィエトないしアメリカによって誤って軍用機と見なされ撃ち落とされた民間機。フォークランド戦争※においてエグゾセ・ミサイル（Exorcet-Rakete）※によるイギリスの2隻の船の喪失に至るまで。エグゾセ・ミサイルが防御システムによりくい止められ得なかったのは、もっぱら、この防御システムがもちろん当のミサイルに特殊化されていなかったからである。われわれは自分自身の［自国の］ミサイルを防御することができなかった。アルゼンチン人がこのようなミサイルをイギリス人にさし向けるだろうという事態は、コンピュータのプログラミングに一般に予定されていなかった。そして詳細に注目されていなかったし、後に特別に考慮されることもなかった。このように慎重さに欠ける態度やプログラム適合の失敗があった。そしてここ数年、相変わらずある。要するに、具体的に状況に適合しているかどうかを考えずに、プログラム、規則、戦略を「盲目に」あるいは軽率にも（信頼しきって）尊重するようなことが、蔓延したように思われる。このことが、特に事実上、

たとえ気づかれなかったとしても、大災害に遭遇する人々の運命に影響し、あるいは彼らの運命を完全に決めてしまうのである。

　われわれは一般的に次のように言うことができる。われわれの社会では、自分の利益、自分の関心、形式的規則、公式的官僚制的な図式化が優勢である。もちろんこの優勢は、単に高度なテクノロジーの連関のなかにだけ見られるのではなくて、いわば現代の文明（の機構）全体の中に挿入されている。その結果、他人の安全や幸福に対して関与し、参加し、身をもって関わり、身代わりとして共感的に関わるという在り方が軽視されるか、無視されるということになる。実際にこの「道徳的不十分さ」――ラッドがこれについて語っている――あるいはある種の方法的な盲目が、巧みに忍び込むことになる。われわれは、形式性によって生み出され、技術的で組織的な方法や制度的な措置への盲目的信頼によって強められた不注意の誤った地平にいわば入り込む。それゆえに道徳上惰性的仕事ぶりに陥る。特に、そしてまさしく、すべてが官僚制的に非常に美しく規則づけられたとき、抽象的コンセプトや操作的モデルないし形式的手続きに固執するときに、そうである。その場合は、その都度具体的連関の中で正しく適切に決定するということも、ないしは、そうした連関に対する相応の具体的・人間的態度を見つけ出すということもない。形式的手順を頼りとするこ

※フォークランド戦争：南米大陸ホーン岬の北東770キロにあり、東、西島を中心に約200の島から成るフォークランド諸島（アルゼンチン名でマルビナス諸島）の領有をめぐる英国とアルゼンチンの2ヶ月半に及ぶ戦争は、1982年（昭和57年）6月14日、アルゼンチンが実質的に"降伏"の形で停戦が成立した。
　同諸島は1833年以来、英国が実効支配していたが、アルゼンチンは1816年のスペインからの独立時に領有権を継承したと主張し対立していた。
　1982年4月2日、アルゼンチン軍が島都のポートスタンリーに突然上陸、占領し同諸島の領有を宣言した。これに対し英国は、「鉄の女」サッチャー首相のもと本国から海軍機動部隊を派遣、諸島周辺200カイリの海空封鎖に続き、アルゼンチン沿岸12カイリを海上封鎖、双方が艦砲射撃や空爆を行う本格的戦闘に発展した。
　この間、米国の調停の試みや国連の停戦決議などもあったが、英国の本格的反攻で6月に入ってからは島都への包囲攻撃が始まり、アルゼンチン軍の降伏となった。
　断交の両国は、1990年2月、8年ぶりに国交を正常化、1993年7月、フォークランド諸島80カイリに設定された非武装海域を50カイリに縮小する合意文書に調印。1995年9月には周辺海域の油田共同開発でも合意した。しかし領有権問題は未解決のままとなっている。
　朝日新聞ルックパック20世紀 http://www.asahi.com/edu/lookback/075.html より。
※エグゾセミサイル：フォークランド紛争でイギリス駆逐艦シェフィールドを撃沈して一躍有名になったフランス製対艦ミサイル

とは簡単である、あまりにも簡単である。とりわけ、こうした手順は一般に大衆社会の中で絶対に必要なものになっている。このような［形式的手順への］快適な信頼の投影は、責任性を体系そのものに転嫁する方向へとますます頻繁に導いているというのが実状である。ヴァイツェンバウムは彼の初期の著書『コンピュータの能力と理性の無力』(Weizenbaum, 1979) の中で、アメリカの将軍はNATOの防御システムでの多くの虚偽の警告に直面して（何百もの虚偽の警告が起きた）、まさにシステムを「信頼に値するように」しなければならない、なぜならシステムが今日確かに責任を担わなければならないからだ、と要求した旨を報告している。その趣旨をまた、ドイツの情報科学教育者クラウス・ヘッファーは数冊の著書で次のように記述している。システムは今日責任を担っている。なぜなら、個人が情報システムの利用を詳細に展望し、状況をすべて細分化し信頼に足る仕方で評価し、あるいはそもそも状況に早く十分に反応するようなことは、今ではもうできないでいるからである。特に、このことはNATOの自動警報システムに当てはまる。NATOでは、自動警報システムがますます完璧な状態にされなければならない。ただし、そうしたシステムが相変わらず最終的には提督、将軍、あるいは大統領の相応の「人間的な」判断に依存することではあった。同様にまたラッドは次のように言った。責任をシステムになすりつけるのに慣れている（た）ことにより、われわれが（あまりにも簡単に）責任を免除されたと感じる傾向にあるかぎり、体系が生み出した道徳的「不十分」あるいは「腐敗」がまさしく生じていると。人間は過大に要求されている。だから人間はシステムを信頼できるように、「信頼するに足る」（こうした純粋に道徳的な述語は、もちろん人間の間柄の連関においてだけ意味がある）ものにしなければならない。事実として、何か正しいものがその言い方にはある。すなわち、われわれは確かに実際に多種多様な点で、システムのほとんど完全な機能に依存するようになっている。そしてわれわれは日常の生活でも、さまざまな分野に広がる連関や極端な状況にあっても、同じようにシステムの完全な機能を「信頼し」なければならない。さて、このような情報システムや決定システムをプログラミングし動かす人々の内で、悪い人間が、悪意ある犯罪者や卑劣漢が問題になるのだろうか。否、そうした人々は全く普通の人々である

とラッドは言う。彼は、ハンナ・アーレントから表現を受け継ぐ。すなわち、彼女がアイヒマン裁判について展開した表現、すなわち「悪の月並みさ（Banalität des Bösen）」という表現である。ラッドはこの表現を**道徳的不十分さの月並みさ**（Ladd, 1992, p.298）についての主張に変えている。われわれは彼に従って、これをまた別様に用いることができ、そして「システムの生み出した道徳的腐敗」――これが遍在し、そのかぎり「月並み」である――について語ることができる。他人の幸福に対する関心が、自己の利益に対比して、自己の社会的あるいは職業的発展に比べて、自己の栄達や利益や市場支配や方法の一般性・容易性や最小の費用等々に対比して、いつも第二位に置かれている場合には到るところで、こうした「月並みな」「道徳的不十分さ」が見られる。そうした道徳的不十分さに、共に働く人々や従業員たちは事細かに、また義務感を持って従う。彼らはまさにそうするように義務づけられている。システムが持つ非人間性、システムの道徳的不十分さ、あるいはまったく反人間的な腐敗へと**義務づけられている**と言うのか。計画の実施者は、何らかの人道的な関心を自らの熟慮や決断の中へ一緒に取り込むことが許されない。諸々のケースが［システムのもとで］等しく取り扱われなければならない。正義という理由から、そうしなければならないのだ。例えば、集中治療病棟で医師が人格的（個人的）にあまりに強い意志を持って関与するような場合に浮上する問題について考えて見るとよい。「月並みな道徳的不十分さ」による、そうした効果が、どうやらある種のいろいろな現象を生み出すようである。つまり、**システムの非人間性**、言い換えれば高度に技術的に組織化されたシステムのなかで不可避に織り込まれた非人間性という現象である。あるいは少なくとも上述した道徳的不十分さである。ある種の欠陥という現象、あるいはさらにある種の忍び寄る「道徳的腐敗」という現象である。これらすべての現象が、以下のことにより特に強められるのは言うまでもない。つまり、技術的な干渉の可能性、巨大技術、システム技術応用がどうにかして一切合切を丸め込んだ挙げ句に、いろいろな影響や機能不全や重なり合った不都合な事態が発揮する効果がますます重大で劇的になってしまい、また依然としてこれからもそうなるだろう。官僚制的な決断・メカニズム・指令には、たしかに、もし上述のようでなければ不可避であり、

そのかぎりまた一般的に人道的で「恩恵をもたらし」かつ正義を促してくれるような諸々の働きがあり、そうした働きを指示する他の現象がある。だが、すべての職務を役割機能に分節化し割り引いてしまうのは、**具体的な**人間性にとって危険である。さらにつぎのような傾向がある。すなわち、効用に向けられた一般的な思惟は自己自身の効用の最大化によって自分自身の利益へ向けられている——「安全はペイしないのだ」——が、こうした思惟によって他人の安全への関心が不当に度外視されるという傾向である。

第3節　新しい道徳的責任性に向けて
■「負い目責任」・「非難責任」対「事前の配慮責任」(ラッド)

　換言すると次のようになる。おそらく一般的に言われなければならないのは、罪を帰せることによる責任の伝統的な捉え方はあまりに狭すぎるから、極端にもつれ合った可能的な危険のような複雑な状況を把握できず、特にそうした状況を前もって十分に顧慮できないということである。したがって、ラッドは責任性の二つのコンセプトを互いに対立させるよう試みる。そしてその際本質的には、「将来を見通した道徳的責任性」という彼の「新しい」概念を前面に押し出すよう試みる。そのときその概念は、人間主義的に、人間的に、あるいは人道的に方向づけられている。ラッドは、責任の伝統的な標準のコンセプトからはもはや出発できないと考える。このコンセプトはまさに「負い目責任」あるいは「弁明責任」と命名され得ようし、本来的には次のような道徳的観念を含んでいる。誰かが負い目のある行動やしくじりに対して責任を負わされ、**非難され**、そしてまれに起きる肯定的な場合には**賞賛される**という道徳的観念である。だからラッドは明確に、「非難責任 (blame responsibility)」あるいは「非難に値する責任」[18] について語る。それは古典的な見解、繰り返された標準モデルである。こうした弁明責任は、伝統的な負い目を帰すこととして現れる。それは、負い目の合法的あるいは法的な配分に方向づけられ、債務責任を負わせることに沿っている。責任についてのわれわれの伝統的把握を特徴づけるこうしたモデルは、われわれがまさにいつも責任ある人を捜し求めるよう努め、悪者を指定しようとする、そうした事態に見届けられる。ラッドは、このように排

他的に悪者の烙印を押すというやり方や、責任を帰すことで**一人の責任者を際だたせる**という傾向を、「古い倫理学」の(あまりに)機械的なモデルであると考える。彼は近年の著作(Ladd, 1992a)で次のように述べている。「古い倫理学や責任という類義の概念は行為と因果性の古めかしい範例を、すなわち機械的なモデルを受け容れる」。われわれは行為を原因・結果・関係のように一つの直線で表す。そしてそれから、いわば責任関係という連鎖概念に達する。一方では、今日むしろ特徴的である複雑なシステム連関にあっては、因果関係にも網状化や多様性や多層性がますます強く見られる。責任関係を鎖の表象に従って直線的あるいは単一因果的な責任性に還元するのは、はるかに難しい。伝統的な非難責任には、**排他的に**「閉ざされている」傾向がある。それは一人の悪者に、個人に向けられている。それに対して、これからは別の責任性が大いに強調されなければならないと言う。この責任性は、むしろどちらかと言うと、将来に行為すべきものに、「困窮を・扱うもの(Not-wendig)」に方向づけられている。その責任性は、事前の配慮責任や前もっての責任や親切な心配りの責任という意味で、共同参加に対し開かれており、責任に参加する、あるいは参加すべき多くの人々に対して開かれていると言う。彼らは、自分たちの共同責任にふさわしいかたちで行動しなければならない。相違は、最初の責任のコンセプトが個人に関して**排他的**であり、第二のコンセプトが**包含的**で、それゆえに共同に行為する多くの人々の共同参加を含むという点にあると言う。

ラッドはそれに加えて、負い目責任は第一に過去に向けられていて(エクス・ポスト ex post)、**事後の責任**であるのに対して、他方**事前の配慮責任は未来へ向けられて**(エクス・アンテ *ex ante*)いると言う。後者がこの意味でも、むしろ**積極的**に行為へと向けられているのに対し、伝統的な責任のほうは否定的に損害や不履行に向けられている。

究極の相違は、ラッドではたしかにそれほど完全に明白になっていないことだが、次の点にある。すなわち、「非難責任(blame responsibility)」が直接に個人の行為に関係し、直接に行為に方向づけられていて、一人の行為者に結びついているのに対し、他方、事前の配慮責任においては、第三者の参加者たちが関係に巻き込まれ得るか、あるいは彼らが相応の道徳的な判断能力を引き受け、

すなわち道徳的な裁判官や判断者の立場に立ち得るかして、**間接的な**責任性が成立し得る。この点でわたしには、ラッドは直接の行為への方向づけと道徳的なメタ責任への方向づけとのあいだを完全に明白には分離していないように思われる。直接の行為者の活動に由来する諸結果を超え出て行き、例えば第三の被害者に関わるような行為の間接的な結果に関連した、間接的なものという観点は、道徳的判断によって連関全体に関連して生じる間接性とは別のものである。こうした「直接」と「間接」の対立、ラッドがいうような、「ミクロ倫理」と「マクロ倫理」の対立は、このメタ判断からは分離されるべきである。少なくとも二つは分析的に区別され得る観点である。

　いずれにせよ一般に明らかなのは、ラッドの新しい責任のコンセプトにとって、将来に行為すべきものという視点が決定的な役割を演じているということである。負い目を非難するという意味での〈非難に値すること〉の伝統的な割り振りに対比して、責任性を具体的状況に方向づけられた形で人間的に引き受けるという、まさにそうした立場にとってもそうである。このように新しく［責任のコンセプトを］構想する際に考慮に入れてよいのは、特に、ボパールの破局のケースや実際上のコンピュータの誤作動のような連関では、個人へのいかなる負い目非難も唱えられなくて、せいぜいシステム全体の欠陥のようなものが立証されなければならないということである。システム全体には、この種の責任の問題が重たくのしかかっている。それゆえにラッドが言うには、将来に行為すべきことに積極的に関係するような、また、多くの関係者を傾向として巻き込む道徳的判断に関係するような未来へ向けられた（将来を見通す）責任性は、結局、負い目を割り振る責任性という伝統的な標準的考え方と**交代し**なければならない。

■「交代」ではなく「補充」──ラッド批判、そしてヨナス批判

　この交代という考え方には確かに批判として二種類の反論が挙げられる。一つはいかなる**交代**も問題ではないという反論である[19]。もちろんいかなる取り替える過程も存在しなくて、拡張、補足、おそらくとりわけ先鋭化がある。だから、伝統的な負い目責任あるいは因果責任と並んで、「新しい種類の」責任がある。その責任は、人間の介入力が増大し、特に技術的に増強し、あるいは

技術的展開によって増大したことに左右される[20]。力が増大すればするほど、活動の可能性が増大すればするほど、特に活動の範囲が大きくなればなるほど、力あるいは道具を手中にする人（あるいは人々）の責任も増大する。ところでこのことはまた、ずっと以前から知られていた。そのことをわたしは、すでにヨナスより先に確認した（Lenk, 1979, p.69 以下）。しかしその責任は、決して、過去に向けられた伝統的な負い目責任を取り替えてしまうものではなくて、これを**補充**するものである。（ラッドでも、ヨナスでも）だからまた付加的に拡張された責任の概念（あるいはむしろ二つの概念）が問題である。しかしこの責任の概念が、今日われわれの複雑な社会の中では、種々の領域や作用連関の体系性と結びつくことでますます重要になっている。このことは特に、危険状況や複雑な体系を取り扱う場合に言えることである。

わたしに唱えさせていただきたい第二の批判は、ラッドがこのコンセプトをあまりにも**一緒くた**に扱っているという方法論的なコメントである。彼は帰責をいろいろな徴表に応じて相互に独立に変えるのではなくて、すべての徴表を二つの次元に割り振る。負い目の指示はいつも後からであり、それは常に個人に向けられている。それは単に否定的（消極的）であり、それは例外なしに直接に行為にだけ関わっている。それは「ミクロ倫理的に」機能する。それに対して、事前の配慮責任や親切な心配りの責任はいつも未来へ向けられている。それは常に包括的である（それは個人に排他的に関わるのではない）。それは肯定的（積極的）であり、しかしまた間接的である[21]。だからラッドは、結局のところ、心理学と社会学で四マス表の誤り（Vier-Felder-Tafel-Fehler）※と名づけられている誤りを犯している。その誤りとは、ある行列での行にある二つのカテゴリーが、そして列（縦の行）にある二つのカテゴリーも相互に対立しているとき、いろいろな徴表充足が独立には変わらないという点にある。**未来**へ影響を与えるような負い目ある態度・振る舞いがあるのは、言うまでもない。つまり、前もって

※四マス表の誤り Vier-Felder-Tafel-Fehler：四マス表とは社会心理学等での疑問表のことである。二つのカテゴリーが行の上に、そして二つのカテゴリーが桁の上にあり、四マスの行列表示をしている。その時、マスにおいて二組のカテゴリーが同時に正しいか、あるいは正しくないかが書き留められる。社会心理学、ないし社会学の基本的な問題と叙述の技術である。

スケープゴートを際立たせる可能性もあるのは、明々白々である。将来への見通しと排他性とが、他方、回想性と包含性とが結びつくこともできる。同様にこれら徴表のすべてがまた、行為と結びつく直接性にも、道徳的に判断するという間接性にも、ないしは第三者の〈身に降りかかるということ (Betroffenheit)〉にも結びつく。だからわれわれは、それ自体として非常に意味のあるこうした徴表の柔軟性が、二つの互いに排除し合う種類の責任性に見られる単純な対立関係よりもはるかに大きいということをじっくりと考えなければならない。こうして、この第二の批判が最初の批判に付け加わる。最初の批判は、第二の将来を見通した間接的・積極的・包含的責任の種類こそが高度科学技術社会にとって重要であり、第一の種類の責任は古い責任の伝統的な生き残りの繰り返しのモデルであり、それは今日ではもう役割を演じないという主張に対するものであった。まさにその主張で言われたことは、おそらく少し誇張して表現されているかもしれない。はっきりと叙述するという目的のために明らかに少し先鋭化され強調されている。実にそれは傾向としてはラッドに含まれている。まったく同様に、極端ではあるが相応の二者対立のかたちで、ハンス・ヨナスにも含まれている。明らかに次のようである。すなわち、責任の問題は、あまりに単純に (二つの) カテゴリーや二分法で考えるよりも、いっそう細分化されているから、もっと柔軟に捉えられ、また議論されなければならない。しかしいつも一つのことが重要である。それは確かにまたラッドの功績なのであるが、以下のことを理解するのが重要である。錯綜した多種多様な責任の問題を、高度に複雑で社会技術的な大衆社会のなかで把握するためには、負い目責任、スケープゴート的方向づけ、弁明することという観点だけでは十分ではない。

■**未来に向けられた道徳的責任性を徳として把え、人間性として特徴づけること(ラッド)**
　ただ**前方へ**向けられた責任性という形式的なコンセプトが十分でないのは、言うまでもない。それは、ラッドが徹頭徹尾強調する一つの点である。つまりラッドは、未来に向けられた道徳的責任が効力を生じ得るためには、主観的な態度や人格的な立場が、それゆえわれわれが人間性と名づけたものが、備えや配慮の用意に付加されなければならないと言う。ラッドが結局希望するのは、人間性 (の心情) だけがこの新しい責任性の観点のもとでの実践的具体化の問題

をいっしょに把握し得る事情にあるということである。事前の配慮責任や前もっての責任や親切な心配り責任の意味での道徳的責任性という、このような新しい包括的な概念を想定することがおそらく唯一のわれわれの希望であると、ラッドは言う（同様に確かにアルベルト・シュヴァイツァーは、個人の倫理的心情だけにしか倫理的救いを期待しなかった）。特に、ラッドはシステムが生み出した非人間性に挑戦状を突きつける。到るところで、あらゆる連関のなかでわれわれは、忍び込む「道徳的不十分さ」「腐敗」あるいは「無責任」と対抗しなければならない。だからわれわれは、道徳的責任をある種の人道主義的な・人間的な・人間性に定位した徳として把握しなければならない。そうした徳は、法則的・法的に指示され得るものでないが、しかしわれわれの頭に浮かぶ唯一の手段として一般に次のことを成し遂げるために手を差し伸べることができよう。すなわち、公的生活に見られ、特にコンピュータ決定に過度に頼り切る状態に見られるような無責任性で、多かれ少なかれ組織化され、システムにより生み出され、あるいはこっそりと含まれていたり、完全にプログラムに入力されていたりする無責任性を克服するためである。そうした無責任性は、まさしくある種の公共的な悪徳になってしまったと言う。その悪徳の本質は、われわれがすべてを官僚制的に、テクノクラートに組織化し、そしてこのような仕方で結局は本来的な優先順位をひっくり返すことにあると言う。

　こうした未来に向けられた道徳的責任性の到達範囲と効果を、ラッドはわれわれの社会の未来にとって決定的なものと見なしている。したがってわれわれは新しく開放された積極的な責任性というものを、こうした上述の徴表の意味で展開し促進し流布しなければならない。この徳は一般的な導きの方向として、統制的で発見的な諸原理の束として理解されるだろう。これら諸原理は、そのとき個々のものとしてもわれわれを指導しなければならない。特にそれら諸原理は、体系連関の無責任性やシステムの生み出す非人間性についての批判的な判断を可能にし形成するのに適している。

　言うまでもなく、責任性は多様な点で、どのようにひとが力を行使するか、あるいはどんな介入の可能性を持つか、その程度、遠近法、段階づけ、そして特に種類、仕方、範囲に依存している。このことは、これを手引きにわたしが

行った議論のなかで明らかになった一つの観点である。システムのなかで、システムの上で、個人の影響力が大きくなればなるほど、個人の責任性も大きく中心的となる。それは明らかである。換言すると、ひとは責任性をただシステムの最高の代表者である個人にだけ帰することはできない。あるいはそうした個人が責任性を自己自身にだけ帰することはできない。そのような試みはもちろん常に存在していた。そうではなくて個人の影響力や個人の協力可能性に応じた程度に、当の個人は、彼がまた場合によっては外側から妨害し、完全に傷つけ、あるいは無にすることができるというシステムの中で、あるいはそうしたシステムに関して、相応の責任を引き受ける。この責任は個人の影響力に、また状況の誘発や徴発にも依存している。

　ラッドは言う。道徳的不十分さを阻止する唯一の可能性は「善い心情」である。これを「西欧の哲学的伝統は（例えばヒュームとカントの仕事では）通例」、「『人間性』として」特徴づけた (Ladd, 1992, p.296)。人間性、あるいはその欠如がきっかけとなって、ラッドは、**「人間性に欠けた精神」**という原理を責任性の基礎にすえた。すなわち、人間性は「責任の役割に関するわれわれの考察を、われわれ人間の間柄や公的生活での責任の役割に関する考察を拡張する」（同書 p.297）。われわれがシステム連関の中で活動すればするほど――あるいは、機能すればするほどと言うべきである――、それだけいっそう、人間性はそうした考察を拡張する。われわれは機能する**だけ**であってはならない。われわれが職業的役割に入るとき、われわれはわれわれの人間性一般を、そして特にわれわれの具体的な人間性を、そしてその都度の状況の評価をクロークに預けてしまうことは許されない。責任あるいは責任性という徳は、この意味で人間にふさわしい徳、あるいは人間性へと義務づけられた徳である。この徳は、他人の「幸福」に関心を抱かなければならない。これは、まさしく道徳的な人間性を定義する本質的な徴表である。特に具体的連関の中での具体的な人間性を定義する本質的な徴表である。われわれが自分たちの社会の到るところで観察することができるのは、他人の幸福や他人の安全が関係しているところで、この人間性への訴えがないがしろにされていることである。われわれがこの訴えを無視する理由は、人間的なもの・人間性が、成果・業績・獲得・安全性・市場

占有率等々についての通例うまくいっている評価基準としては、ほとんど役割を演じないように見えるからである。したがってわれわれは、傾向として非人間性を助長するような社会のなかで存在している。しかもそのように存在するのは、即自かつ対自的には人間性の関心に合うように考案された社会一般の規制に基づいてのことである。特に巨大システムの**人間的な**組織化、人間性を要求する組織化へのきっかけとなるべきであるような社会一般の規制に基づいている。だが、このような一般的やり方、組織のルーティン、システム連関、規則、法、規範、そして相応に分節された期待、特定の課題・領域・役割に合うように仕立てられた期待、そうしたものにあまりに強く文字通りにテクノクラート的に頼ってしまうと、場合によっては具体的な人間性がまさしく阻害されるかもしれない。

■功利主義的な個人主義に対抗する市民的な徳

ラッドは次のように言う (同書 p.298 以下)。「このような効果は、われわれが浅はかに受け容れてしまった危険な科学技術によって、そして官僚制の機構によって増強されている。官僚制の機構は、われわれが科学技術をどのように用いるか、その仕方を組織化し、われわれが互いにどのように処遇し合うか、その扱い方を規定する。この社会的な制度の根底にあるのは、適切に『功利主義的な個人主義』と名づけられる支配的なイデオロギーである。このイデオロギーは、われわれが他人に向かって自己自身に認めたがる優先権を正当化する。そして、自ら先へ進むという功利主義的な個人主義と同様に、物質的社会的価値の優先を正当化する。このイデオロギーはまた、他人のための参加や関心が超義務[※](supererogatorisch) である (要求されている義務を超え出ている) と教えてくれる。すなわち [このイデオロギーによれば]、そうした参加や関心は、それ自体個人の選好の問題である。……このイデオロギーに従うと徳は随意的であって、

[※]義務を超えるような supererogatorisch, supererogatory：義務づけられていない犠牲や親切のことで、古来から「正義と愛」、「完全義務と不完全義務」として道徳的義務の一領域を占めてきた。超義務 (supererogation) は、義務ではないからそれを断っても不正にはならない。しかし、現代世界のひとつの特徴は不完全義務を完全義務へと移行することにある。それでなければ、開発途上国援助も、自然保護も、情報倫理も、ビジネスエシックスの利害関係者論も解決しない。参照、ミリャード・シューメーカー『愛と正義の構造』加藤尚武・松川俊夫訳、晃洋書房、2001年。

各人に委ねられている。すなわち、徳は『聖者と英雄』のために取って置かれる。内部告発すること（道徳的不都合や過ちの公然な暴露）に対するわれわれの態度は、われわれがわれわれの価値を下から上に向かって逆転させることで、われわれがどこまで落ちぶれてしまったかを例示してくれる。すなわち、われわれすべてを動機づけるはずの安全性への関心が、英雄や『トラブルメーカー』や狂人の私的領域のなかに押しやられてしまった。われわれが自分たちの注意を危険やリスクに向けるかどうかを決定するのは、単に個人の選択（そして人格的冒険）の要件であるということを、われわれの社会は受け容れる。危険やリスクに注意を向けることを、社会の責任ある仲間としてのすべての市民に課せられた義務と見なすほうが、どんなにか本来的な姿であるかということを、われわれの社会は受け容れていない」。

換言すると次のようにも言える。すなわち、われわれは具体的な人間性に対する忍び寄る否認のようなものを甘受してしまった。相応の状況の中で、あるいはまたすでに歩み寄っている危険に際してさえも、責任を具体的に引き受けることを多かれ少なかれ自覚的に、しかししばしばまたこっそりと働きながら押しやってしまうようなことを、われわれは甘受した。ラッドは言う。われわれは**「市民的な徳」**への、自己の信念を主張する勇気への新しい方向づけを必要とすると。

「市民の徳は市民である市民すべてによって必要とされる徳である。それは何か任意のものではない。——聖人や英雄たちにとってのみのものではない。有徳な市民——誰でもそうであり得るのだが——は、公益に対する参加を表示するはずである。そして有徳な市民は、社会のなかで長続きする他人格の安寧に対する参加を表示するはずである。こうした個人の参加が何らかの種類の犠牲を必要としたり、あるいは自己自身の私的な利害よりも、また物質的成果の梯子を上ることよりもわずかに優先したりするときでさえも、有徳な市民はそうした参加を表示するはずである」（同書 p.299）。

■**責任性のいろいろな次元の具体的分析(次章のテーマ)へ**

以上、すべては具体的な人間性への訴えである。相応の態度をとるための訴えである。しかしいつものことながら、ここでも妥当するのは、これを要求す

るよう行うよりも言うほうが容易であるということである。特に、個々人や個々人の心情への単なる個人主義的な訴えだけによっては、社会全体を救うことはできない。これは明らかである。ここにおいても、いかなる奇跡的な特効薬も万能薬も存在しない。具体的な人間性を、少なくともその実現へのチャンスに関して、できるだけより良い状況へもたらすように試みなければならない。伝統的価値に思いを寄せるだけでは十分ではない。今討議中の人間性と道徳性という理想は、ほかでもない新規の挑戦・好機・リスクを伴いながら実現するように、場合によっては現代に密着したかたちで利用されるように、さまざまに新しく定式化し直されるように試みられなければならない。しかしその際、伝統的な直観を放棄したり、あるいは見捨ててはならない。わたしは、その際に責任性の種々の次元や層を具体的・実用的連関の中で分析することが有益であると考える。決断は、もちろんわれわれがその都度に自分で下さなければならない。決断を、どんな倫理学もわれわれから奪い取ることはできない。しかしそれにもかかわらず、個々人に制限された控訴的な倫理学は、こうした社会的問題を解決するのに十分ではない。実際、われわれの責任性を責任性の種々の領域・層・種類にわたっていっそう正確に議論することが、おそらく初めて、われわれの陥る責任の葛藤をよりよく認識するのに寄与できよう。そしてわれわれはそうした認識によってむしろ次に、望むらくは、本当に具体的・人間的な仕方で、理性的かつ「責任をもって」現実のいろいろな葛藤を人間性に結びついた特定の優先規則を手がかりに決断できるようになる。**疑わしきときは、具体的な人間性のために。**

6. 責任のさまざまなタイプ(類型)と次元

第1節　責任のさしあたっての類型的区別
■自然科学者は責任がないのか？

　アンブローズ・ビアスの『悪魔の辞典』(1911)※では、「責任」という概念は以下のように定義されている。「神、運命、幸運、偶然、あるいは仲間に、やすやすと背負わせる取り外し可能な重荷。占星術が支配する時代では、星に責任を負わせることは普通であった」。この定義は、想像されるほどには、不適切でもなければ、決して皮肉に語られている**だけ**でももちろんない。責任を帰すということが取り沙汰される場合、──責任とは本来的に帰責の概念である──実際のところ、転嫁の戦略がしばしば見られる。いくつかをわたしはすでに指示しておいた。責任を拒絶したり、ひとまとめに責任を前もって転嫁することは、今日でもまだ見いだされる。特に科学においてもそうである。例えば、カールスルーエ大学学生新聞がドイツのノーベル物理学賞受賞者とのインタビューを掲載したことがあった。特にこの点で強烈だったのは、ルドルフ・メスバウアー※とのインタビューだった。彼は『安全弁』(*Ventil*)［学生新聞］からの質問を受けた（Nr.94/1994；特に本書では p.201 以下参照）。「しばしば自然科学者の責任について語られています。あなたはそれについてどのようにお考えですか」。答えはつぎのようであった。「とりわけドイツでは、**基礎研究の分野においてはどんな責任も負わないというように**、従事しています（強調符は著者による強

※アンブローズ・ビアス『正・続　全訳悪魔の辞典』郡司利男訳、こびあん書房、1982年、353頁参照。
※ルドルフ・メスバウアー Rudorf Mössbauer（1929-　）：ドイツの物理学者。ミュンヘン工科大学・ハイデルベルク・マックス・プランク研究所教授。メスバウアー効果を発見し、ノーベル物理学賞を受賞。

調)。わたしたちは自然がどのように働くかを理解しようとしています。応用物理学を行うときはちょっと違います。だが、このことも、この国ではひどく誇張されています」。続けて彼は原子炉技術、特に原子力発電所をめぐる議論を指し示し、つぎのような意見を述べた。「ドイツは科学に敵対することで全く難しい局面へまっしぐらに進んでいます」。彼は大口をたたいてはばからない。やがて、彼は他の多くの物理学者たちと同じように哲学にも興味があるかどうか尋ねられたとき、つぎのように表明した。「わたしはそうではありません。わたしは経済的な事柄に非常に関心があります。しかし狭い意味で哲学することに、関心がありません。わたしは、哲学がすべての仕事を滞らせたという意見です。哲学者とは、たいてい、物質ではなくて言葉を操るおしゃべり屋である。今日、哲学者でありうるのは、自然科学の全体を知っている人だけです。しかしあなたは、それができる人を一人も知らないでしょう。哲学では、意見が主張される。[だが] わたしたち [科学者] は、意見を持たない。何かが真であり、何かが偽りであるということは、測定値がわれわれに教えてくれます。われわれの意見はその際どんな役割も演じないのです」。ここで言われたことに対しては詳細に立場を明らかにする必要があるだろう。だが、わたしはもちろんつぎの理由から自制しなければならない。つまり、哲学者たちは、無駄口ではない申し立てを残念ながら哲学者たちのほうで無駄話としてだけ取り扱う傾向が確かにあるからである。主要なこととはすなわち、「科学ショウは続けなければならない」である。メスバウアーは、科学という本題では彼がどんな意見も持っていないことを、事実の主張(?)として唱えうるのであろうか(彼は循環に巻き込まれているのでしょうか——あるいは、解釈の基準値に絶対に依存しない——そして誤謬推理からであれ——というわけにはいかないような、測定するという解釈を誤って一般化することに巻き込まれてしまったのでしょうか)。基礎研究では自然科学者がいかなる責任をも忌避するというのは、[科学者は] 意見がないこと、意見を欠いていることなのだろうか。もっともわたしは、こうした科学倫理や科学イデオロギーの問いに立ち入りたくない。この問いは、実際に全く困難な問題である。全面的にイデオロギーを禁止するというイデオロギーは、純粋に即物的な包装をまとっているために、最も有効に働くイデオロギーを差

し出している。

■先駆者による「責任」のタイプの区別

わたしはつぎに責任性と責任の概念、あるいはコンセプトを取り扱いたい。われわれはすでに道徳哲学者ジョン・ラッドを取り上げた。特に彼が責任の概念を拡張したのを取り上げた。つまり彼は、責任概念を「非難責任」[22]すなわち負い目として自らに背負い込んだものに対する非難責任から、事前の配慮の観点で将来に行為すべきものに対する責任性へと拡張した。その際われわれはつぎのことを確認した。関与者に開かれ、それどころかある意味で「徳」に結びつき、そして将来へと方位をとるこの種の道徳的責任性は、唯一の道徳の変種とは決して見なされないということである。これは唯一の責任性ではあり得ない。後から (ex post) 割り振られた**道徳的負い目**も存在する。非難責任は、たいていは制度的社会的コントロールによって、たとえば法的コントロールによって把握され規則づけられ、一定の担い手に固有のものである。すなわち非難責任は、個人に**排他的**に制限される傾向があり、それゆえにこの意味でも狭く把握され、そして内容的に閉ざされ過去に向けられている。わたしはそれ以上詳しく述べるつもりはない。その代わりに、責任の別種の有意義な分類に移りたい。ところで、責任の諸類型すべてに具わる特徴は、その都度の責任者たちが、**活動報告をする法的義務を有する**ということ、彼らの行動と結果を請け合わなければならないということであり、そして責任を帰することがおのずからいつも、行為の結果を帰することを含意するということである。このようにボーデンハイマー (Bodenheimer, 1980) は考える。それは多くの場合に制裁へ導くか、あるいは制裁の可能性ないしは制裁の規範的必然性を含んでいる。これらの制裁は、法的な性格をもつか、したがって法あるいは法的態度によって操作方法を明確化しているか、あるいは社会的な性格をもつか――狭い意味での応分の**道徳的**価値判断を含めて――、どちらかである（そのとき道徳的価値判断は理想のケースではもっぱら制裁する働きとしてだけ把握され得るのか、あるいは純粋な当為判断として把握され得るのかである）。行為の結果に対して法的義務を負うことの範囲を限定するには、ただ否定的な行為の結果だけを引き合いに出さねばならないというのではない。このことはすでに洞察されている。

責任性を、非難すべきもの、あるいは非難しうること（上記注22)をみよ）と同一視するのはもちろん狭すぎる。責任において役割を演じているさまざまな連関と遠近が明白に区別されなければならない。このことはまた、とりわけアングロサクソンの分析哲学がずっと前に発見し論じている。特に、ヘルバート・L・A・ハート（H. L. A. Hart）という非常に著名な英国の法哲学者が、1968年に『罰と責任（*Punishment and Responsibility*）』という一冊の本を著し、その中で四つのさまざまなタイプの責任を区別した。

1. 純粋な因果責任。これは、一つの出来事が別の出来事の成立にとって因果的に原因であるという点で成立する。
2. 役割責任、これは社会生活の中でひとが引き受け成立させ演じる課題・契約・役割と結びついている。もちろん職業的責任はこの役割責任の特別な場合である。
3. つぎに彼は第三に責任能力を挙げる。すなわち、ひとが責任を引き受けることになっているとき、そのひとは誰でもそれ相応に責任ある行動を遂行することができ、その能力があるのでなければならない。要するに行為責任（の帰責）のための前提条件が問われている。

最後に、彼は第四に、債務責任を負わせること（Haftbarkeit, liability responsibility)、つまり自己の行為とは無関係に与えられることがあり、ないしは担われなければならないような責任を区別する。ひとがみずから引き起こさなかった損害に対して責任を負わされるということである。債務責任（Haften）は特有の**法的**概念である。それはまたある意味で道徳的概念である。たとえば両親は**道徳的**意味でも、彼らの子供の監視に当てられている。この監視に対して、ないしはその「腕白小僧」のいたずらや「若気の過ち」に対して損害賠償調停の意味で「責任がある」。——しかもそれは単に法的意味においてだけではない。

その10年後（1978年）にグレアム・ヘイドン（Graham Haydon）は、責任のこの異なる意味を受け容れ、さらに前進させるよう試みた。彼は**徳責任**ないし**誠実責任**（彼は"virtue responsibility"について語る）を**能力責任**（他の帰責の前提であり、ハートにおいても一つの役割を演じている）から区別する。そして**債務責任**（*Haftungsverantwortung*）[23)]を**純粋な因果責任**（彼が言うように、普通には他の行為責

任の前提である）から区別する。そして最後に彼は**役割責任**を挙げる。誰かがある役割そのものにおいて引き受けなければならないような責任である。そしてその責任の判定基準は、課題遂行の規則や職場の記載する規則に従う。

このように責任の諸型を区別しようとする試みに加えて、なお他の多くの試みがある。しかし、ここではそれらについて言及することができない。面白いことに、実際のところこれらの試みのどれにおいても、程度の差こそあれ中立性を備えたような責任の変種、たとえば単なる因果責任の場合に見られる変種と、本当の意味で人格が関与している責任のあいだに区別がつけられている。さらには責任関係の仕方に従って、責任の担い手と責任を負うべき対象のあいだの関係に従って、行動の仕方によって、担い手と対象のあいだの結びつきの特殊な仕方によって、いっそうの区別がつけられる。

■責任の10個の類型

わたしは、この意味で［責任の］諸対象と行動を整理すると例えば10個の類型に区別することができると考える。

0. （単なる）**「因果的」責任**。ここでは、純然たるあるいは中立的な因果責任が問題である。この責任は出来事の成立のために利用される。「嵐は屋根が飛ばされたことに対する責任がある」。この「責任のコンセプト」は原因性にだけ還元された、うわべだけのコンセプトである。もちろん道徳的概念が問題ではない。この因果性の思想にもっとも接近しているのが

1. **因果的行為責任**、行為者における作用責任である。ここでは、あらかじめ行為者が前提されている。行為者は特定の結果を伴った活動を、特定の結果の状態を、しかも原因的に成立させる。それゆえそれは、行為と行為者に特殊化された最初のカテゴリー (0) の特殊ケースである。

2. ラッドとボーデンハイマーに従って責任の類型を挙げると、**負い目責任**（*Verschuldensverantwortlichkeit*, Schuldverantwortung）[24]と、それに応じて

3. 次に**称賛責任**（*Lob(ens)verantwortlichkeit*）という肯定的変形がある。

4. ラッドが言うように、未来に行為すべきものへと向けられている**事前の配慮**（*Vorsorge*）**責任**あるいは**用心のための**（*vorsorgliche*）**行為責任**は予

防的である。この責任は、過去の所業あるいは行為に対して負い目の責任があるということからとりわけ区別されている。

5. われわれは**身に降りかかる責任**（*Betroffenheitsverantwortung*）を挙げることができる。われわれがレヴィナスを手がかりにして議論したように。これをわれわれはまた**出会いの責任**と名づけることができる。なぜならそれは援助が必要であるという特定の出会いの状況の中で活性化するからである。

6. それと密接に結びつくのが、ハンス・ヨナスが**存在責任**と名づけたものである。すなわち、誰かが自分の影響力の度合いに従って、この力に依存する存在、その実存、その幸福に対して責任があるということ。この責任はそれ自体**道徳的**責任である。ヨナスは、それを存在に対する責任と名づけている。われわれは、むしろそれを**保護責任**（*Fürsorgeverantwortlichkeit*）あるいは**親切な心配りの責任**（*Fürsorglichkeitsverant-wortigkeit*）ないしは**気配り責任**（*Sorgverantwortlichkeit*）として特徴づけることができると思う。

7. ヘイドンの意味での**誠実責任**（*Rechtschaffenheitsverantwortlichkeit*）あるいは**徳責任**（*Tugendverantwortlichkeit*）。それは先行する三つと同様にラッドの言う道徳的責任とほとんど同じであり、ないしその中に含まれる。

8. 最後に状況倫理との連関では、そしてハートへの結びつきでは、**能力責任**がある。この概念は、本来的に多義的である。この概念はハートにあっては本質的に、誰かが責任を負うべき課題を実行する能力があり、実行することができなければならないということに関係していた。しかしこの種の責任はしばしば次のように異なって理解される。すなわち、ひとが特定の能力を持つときに、またそのことによって、この能力がすでにまた責任を活性化し生み出す。たとえばカントによると、われわれは自分自身の才能を最上の知と良心に従って展開し、人間性のために用立てるよう義務づけられている。これもまた、**能力責任**の別種の一つの観点であるだろう。

9. **役割責任**と**課題責任**、あるいは**契約責任**は、実際それぞれの職業に見

いだされているが、これらはひとびとが引き受けなければならない多かれ少なかれ特定の形式上特有の役割と結びついていることがよく知られている。役割の充填が責任ある課題である。役割責任は相応する課題を成し遂げることである。もちろんまた役割を引き受けることには上位の道徳的義務が結びついている。すなわち、引き受けた課題や契約上の義務を守るという義務が結びついている。そうした結びつきは、ますます高い段階の**道徳的諸観点**と関わらなければならない。それゆえまた、

10. **メタ責任**（*Metaverantwortlichkeit*）、あるいは**超責任**（*Hyperverantwortlichkeit*）と名づけることができるような責任のタイプがある。この変種が関係しているのは以下のことである。すなわち、われわれは事情によっては、諸行為や諸状態、また次のような諸活動に対してだけ責任があるのでないということである。この場合の諸活動とは、課題や役割の上で責任を負うべき対象を責任ある理性的な仕方で満たすことに寄与するような活動である。それは、つまり責任性のしかるべき内容的なコンセプトの中に含意されているものである。そうしたものだけではなくて、責任の概念の展開に対してもわれわれは責任がある。したがってわれわれはいわば責任倫理学そのものに対して、自己の責任性に対して責任がある。すなわちわれわれは、みずから責任性のコンセプトや把握をふさわしい綿密な仕方で展開することに対しても責任がある。それは、**人格的な超責任**、あるいはメタレベルでの責任であるだろう。しかし、責任性に対する責任という段階のコンセプトは、責任の倫理学そのものに、あるいは責任の哲学に関係することができるだろう。かくして倫理学者の仲間に、あるいは個々の哲学者に関係することができるだろう。これらの人々は、専門上、あるいは職業上、職業から成立した課題を持っており、そうした枠組みの中で責任のコンセプトを**責任上**さらに展開する特殊の責任を持っている。メタ責任あるいは超責任というこの概念もある意味で（能力責任の概念と同様に）いかなる統一的な観点でもなくて、多くの観点を包括している。

第2節　個人の責任とグループの責任
■責任性の統一とグループの責任性

　具体的な人間性についてこれまで考察してきた見解（すなわち、状況に適合すること、文脈、そして特に責任性の人格的な引き受けに方位づけられているような見方での）に伴っている関心としては、責任概念についての以上のような類型と視点を区別するとともに、ある種の概要を供給し、ある種の総合を樹立すること、つまり**責任性の統一**を求め、提供することが挙げられる。まさしく以下のように言ってよいだろう。具体的人間的、あるいは人間性に向けられた人格に固有の責任性、人格に結びついた、人格によって遂行される責任性の課題は、この責任性のいろいろな観点を人格と結びついた統一の中にもたらすことである。それからまたそれらの観点をその都度しかるべき状況に順応した結合の中へもたらすことである。この結合は「理性的」で均整がとれ適切なものである。だからその結合は、それぞれの人格ごとに、これら責任性のさまざまなアクセントないし特徴のあいだに、ある種の具体的・人間的妥協が成り立つことを示している。なぜならここでももちろん問題であるのは、**分析的**区別、したがって**いろいろな観点**だからである。すなわちこれら観点は、責任が要求されていたり、あるいはわたしがわたし自身責任を感じていたりする状況の現実のなかで、しばしばただ互いに部分的に重なって起こったり、しばしば分割されなかったり、分離せずに、まさしくしばしば一緒に現れ、しかも大なり小なり強調されるか、あるいは強調されずに現れてくるような観点である。特に重要であると言えるのは、これら個々の次元に開かれる適切な特別の視点を取り出すこと、それからまた責任性のいろいろな結合タイプを展開することである。しかしすべてはどこかスコラ的な課題のようにみえ、具体的な人間性の理念の意味を持っていないように見える。われわれは分類マニアになってしまう危険性がある。分類マニアのいろいろな形態は、いまではもう状況を全く的確に捉えることができないし、われわれが相応の責任の結合を**ペルソナの中で**（統一的・人格的に）実践的に担うことを不可能にしてしまう。いずれにせよ重要であると思われるのは、具体的・人間的責任性のために人格的責任が強調されるということである。相応の人格的統一と人格による**社会参画**（*Engagiertheit*）とがいっしょに現

れるためには、すなわち、責任は個々に人格的に担われなければならないということである[25]。われわれは、集団的責任性つまりグループの責任性を個人の責任性に還元するのか還元しないのかという問いに立ち返るだろう。先取りして言うと、実際には、グループや、それどころか企業や団体にも道徳的なグループの責任性を帰すことができるように思われる。しかも、この道徳的責任性が純然たる定義のうえでは個人の人格的責任性に連れ戻されたり、いわば解消されたりすることはあり得ない。もっとも、個人の人格的責任性、特に代表的立場で責任性を分かち合う人々の人格的責任性が含まれてはいる。グループの責任性は普通の仕方では、あるいは少なくとも制度的にそして団体的には、この意味での人格の責任性にすっかり還元されはしない。しかし、グループの責任性は常に、人格の責任性と結びついて具体化・実効化可能な関係のなかへもたらされなければならない。このことは興味あることに道徳的連関でも妥当する。

■航空事故のケース

　ここでわたしは一つの例を挙げよう。1979年11月28日に237人の乗客と20人の乗組員を乗せたニュージーランド航空のDC-10は、南極地方にあるエレブス山に衝突した[※]。生存者は一人もいなかった。後続の調査は、DC-10が有視界飛行の条件下で23マイルの視界で飛んだということを示した。飛行機は1万2000フィートの高さの山に衝突したとき、2000フィートの高度で飛んでいた。調査委員会が事故原因の調査のために設置された。ニュージーランド航空は、パイロットのミスが墜落を引き起こしたと主張した。コリンズ機長は27マイル、コースから外れていた。そして非常に低い高度で飛んだ。しかし委員会は、パイロットのミスという理論を疑わせる証拠を発見した。DC-10は、コンピュータシステムによって操縦されていたので、コンピュータに緯度と経度の座標数値が入力された後に、飛行機は特定の場所のあいだをコンピュータの指示と一致して独力で飛ぶことができる。飛行19日前の話し合いでは、

[※]DC-10の悪名高い墜落：DC-10の貨物室のドアが開き事故を起こすことについては、本書150頁およびH・W・ルイス『科学技術のリスク』宮永一郎訳、昭和堂、1997年、pp.176-8参照。

コリンズ機長に、飛行ルートの座標はツアー用飛行の座標が慣例であるだろうと告げられた。けれども事実上はコンピュータに**他**の座標がその後インプットされた。コリンズはコンピュータの針路に従った。そして気づくことなしに山に向かって飛んだ。しかし23マイルの視界のもとで、どうしてそんなことが起こったのか尋ねられよう。コックピット（操縦席）の人員は眠っていたのか。多分そうではない。パイロットは「ホワイトアウト現象」※──「ブラックアウト現象」に似た──に襲われたかもしれない。彼は大気の効果によってだまされたかもしれない。それが深度知覚を失わせ、山の地形を平たく見せたのかもしれない。このようなことが起こりうるのは、特に、成層圏の雲の層が地平線を覆うときである。太陽光線は確かに雲の層を通過する。しかしそのとき積雪によって反射され、雲の底の面によって散乱される。その際影もまったく生じない。距離はもはや見積もることができない。大地と空が見るものの周りにいわば白い玉のまま留まり、そしてすべての地形の凹凸が見えなくなる。飛行機の着陸はまさしく不可能になる。それが、南極地方で、そして似たような地方でしばしば起こる「ホワイトアウト現象」である。

　しかしながら、なぜ取り決めと実際の飛行のときとでは座標系が変わったのか。変更はニュージーランド航空のDC-10のフライトに対する専門主任（Gebietsleiter）によってなされた。変更はおそらく「十分な理由」からなされた。前便のフライトの機長がコースの不一致を指示した。専門主任はそれに基づいてコースの変更を命じた。しかし、コリンズはそれについて知らされていなかった。情報は通常は無線を通じて与えられた。そしてそれが厄介な点である。「十分な理由」は無線からはそれほど明らかに認識されない。しかし明らかに提示されてはいた。

　コリンズ機長は一人で責任を負うべきか。そもそも特定の複数の個人に責任があるのか。あるいは、ニュージーランド航空**全体**にもっぱら責任があるのか。たとえば法的意味で責任があるのか。このような脈絡の中で判定することは難しい。そうした脈絡には、コンピュータの誤りが入り込んだり、文書形式も再確認も必要としない申し合わせが入り込んでいる。そうした場合に、いつもは個人に割り振られるような、**そのような**責任について、どうして一般に語るべ

きなのか。もちろん良くないのは、飛行機の機長がコンピュータの航路の変更について知らされていなかったことである。この情報は、すでに言ったように、一般には口頭だけで無線を通して伝えられた。それは、通常の経過と完全に一致していた。われわれはアメリカの哲学者ポール・トムプソンとともに次のように言うことができるだろう（Thompson, 1986）。システムが欠陥を持っており、システムのせいであり、システムが変えられなければならないと。衝突の原因は個々人の行為にはない。そうではなくてむしろ関与した人々の**相互行為**にある。そして情報伝達が機能しなかった仕方にある。単独での責任をつかみ出すという試みは、罪を着せることを求めること以外の何ものでもない。調査委員会は、組織的連関と実施方法を原因と見なした。そして企業の中の個々人に戦略全体の責任を負わせることはアンフェアーであると述べた。

■「責任性の拡張された原理」と「敏感な順応の原理」(フレンチ)

ここにグループの責任性と個人の責任性との混合があると考える人がいるかもしれない。そしてそれはピーター・フレンチのよく知られた本、『集団的団体的責任』（French, 1984）におけるテーゼである。フレンチも同様に先のケースを詳細に調査し、そしてこのケースを特に、集団的ないし団体的責任性を帰すことの二つの規則を紹介するためのきっかけにした。一つには彼が、「責任性の」あるいは帰責可能の「拡張された原理」（Extended Principle of Accountability）と名づける原理である。それが結局のところ意味するのは、単に本来の意味で実行された行為に対してだけ責任があるのではないということである。すなわちひとは、戦略や一般的手引きが問題である場合には、危険な業務遂行中は目をつぶる指令業務の諸結果に対しても責任がある。また、誰かが間接的な意味であるいは単純に付随的にもくろんだり、一緒にもくろんだりするか、それとも起こるだろうということを潜在的に欲しているかするような結果、したがって甘受するであろう結果に対しても責任がある。責任性の一般的原理のこの拡張は、規則づけられた行動、あるいは規格的に操縦された行動が、特に社会連

※ホワイトアウト現象：見渡す限りの氷原が全天雲に覆われ、雪や氷で視界が悪くなると、上下、四周すべて白一色で、凹凸も判別できず、自機以外には全く判別できるものがなく、パイロットは盲目状態となる現象。

関において問題であるとき、全く有意義である。それは、とりわけ経済倫理において重要であり、フレンチが他の飛行機事故、1974年パリ上空でのDC-10の悪名高い墜落を手がかりにして調査した事柄である。この事故では、契約を結んでいる下級会社の技術者(Applegate)がある警告を発したが、その警告をこの会社は当の飛行機会社に伝えなかった。危険な後部積み荷のハッチの構造が問題だった。整備の失敗も現れ出た。後部積み荷の扉の危険な閉鎖がまだ正常な状態に戻されていなかったにもかかわらず、オーケーが出された。この扉がその後パリ出発の際にぱっと開いた。そしてそれが墜落を招いた。危険や無頓着さが放置された。そしてこの拡張された責任性の原理に従うと、ひとはそのことの責任もまた、ともに負わなければならない。もちろん、エレブスのケースで言及された危険の放置もそれと関連している。つまりフィードバックするコントロールを個々に持たずに、口頭でだけ、あるいは電話でだけ、あるいは電波でだけ、飛行ルートに対するコンピュータの変更についての情報をインプットすることである。そこに、この〈責任を帰すことの拡張された原理〉が関連しているのは、言うまでもない。

　しかしフレンチはその原理をさらにもっと拡張した。そしてこの拡張も、もっともらしい。すなわち、調査委員会が試みたことは、ニュージーランド航空に、コンピュータの航路変更について口伝えするというこの危険なやり方は廃止されるべきだということを認めさせることだった。しかし会社は、パイロットたちすら、すすんでそうする気はなかった。彼らはこの種の伝達になれていた。こうした、ある程度誤まりの危険性のあるものに対し無頓着であるやり方全体を取り除く気がなかった。それゆえに、ピーター・フレンチは、「敏感な順応の原理(Principle of Responsive Adjustment)」をも要求しなければならないと言う。それは、応答し反応する適応の原理である。つまりその原理は、**みずからそれをやめる気がない業務**の結果に対して、その場合でも共に責任がある、あるいは責任があると見なされるというものである。**危険な戦略に関して反応的な適応を拒絶すること**は、〈[危険に]目をつぶるということ〉であり、これが責任性を高める。ここにも、幾人か、あるいは一人のひとが責任を負わされるのかという問いがある。確かに多くの、あるいはすべてのひとが危険なやり方を取り

6. 責任のさまざまなタイプと次元　151

除かないと決定を共にするということは、明らかにあり得ない。パイロットにアンケート調査が行われた。この飛行機事故の場合、グループの、ないしは会社のある種の道徳的責任性というようなものが存在するということについて語ることができる。この責任性は、一人のひと、幾人かのひとだけに帰せられるものではない。もとより、グループ内部で行為しそしてこの戦略を用いる当該の人たちが、その都度また個人的責任性を担い、あるいはみずからに負ってはいる。いわば**道徳的**地位を持つような責任性がある。その責任性は、二次的であるけれども、当該者のグループに、そして伝統的な意味で責任を担う当該者に特に関係する責任である。したがってわれわれは**グループの道徳的責任性**のようなものが存在するということについて語ることができる。

■**人格的責任の統一性**

関係する各人の具体的人格的責任の意味において、ある状況の文脈にかなう責任の「ミックス」を引き寄せてみるよう試みられなければならない。このミックスは、まさに理性的に「責任ある」ことであって、しかも人格的にそして究極的にその人によってその都度担われなければならない。しかしそれはこの状況全体をカバーしない。いわばいつもただ各人が持つ人格的な一コマなのである。たとえばいろいろなタイプの、重要で活性化した責任性が混ざり合うことから生じる人格的・道徳的責任は、個人にとっては**統一的**である。具体的に人間的で人格的な責任は、いずれにせよわれわれの直観に従うなら、**分割不可能**である。結局、責任を負うものとしての人格は統一的責任のコンセプトのなかにある。われわれは少なくともわれわれの伝統的な把握の中では、そのように思い描く。責任感を分離し分割するということはあり得ない。個人の責任感が無効になるほどに、命令遂行上の緊急状態等々、重大事と言われるようなことは、あり得ない。そのようなことはすべて分かり切ったことである。人格的で具体的道徳的な責任は、われわれの直観に従うとあらゆる細分化にもかかわらず統合に関して最終的に分割不可能である。われわれは責任の分割不可能について語ることができる。いずれにせよわれわれの直観に従うと、そうである。そしてそのことは、われわれが「作り」産出するような投影物と言ってよい。われわれは、責任をその都度の人格に関係させるために、［責任の］**人為的統一**

性を成立させる。もちろんわれわれは、そのことですべての種々の［責任の］相が把握されることにはならないことを知っている。そしてわれわれはまた、社会的に担われるべき責任の複合全体がそのことで把握され得ないことを知っている。種々の人格的責任の統合の問題、あるいは社会的責任性やグループの責任性をその都度当該者の人格的責任に関係させるという問題は、それ［責任の人為的統一性の成立］と同時に初めて立てられる。われわれは引き続き、さらに責任の他の類型的分類を展開することができるありさまを見るであろう。

■**責任概念は多位の関係概念である——少なくとも五つの位**

　責任性のおおざっぱな状況は、わたしがある特定の状況において、責任の担い手として、（責任の）受け手に**向かって**、あるいは該当者に**向かって**（*gegenüber*）、ある事柄に**対して**（*für*）、すなわち出来事や対象やわたしの行為の結果あるいは行動そのものに対して、たとえばわたしが受け手に向かって行う一つの行動に対して責任をとるということである。その際、わたしはある法廷の**前で**責任を負う。たとえば法廷は、責任性一般や当面のケースでの具体的責任を評価し判定する。このように「裁く」あるいは判定を科する法廷は、現実の法廷であることも理想の法廷であることもある。この法廷は、現実の人格であるかもしれない。この人格に向かってわたしが**答える**ように、また自らを正当化するように義務づけられている。それは神であるかもしれない。社会、人類、あるいは法、たとえば裁判官の形で姿を現す法であるかもしれない。自己の良心であるかもしれない。換言すると、責任の概念は多位の（mehrstellig）関係概念、あるいは**関わり**概念である。それは、単に帰責の概念であるだけではなくて、少なくとも五つの位の関係を示す関係概念でもある。わたしは、誰かに**向かって**（*gegenüber*）、何かに**対して**（*für*）、ある法廷の**前で**（*vor*）、ある基準に**関連して**（*in bezug auf*）責任を負っている。そしてそれは場合によっては種々の層で生じ得る。たとえば、道徳的に、宗教的に、単なる因果的責任として（抽象的・一般的、図式的に見ると）生じる。あるいは役割・課題の責任の意味において役割責任的に、あるいはまさに法的に生じる。したがって、少なくとも、責任の五つの異なった層あるいは地平を区別することができる。われわれが複雑な構造を今個々の点について綿密に示そうとするならば、われわれはさしあたり分析的・

次元的困難に陥る。

　責任概念は、帰責に結びついた多位の関係ないし構造概念であり、次の要素と結びついた解釈や分析を必要とする図式である。**誰かが誰かに向かって何かに対してある審判を前にある基準に関して**、相応の行為領域の**枠の中で**責任を負う。もちろんそれに追加した区別が書き加えられよう。たとえば例を挙げると、非難の責任に典型的に見られるように、責任性が事後（ex post）に帰され得るか、あるいは事前の配慮責任に典型的に見られるように、前もって（ex ante）帰され得るかという区別がある。あるいはまた、制裁で脅かされた外面的責任と、単に非公式の責任とのあいだの区別がある。非公式の責任とは、（おそらく）たとえば道徳的価値判断によって表現されるか、ないし内面化されるような、開いた制度化されないかたちでの社会的な支配による責任である。また規範には、種々の程度の拘束性（拘束力）（Verbindlichkeit）がある。これら拘束性が次にまた責任性の拘束性に影響力を発揮する。社会学者は、ひとが遵守しなくてはならない法則である〈ねばならない（Muß）〉規範を、ひとが特徴的な仕方で自己を定位すべきである〈べき〉（Sollen）規範から、そして単なる〈できる〉規範から区別する。後者は、よいセンスあるいは態度の規則のように、ひとが多かれ少なかれ好きに満たすことができるもので、場合によってはむしろ習俗や慣習を示し、〈ねばならない〉や〈べき〉であるという特徴を全く持たない。これに従って、今またさまざまな責任の種類を区別することができる。法廷に従って責任の種類を区別することができるのと、まったく同様である。法廷に従った責任の種類の区別とは、自己、良心、社会、人類、神、あるいは何であれ、責任の種類にかんする固有の分類の根底に置かれ得るようなものに基づく区別である。こうした区別は、個々に事例を綿密に把握するには重要であるかもしれない。けれども一般的に興味があるのはむしろ責任の関係の構造的類似性である。まさしく責任のさまざまな異なる法廷（審判）を前にしてもそうした類似性がある。包括的な構造的特徴は、むしろ形式的であるにしても一般的分析にとって必要不可欠である。

　さらに他のことが付け加わる。われわれは、以前に考慮した責任活動・能力の 10 個の類型で見たように、責任性一般が活性化されるにふさわしい状況に

常に身を置いて、その都度の責任に**釣り合いのとれた統合**をもたらさなければならない。したがって最後には、われわれはこの責任を何とかして人格に結合し、人格として担い、そして再び人格としてこの完成ないしこの結合成果に責任を負わなければならない。したがって**人格的責任**がある種の超コンセプト（Überconcept）であるように思われる。しかしだからといって、この責任性が今や**根本的責任**、たとえばヴァイシェデルが洞察したように、ここからすべての他の責任が導かれうるような**根本的**責任である必要はない（上記 [本書 p.78 以下] 参照）。

第3節　行為責任、役割・課題責任、普遍道徳的な責任
■行為責任の種々のタイプ

　責任性をどちらかというと形式的な記述に関連づけ、先に言及した種々の層に関連づけるなら、少なくとも、以下のような責任性のレベルないしは個々の責任のレベルを区別することができる。最初に、図式的に包括する一般的行為責任を際立たせる（図1を参照）[26]。われわれはここでは行為責任という一般的観点のもとで種々のタイプを区別することができる。まず、原型としての（積極的）因果行為責任（狭い意味での）、つまり一定の自己の行為とその結果に対する責任。また、われわれは不作為に対しても責任を負わなければならない。不作為においても、すなわちある行為が期待されていたり、あるいは期待されなければならなかったり、あるいは期待することができた場合に、たとえば「なされなかった援助行為」などなどについて考えてみれば、消極的な因果行為の責任について語ることができる。そしてまた両者の組み合わせがある。そこではわれわれは、事故や破局を避けるために、能動的（aktiv）に行為する。だから、予防（行為）の責任と呼べるような責任性を活性化するケースがある。これらすべてはさしあたり個人の個々の行為や行為の種類に関わっている。典型的に多くは、個人的に理解される。しかし、責任はグループによっても、ないし多数の人々によっても担われる。たとえば、集団的行為における共同責任がある。そしてまた行為の長期にわたる性向や結果に対して一般的責任が問われる。たとえば両親ではそうである。両親は彼らの子供の幸福一般に対して、そ

6. 責任のさまざまなタイプと次元　155

れゆえほとんどすべての行為の種類に関して責任がある。個々の行動に対してだけ責任があるのではない。

　また、諸々の機関の副次的な行為責任のようなものがあるということが、付け加えられなければならない。なぜなら機関も副次的な意味で行為するからである。国家が行為する。会社が行為する。たしかにその場合、その都度代表するポストにある者によって代行されてはいる。委託を受けて相応の立場に立ちながら、ないしそのポストにある者として、機関の代理として行為する人によって代行される。この**機関の行為責任**は、必ずしも相応の代表する人格の個人的責任性に還元されるとは限らないし、分析的定義的に完全に還元されることはない。なるほど、しばしばその都度の機関の最高の指導者に主だった責任があると見なされ、また指導者が自分で場合によって責任があると宣言し、もしかすると「完全な責任」を引き受けるにしても、そうである。だが［指導者が完全な責任を引き受けると言っても］それは、たいていは言葉での言いわけにとどまり、そしてしばしばたとえば政治的責任の決着の場合のように、そこから大し

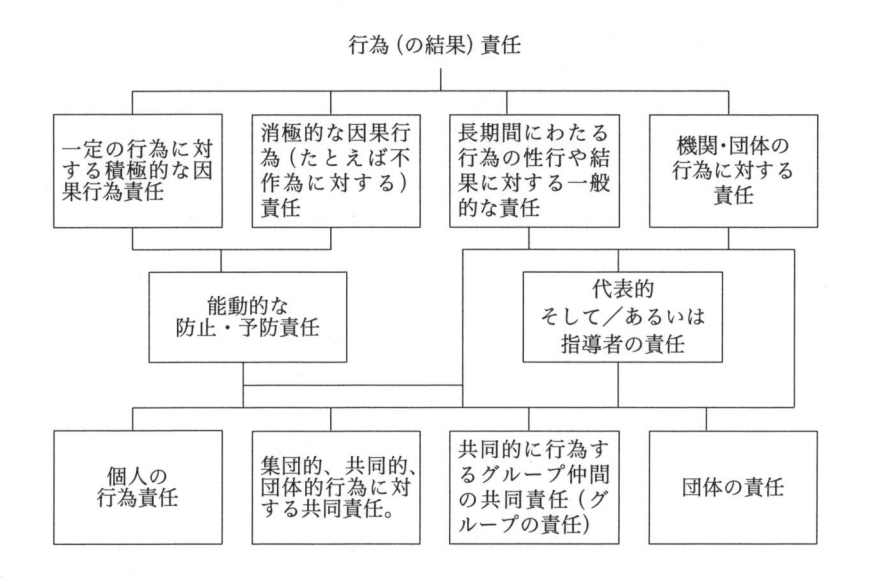

```
                          行為（の結果）責任
    ┌──────────┬──────────┬──────────┬──────────┐
一定の行為に   消極的な因果行    長期間にわたる    機関・団体の
する積極的な   為（たとえば不    行為の性行や結    行為に対する
因果行為責任   作為に対する）    果に対する一般    責任
               責任              的な責任
    │                                │              
    └────────┐          ┌────────────┘
         能動的な                 代表的
         防止・予防責任           そして／あるいは
                                  指導者の責任
    ┌───────┬───────┬───────┬───────┐
個人の    集団的、共同的、  共同的に行為す    団体の責任
行為責任  団体的行為に対    るグループ仲間
          する共同責任。    の共同責任（グ
                            ループの責任）
```

図1

た帰結は生まれてこない。代表的人格の責任、指導者の責任は、機関の責任が人格や立場に結びつくように個々人に関係する、そうしたケースとして現れる。団体の責任は機関の行為責任の特殊な形態である。集団の行為に共同責任があるのと同様に、会社の内部での**団体**の行為には、なおのこと責任がある。相応の公式的責任性や相応の形式的企業構造や団体内部の意思決定の細分化には、特殊化したヒエラルヒーがあるが、これにその都度従うかたちで、そうした[団体の]責任がある。

■**行為責任の具体化としての役割・課題責任**

　因果的（行為）責任の構造のこの種の図式的洞察は、もちろん本当のところ抽象的である。これは内容的に満たさなければならない。内実を供給しなければならない。形式的な結合を具体的な領域、期待、規範、契約等々に関係させることで、そうしなければならない。それゆえに次の図表は（**図2**を参照）具体的な責任存在に少し近づく。もっとも単純な具体化は、役割・課題責任である。それは個々に例を挙げて説明するほどのこともない。役割遂行への責任、あるいは特定の役割活動と結びついた期待を遂行する責任、したがって役割義務を遂行する責任は、もちろん特に職業と特殊な連関に置かれることで各人に知られている。これらの責任は、むしろ公式的で形式化されており、指示あるいは契約によって規則づけられているかもしれない。それらは場合によっては法的に固定され、規則づけられているかもしれない。しかしまた、非公式に生じるかもしれない。代表的な役割、例えば取締役に対する制度的な役割責任は、その都度随伴的なケースである。しかし公式的な役割責任と並んで、次のような人格に向かい合っての忠誠の責任というものがある。すなわち、特定の機関で人々が結託し義務づけられるような関係の相手としての人格、たとえば党派における「元老議員（elder statesman）」、そうした人格に対する忠誠の責任がある。

　諸機関がその構成員や共同社会に向かって担う団体の責任は、今日では大いに議論されている点である。それも、今や機関の副次的な（次の表を見よ）役割・課題責任である。

　われわれはすでにこうした役割責任の図表の中に、とりわけ次の**図3**の中に、保護・事前の配慮責任を見いだす。それは、本質的にハンス・ヨナスが

(道徳的地平において)(われわれの力や役割行為に)依存している存在に対する存在責任として持ち込んだ概念である。この事前の配慮責任は、ラッドの場合と同様に**未来**の行為にも関係する。もっとさらに細分化することができるだろうし、しなければならない。

　債務責任と補償責任はもちろん前の図表で示された図式的な行為責任には見いだされない。なぜなら、債務責任があるというのは、はじめから自己自身の行為の結果に対して責任を負うというケースではないからである。そうではなくて、ひとは、債務責任を負わせるという意味での債務責任や補償責任を、事情によっては自己の行為と関わりなく引き受け、しかも特定の**役割**に依存して引き受けるからである。それゆえに、少なくとも法的に成立しているような契

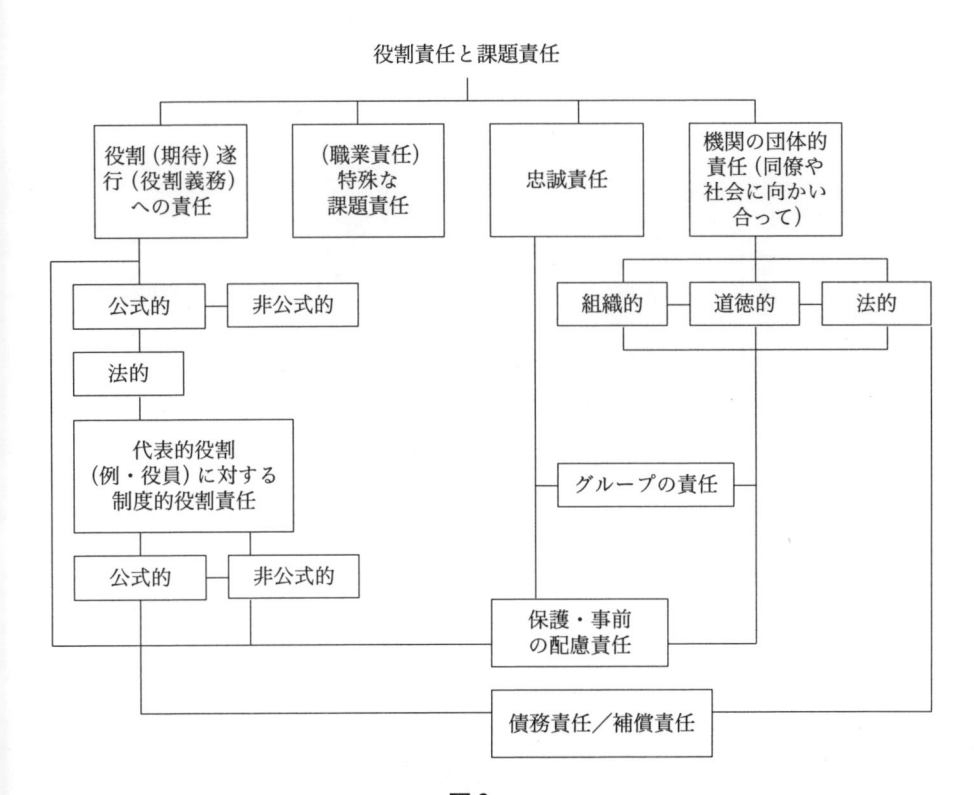

図2

約による、あるいは課題と結びついた役割責任が問題となる。

■**普遍道徳的な責任性**

われわれにとって特に興味ある第三の責任性の次元あるいはレベルは、**普遍道徳的な**（図3を参照せよ）責任性、あるいは狭い意味での倫理的・道徳的責任性である。これは、生き物の安全幸福、特に他の生き物の安全幸福に関わる責任である。しかし事情によってわたし自身にも関わる。それゆえに、この意味でまた**自己責任**というものが存在する。通常は道徳的責任は、直接に状況の中で活性化する。ひとは具体的状況の中で、直接に彼自身の行為に影響を受けた者に向かって、この行為に対して、ないしはこの行為の結果に対して責任がある。だが今日複雑な社会では、それはもはや典型的な場合ではない。今日の社会ではまさに非常に多くの作用連関が、事情によってはおびただしい結果をはらんだ間接的な作用連関が、国際的かつ地球的規模で現れる。それだけではな

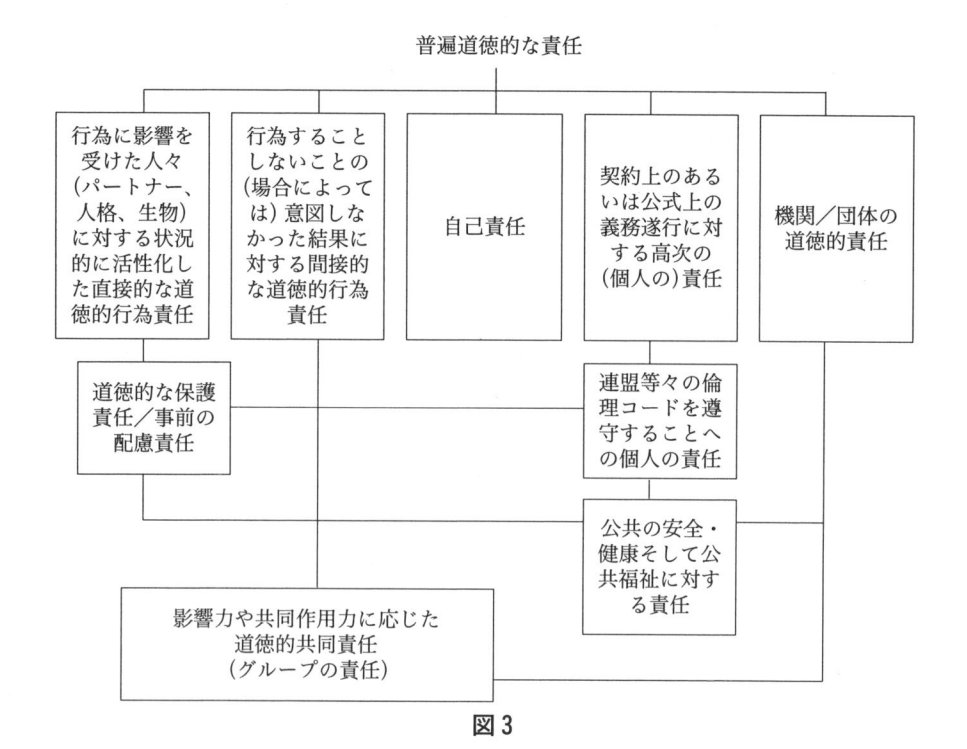

```
                        普遍道徳的な責任
    ┌──────────┬──────────┬──────────┬──────────┬──────────┐
行為に影響を    行為すること     自己責任      契約上のある    機関／団体の
受けた人々      しないことの                  いは公式上の    道徳的責任
（パートナー、  （場合によって）              義務遂行に対
人格、生物）    意図しな                      する高次の
に対する状況    かった結果に                  （個人の）責任
的に活性化し    対する間接的
た直接的な道    な道徳的行為
徳的行為責任    責任
    │                                            │
道徳的な保護                                連盟等々の倫
責任／事前の                                理コードを遵
配慮責任                                    守することへ
    │                                       の個人の責任
    │                                            │
    │                                       公共の安全・
    │                                       健康そして公
    │                                       共福祉に対す
    │                                       る責任
    │                                            │
影響力や共同作用力に応じた
道徳的共同責任
（グループの責任）
```

図3

い。今日のわれわれの行為に依存し、だが事情によっては他の国に生きているような人間に対する**間接的**な道徳的責任についても、あるいは（また）そうした人間に対する不作為の行為に対する責任についても語らなければならない。

道徳的な保護責任と事前の配慮責任は、もちろん普遍道徳的な責任の場合にも見いだされる。例えば、子供に対する両親の**道徳的**責任性がある。

これら直接に行為と結びついた責任とともに、契約上の義務を履行すべき、あるいは例えば法を遵守すべき**高い段階の**責任がある。義務を遂行し、法を遵守すること、それはまた道徳的責任性でもあり、かくして義務遂行への高い段階の義務でもある。こうした契約上の義務の履行への責任性が次にまた、連盟のいわゆる倫理コードにも関係する。例えば学術団体、技術者団体の倫理コードがある。それらは、今日たいてい、公共の安全の保持や公共の健康・福祉の促進に対する責任を明確に含んでいる。

機関や団体の道徳的責任は上に述べたように議論されている。そして機関にも実際ある種の道徳的な、あるいは擬似道徳的な責任性が帰され得るように思われる。しかしその際、この機関や団体を、ピーター・フレンチ（French, 1984）が試みたように、いわば「法的人格」になぞらえて道徳的人格にしなければならないという必要はない。

共同作用力や影響力に応じたグループや個人の責任は、もちろん普遍道徳的な責任性というこの図にも含まれている。社会心理学者たちの確認によれば、事実上、大きなグループの参加と共に自己の責任性はわずかとなるという印象がある。それは、それ相応の共同体の意思決定との関連では、正しいことかもしれない。しかし、厳密な**道徳的**意味では、そうあってはならないし、そうあるべきではない。たとえば、われわれの議会が道徳的責任を担うとき、各議員はこの責任をいつもともに担う。しかも各議員は、責任を同じ程度に担う。彼は党首の広い肩の後ろに隠れてはならないし、（ある意味で）そうすることはできない。道徳的意味では、責任性は軽減され得ないし、分割不可能であり、委ねることは不可能であるし、減じられない。このことが、普遍道徳的な責任性で役割を演じている根本理念である。それにもかかわらず、残念ながら、責任がグループのなかで、特に大きなグループのなかでは薄まるという現象が至る

所に見られるのだ。

■図表での区分について

　これら責任の図は一部は批評家たちによって誤解されている。なぜなら、一部のひとは、あまりにも表面的な考察にとらわれて、この責任の図表が分離した個々別々の責任の類型を示すだろうと信じたからである。しかしこの図表はそういうことをするのではない。それは、分析的・理念型的とみなされる次元や責任の類型を述べている。だから責任のいろいろな類型は必ずしも、それらがその都度分離して現れるという意味で相互に区別されるのではなくて、現実にそれらが部分的に重なり合い、程度の差があるにせよかなりの程度において関連している。したがって、互いに排除する規定ではなくて、遠近的・分析的特徴づけが問題なのである。

　われわれは以上に付け加えてつぎのように言わなければならない。すなわち、図表それ自体は、複雑な連関のようなものを供給するのであって、統一的な唯一の基準に従って作成されているのではないと言わなければならない。一般的・図式的な行為の図は、ただ次のことを前提している。誰かが行為に対して責任があるということ、そしてここで行為責任性は彼が行為者として因果的に引き起こしたものに関して理解されるということである。それゆえに、一貫した区分の基準ではなくて、**さまざまな**特徴的結合が描かれている。一般にこのような図の中に現れる高いほうの責任のタイプは、それを現実化することで下のタイプの責任の少なくとも一つを帰結として現実化するという性質を帯びている。だから、こうした種々の特殊的な下級のタイプが、いっしょにあるいは二者択一的に実現される。かくしてたとえば、人格的な性質を持つ積極的な因果責任としての行為結果責任は、検査技師にとっていっそう特殊的には、監督に当たっての能動的な防止責任であることが分かる。そして同時に検査技師の活動は、実際にまた**役割**義務の遂行の一つの事例であり、従って相応の役割・課題責任に組み込まれる。相互に並列する下部のタイプは通常は必ずしも二者択一ではないし、あるいは選言的であるのでもない。なぜなら相互に挙げられたタイプは、一般に示されたように、むしろ実現に関して継続関係を示しているからである。かくしてたとえば、長期間にわたる行為の性向に対する一般的責任は、

特定の状況の中での特定の行為に対する積極的な因果行為責任に層をなして重なり、機関の行為責任を伴うことができる。それぞれの図表の下半分には、行為の担い手に従っての区別が挙げられている。個人の責任性、グループに向けられた責任性、団体の責任性。もちろんその区別も図表全体を構成するための統一的基準を与えるのではない。そうではなくてそれは教授法の明瞭化のために引き合いに出されたものである。

　図の区分は、それゆえ、唯一の統一的基準に従って形成されるのではなくて、見通しが利くようにするために、そして一般的責任性とより特殊な責任性のあいだの**普通**の関係を描写するために作成されている。われわれがこのような識別を思い通りにできるなら——わたしは下記に責任性のあいだの新たな側面の区分を挙げるだろう——、そのときは、よりよく明らかな仕方で**責任の葛藤**が描写されるだろう。そしてそれは決定的である。われわれの責任の問いは、実際上問いが立てられるならば、たいてい種々の責任性のあいだで生じる葛藤である。このようにして、従って種々の形式で、葛藤がとらえられる。もちろん、それだけでは葛藤は解決されないし、あるいは和らげられ、規則づけられもしない。そのためには、理論的なとりわけ規範的な補助手段が必要である。たとえば、そのためにわれわれは優先についての特定の規則を必要とする。道徳的責任性が一般に役割責任性に先行するという一般的規則が必要である。このような優先とその規則ないし規範の可能性について、もっと立ち入って考えてみなければならない。

　この章では基本的に責任の種々の図式やレベルと取り組んだ。しかも、道徳的責任、法的責任、行為責任、役割責任、課題責任のあいだを区別することに取り組んだ。結局、責任性は統一的であり、分割不可能なものとして把握されるべきであり、把握されなければならないということが示された。そして、ある状況での具体的な人間性の観点のもとで種々の責任性がその都度の状況に特有のかたちで、あるいは片寄らないかたちで比較考量されなければならず、そして個別的な観点に応じて組み合わされなければならない。こうしたことも、示された。引き続き、責任のコンセプトにとって必要なさらに新しい二つの分類方法に言及しなくてはならない。

第4節　責任の26個の類型

■責任のさまざまな両極性——責任の類型的区別

　両極性が問題である。その都度、これら両極性の全体の中のどちらかの極が強調されるという両極性である。［責任の］プロフィールのようなものを明らかにするか、あるいは明らかにしてくれそうな両極性は、総計で26ある。わたしが今簡潔に議論するであろう両極性は、それぞれ一部はなお互いに還元することができるかもしれない。しかしわたしはそうは思わない。確かにこれらの両極性は内容上互いに関連していて、部分的に重なり合う。しかし、このように区別をつけることは、それぞれの個別的なケースでは重要であるように思わ

責任の両極性、および連続している極端な理念型

1. 規範的／記述的
2. 制度的（社会的に規範化されている）／非公式的
3. 法的／（普遍）道徳的
4. 役割特有の、あるいは課題特有の／（普遍）道徳的
5. 内容限定的・専門的／包括的一般的
6. 消極的（応報的、報復的）／肯定的
7. 過去に方位する（事後的 ex post）／未来に方位する（先行的 ex ante）
8. 二次的（言葉による、判断的）／原初的（行為を操縦する、あるいは行為を方向づける）
9. 原理に向けられた（"心情倫理"）／結果に向けられた（"責任倫理" マックス・ヴェーバー）
10. 対象言語的（直接に行為に向けられた）／メタ言語的・メタ理論的「メタ責任」（倫理理論に向けられた）
11. 分割不可能（全体的）／分解可能（共同的に担いうる）
12. 排他的（閉鎖的）／包含的（開放的）
13. 個人的／社会的（グループに結びついた）
14. 対外的／（仲間内の）内的
15. 他人に帰せられる／自己に帰せられる（良心に結びついた）
16. 負い目責任／拡大した道徳的な事前の配慮責任（ラッド）そして保護責任（ヨナス）
17. 制裁的／非制裁的
18. 形式的／内容と結びついた
19. 遵法主義的／誠実的
20. 抽象的・一般的／状況特殊的
21. 形式主義的・「文字通りの」／人格的（人格に関与する）
22. 課題に関係した／人格的
23. 道徳に類似した／狭い意味で道徳的
24. 団体的／個人に関係した
25. 集団的／個人に関係した
26. 分配的／非・分配的

れる。これらの区別はまた、一部は文献にも挙がっているので、本著でも類型として基礎に置かれてよい。従ってわれわれは、責任の両極性と極端な理念型について、ないしこれら種々の両極性の連関で明らかになる責任のプロフィールについて語ることができる。そのとき理念型の区分が問題である。マックス・ヴェーバーの意味で「理念型」は、確かに次のことを意味している。すなわち、プロフィールを互いに対立させ、そしてただ極端な場合だけを取り上げるが、しかし世界の中に極端な場合がそれほど純粋に現れるとは想定しないということである。現実の事例は混ざったものとして、あるいは中間のものとして、あるいは多かれ少なかれ極の一つにずらされた場合として、その都度の両極性を結ぶ線上に分類される、というのがしばしばであろう。これら類型のうちのいくつかは、対置的であり、互いに直接に排除し合っている。他のものは、程度の等級づけが可能である。そして連続しているように見えるものも若干ある。

■区別1〜2

区別1は、規範的に責任を負わせることと記述的に責任を負わせることのあいだの相違である。われわれは誰かの責任を問う。それは判断する観点である。規範的と記述的との中間で、われわれはなお責任を帰すという訴えの機能を持つ。その機能は一部は記述的に、一部は規範的に理解されうる。君はここでこの場合に責任がある、そう誰かが言うことができる。その誰かは、規範的な意味で他の誰かの責任を問う資格はないけれども、他者がここでは責任があるということを突き止めることによって、彼に注意を喚起することができる。それは記述的極と規範的極との中間で理解され得る。われわれはここで段階づけることを試みることができるし、試みるとしよう。もちろん、こうした規範的で記述的な把握は決して法律あるいは命令にとってだけでなくて、道徳的価値判断にとって、したがって道徳的規範の構築にとっても妥当する。通常は立法者が法律を定め、施行するだろう。そしてそれは、個々の場合に法律を適用することよりもより高い段階にある規範的機能である。だが、道徳的規範の場合、あるいは制裁を加えられない人付き合いの規範の場合は、不特定なひとが、このような規範を初めて取り入れ、そしてこの規範を人々に模倣させるような人として理解されることができよう。それはいずれにせよ（擬似）規範的機能で

ある。立言が「機能化すること」に注意を払うのは大切である。法律や立言が端的に規範なのではない。そうではなくて状況、文脈、連関のなかでの立言の出来事がそうである。このことを、しっかりと把握しておかなくてはならない。純粋に記述的と思われる立言がある特定の文脈のなかでは規範的にも言われることがある。それに対する例は多数ある。われわれはある人のスピード違反を、われわれが同乗者として「100」と彼に叫ぶことによって、注意することができる。いわば彼に100（km）を保つように呼びかけているようなものである。重要なことは、種々の出来事を規範性と記述性に関連して区別することである。立言が場合によっては記述的形式をとっているかもしれないけれども、それが規範的に言われているか、それとも記述的に言われているかが、はっきりと認識されていなければならない。このような文章のとても簡単な例は、ヴィトゲンシュタインの『哲学探求』※での有名な例にある。一人の建築作業員が板を運ぶように指示されるとき、「板」と告げられる。連関から明らかなように、問題なのは「それは一枚の板だ」という命題ではなくて、「わたしに板を持ってこい」である。「板」が規範的に言われ得る。しかし他の連関では記述的にも解釈され得る。従って表現が規範的あるいは記述的に用いられるかどうかは、状況、文脈、期待、個人の担う役割（職長であるなら、彼が「板」と叫ぶとき、傍観者、非関与者がするのとは違ったことが意味されなければならない）に依存している。このことはまた責任概念にとっても、ないしはわれわれが他人に責任を指示する表現にとっても妥当する。記述的仕方であれ、規範的仕方であれ、訴える仕方であれ、そうである。

　第2の次元は、社会学でしばしば議論される。すなわち、責任が社会的に制度化されたり規格化され、すなわち特定の多かれ少なかれ公式的な期待や万人ないしは多くの人に共有された期待に結びついているのか、あるいは非公式的に把握されるのかどうかという区別である。これも、まことに明白であり、どんな説明も必要としない区別である。もちろんたいていの場合は、規格（規準）や期待があるなら、それは状況をある意味で規制するということであり、少なくとも緩やかな形で［状況を］一般的ケースの下位的ケースとして制御したり固定したりするよう期待することであると言える。しかし、幸運にもわれわれは

言わなければならない。われわれの日常において必ずしもすべてが規格化され制御され制度化されているのではなく、行為因果責任の意味での責任を、開かれた状況の中で、制度化されていない仕方で帰するということがある（われわれはレヴィナスの場合を考えている。わたしはある状況で、援助を必要としている他者の顔と直面させられ、そしてこの顔をわたしへの訴えとして、そしてわたしの同胞的責任性の現実化として体験する）と。このような状況において、ひとは言うことができる。それは、無制約的な直接の実存的共同責任性、あるいは他者に対する無制約的な直接の実存的責任性であると。ひとはまた言うことができる。われわれは、援助を必要とする状況にある他者を助けるという一つの道徳的規範があるが、しかし、わたしがこのような状況で一般的規則をまずもって明らかにするという必要はなくて、わたしは同苦から、同情から、同胞性などから端的に助けるのであると。このような援助は制度化される必要がない。道徳は固有の意味でけっして実は、規範と規則が社会的にコントロールされるようには制度化されていない。そうではなくて、それはただ間接的にだけそうなのである。道徳は強制することができない。道徳はただ期待することができる。道徳は期待を呼び起こすことができ、そして場合によってはまた非難したり称賛したりすることができる。それはある意味で言うまでもなく社会的なコントロールでもある。だが、とてもマイルドで柔らかいコントロールである。なるほど洞察、良心、そして道徳性あるいは同胞性へ訴えはするが、しかし制度化された法的責任の意味で強制的に貫徹されることがないようなコントロールである。

■区別3～4

　法的責任は第3の次元を構成する。われわれがすでに見たように、法的に責任を帰すことと、われわれがしばしばなにかを道徳的であると判定できるという意味で、道徳的に責任を帰すことのあいだには区別がある。そしてまた、すでに法的に命令されているということがなくとも、責任の期待が現実化するということがある。道徳は法よりもずっと広い範囲に関係する。道徳は法よりもきめ細かで、繊細に判断する。道徳は、状況、期待、人間の間柄の関係、行為

※『哲学探究』：Ludwig Wittgenstein, *Philosophische Untersuchungen*, 1953（藤本隆志訳『哲学探究』ヴィトゲンシュタイン全集8、大修館書店、1976年).

の状況にいわば繊細に応じている。道徳は法よりも制裁力が少ない。外面的な制裁力は全くない。せいぜいのところ、道徳的非難によってだけである。たしかに道徳を法に非常に類似したものとして理解したカントが言ったように、事情によっては道徳的共同体、倫理的公共体には、誰かにいわば道徳的な非難を浴びせることで、制御のようなもの、道徳的制御のようなものを認めることができる。ある種の道徳的に公然と非難する働きが認められ得る。そしてこの働きが効果を持つことができる。そのときそれは、制裁あるいは道徳的・社会的統制であろう。それは、それだけで疑似・法的機能のようなものを行うであろう。もちろんそのようなものが存在しているが、しかし強制されないし、現実に押し通されもしないし、通常は固定していない。ただし、宗教のようにある種の法的でないものであっても、別に妥当するような命令を引き合いに出す場合は話が別である。だが、道徳は強制せずに、ただ訴えることができるだけであるのに対して、法は要求された人の意思に反しても押し通すことができる。こうした伝統的な相違は妥当する。法は、洞察や洞察能力を頼りとしていない。もっとも誰かが一般に理解力があるという陳腐な意味では別である。たとえば「頭がどうかしている」、すなわち精神病であるような誰かは負い目能力(schuldfähig) がない。こうした人は、自分の行為に対して責任を負っていない[27]。普通、行為というものは負い目能力、洞察能力を前提している。しかしこのことは、ここで詳細には議論の対象とならない事例である。なお以下のように言うことは重要である。こうした法的と普遍道徳的あるいは倫理的との対立は、互いに排除し合う分類であるということを意味しない。なぜなら、法であるものは法国家において通常はまた道徳的にも適正である。法国家にも、たとえば死への条項を振り回し、道徳的考慮を無視するという例外が存在するとしても、そうである。いずれにせよわれわれが不法国家にでも生きるのでなければ、通常は法が道徳に反するというようなケースはない。不法国家では始めから道徳的期待と法的指令のあいだに、もともと全体的な葛藤があるということが起こり得る。そうした国家では、われわれは法に基づいて強制されるけれども、法の規範を道徳のために破らなければならない（例えば隠されたユダヤ人をゲシュタポに引き渡さない）という葛藤がある。

6. 責任のさまざまなタイプと次元　167

　次にわれわれには、第4の役割・課題責任がある。この責任は、普遍道徳的な責任に対置されている普遍的な行為結果責任一般を具体化するレベルであった。このレベルでは、非常にしばしば葛藤が見いだされる。だが、それにもかかわらずそれは通常は排除と受け取られてはならない。企業体で通常は、職員に非倫理的なもの、非道徳的なものは何も要求されないはずである。おそらく、そんな要求は頻繁には生じない。しかし折に触れてすでに見届けられていることがある。すなわち、誰かが自分の部下に、たとえば夜と霧に紛れてライン川にゴミを「処理する」ように命令する。これは社会全般の利害に合わず、社会全般や公共の福祉の観点に合わず、まさしく非道徳的であり、とりわけ法的に禁止されていることである。その限り、一方の役割・課題責任――特に依存的状況での――、そして他方の法的・道徳的責任のあいだにこのような葛藤が姿を現す。実に、役割責任と、法的状況を尊重し法を破らないという高い段階の責任とのあいだに葛藤が現れる。このような葛藤をわれわれは詳細に簡単に思い描くことができる。そしてまた多くのそれに対する例がある。医師たちの考えによれば軍事絡みでも使用されるかもしれない医薬品の開発に自らの良心に反して従事することになった医師たちの活動のケースを考えてほしい。役割や課題に特有の責任は、社会的・組織的・職業的連関の中にある各人にとってはよく知られている。そして通常は、そうした連関の制度化というものと一致している。しかしいつもそうであるとは限らない。だから、この第4の区別は第2の区別から切り離されなければならない。以下のような意味では、直接に制度化されていない役割や課題がある。つまりその意味というのは、社会的種類の直接の統制を受けたり、何らかの既成の規則によって制御されたりしている体系の中で役割や課題が生じているという意味である。たとえば、そうした意味で制度化されていない役割や課題は今日しばしば、まだ解決がついていない状況の中で、すなわちよく知られている婚姻証明書なしの結婚において現れている。そうした結婚では、いかなる制度化された関係も成立していないが、だがやはり役割によって責任が生み出されている。この責任は、現在ではますます法が見届け、承認し、顧慮するようになってきている。こうした責任について、法律的にきちんと道筋をつけるのは大変難しい。相応のことが状況責任に

も当てはまる。聖書にある有名なサマリア人のたとえを、あるいはレヴィナスの援助を願い求めるような例を想像してほしい。それらの例では、われわれは状況によって、たとえ連関そのものが制度化されていなくても、役割責任を特に道徳的な仕方で現実化するような役割へと立ち至っている。

■区別 5〜8

　第 5 の次元は、内容が密接に記述された課題に、専門的な責任に関係している。そうした責任は、全く特定の課題のために、たとえば手続き試験に際してある特定の連関に立たされた試験官に与えられているような責任である。責任をもって引き受けるべき課題と、この課題と結びついている責任性は、非常に狭く記述されるか、あるいは非常に詳細に記述され得る。この次元では、こうしたことが言われている。課題はしかしまた、包括的・一般的に世話という課題に関係し得る。たとえば看護される患者や子供での世話である。われわれは後になお、第 11 番目のプロフィール対比の中で、包括的責任性と分解可能な責任性との責任に立ち返るだろう。そこでの責任は、ここでの責任と連関しているが、完全にこれに還元され得ない。第 5 の対立において問題であるのは、責任性の狭い規定か、あるいは比較的広い定式化であるかである。もちろん相応の課題責任性の特殊内容を明確化し、責任の課題特有の構造化を図ることは、先の役割・課題責任のカテゴリーと連関していて、通常はこのカテゴリーと重なり合っている。その結果ここでは、ただまれな場合においてだけ、区別が生じうる。しかし区別はまったく存在しているのであり、これを顧慮しなければならない。

　次に 6 番目の両極性は、消極的責任あるいは報復的に働く責任、すなわち、さかのぼっていわば誰かに責任を負わせる負い目責任に関する対比である。負い目責任は、仕返し的に誰かに彼の悪事の責任を負わせ、それゆえに消極的に機能する。たいてい責任はそのように理解されている。何らかの悪事の責任を負わなければならないとき、われわれは初めて責任について語る。それに対して、積極的責任は考慮されることが少ない。これはしばしば未来の方向にかかわっている。しかし必ずしも、そうである必要はない。まさしく生じてしまった行為に関して積極的に注意する責任が重要であることがあるし、逆に、為さ

6. 責任のさまざまなタイプと次元　169

れるべき課題に関して促す働きの積極的責任が与えられることもある。消極的と積極的との区別は、結局、過去の方向、未来の方向に依存していない。だが、しばしばこれと結びついている。負い目を帰すこと、あるいは消極的責任は、しばしば事後に (ex post) 生じる。すなわち、われわれは過去の行為に対して負い目を帰すが、必ずしもそうであるとは限らない。まさしく起こり得る負い目を注意しながら防ぐ際には、全く未来に方位する事が可能である。そして積極的責任の場合には、注意が通常は未来へと向けられている。だがわれわれは積極的責任を過去へ思い描くことができる。たとえば、賞賛や承認の意味でそうすることができる。すでに繰り返し引用してきた道徳哲学者ジョン・ラッドは、この区別を設定し、後に議論されるはずの、非難責任と賞賛責任とのあいだの区別を、道徳的責任についての彼の新たな包括的理論の基礎においている。その理論で彼は次のように述べている。すなわち、われわれは負い目責任にだけ手を着けるべきではなくて、第一に道徳的には、積極的な意味で行為すべきものをもっと尊重しなければならないし、責任性はまさしく倫理的連関の中ではこのようなやり方で拡張されなければならないと言っている。

　上に続くものとしてわれわれは、第7の両極性をもつ。一方には、過去に向けられた責任を事後に帰すことである。われわれは、すでに生じていること、われわれが為したことに対して責任を問われる。責任を負わなければならないことは過去にある。他方には、前へ向かっての責任である。この責任はたいてい警告する良心、あるいは未来へ注意を向ける良心と連関している。未来に向かう責任と事後への責任のあいだでの相違は比較的明らかであり、また不明瞭ではない。この区別は意味深く、第6で述べられた両極性と混同されてはならない。このことは、混同されてしまっているケースを議論するなら明瞭になってくる。

　ジョン・ラッドは他の区別を提案した。一方には、観察者あるいは裁判官の観点から二次的に価値判断する責任があり、その観点は、記述的であれ、規範的な意味においてであれ、他の人格とその責任に関係する。他方では、直接に行為を制御し第一義的に行為と結びついた責任がある。この責任は第一に、責任の自己解釈・自己観点から、あるいは責任を自己に帰すことから生じる（第

8)。裁判官が誰かに道徳的に責任を負わすなら、しかも法廷の裁判官だけではなく、また道徳的に判断する判定者がそうするならば、それは、わたしが行為や行為の結果そのものを第一義的な責任可能性の観点の下に見るときとは異なっている。ラッドによれば、ひとが道徳的に判断するとき、特に他の人の行為について道徳的に判断するとき、そのときひとが指導的な責任の理念の観点で判断するのは、この二次的な意味においてである。ひとがそのとき行為者に特定の状況に関して記述的にも規範的にも責任を帰すならば、ひとは自己を自ら直接に行為に関係させない。この区別は、また他の人の行為あるいは自己の行為についての道徳的あるいはメタ道徳的価値判断の高次の地平にとっても重要である。たとえば、わたしがわたし自身の行為の仕方をより高度な遠近そのものから調べ、あるいは価値判断するような場合に重要である。この意味でこの二次的責任は、すでにハンス・ヨナスやジョン・ラッドたちが拡張的な道徳的責任と名づけるものへの移行を示している。

■区別9〜10

第9の位置に挙げられるのは、マックス・ヴェーバーに従うと心情倫理に対する責任倫理という伝統的対立である。ヴェーバーにおいて心情倫理は、カントにおけるように、本質的には内的動機、意図、原動力が道徳的観点での価値判断について決定を下し、責任性の観点でも決定を下すというものである。すなわち行為を導く原理が問題であり、その原理が決定を下す。それゆえに、ひとは心情倫理の代わりに原則倫理について語るほうがベターであろう。行為を導く根本理念、それはカントでは道徳法則と法則に対する尊敬であるが、そうしたものが決定的である。「心情倫理」という表現は誤解を招くし、そして無器用である。なぜならひとは、心的に現れる動機や経験的・心理学的に分析・描写すべき動機や心情のことを考えているからである。しかし [心情倫理では] こうした動機が言われているのでなくて、内的に [行為を] 導く原理への方向づけが意味されている。マックス・ヴェーバーで同様に誤って名指しされた責任倫理は、わたしが行為の結果に方向づけられているという点で成り立つ。責任倫理はマックス・ヴェーバーでは、行為の結果の倫理的観察を意味する。結果が、一つの行為が倫理的に正当化されるか否かについて少なくとも共に決定す

る。だから、ひとはここ［ヴェーバーの責任倫理］では本来的意味での責任倫理について語るのではなくて、その代わりに結果倫理について語るべきである。今日ひとはしばしば帰結主義的倫理学について語り、これを原則倫理学に対立させる。帰結主義的な倫理学であるのは、功利主義の倫理学、効用に導かれた倫理学、最大多数の最大幸福、最小苦痛の倫理学である。原則倫理学は、義務論的倫理学と名づけられる。カントの倫理学の型は極端な義務論的倫理学である。しかるに一方功利主義のような効用倫理学は結果倫理学、結果に方向づけられているという意味での倫理学である。両方の極端は十分ではないと言うのは、正しい。混合のようなものが必要である。ひとは諸原理を必要とする。しかしひとはまた結果への方向を必要とする。ひとは**「たとえ世界が滅ぶとも、道徳はなされえよ（*Fiat moralitas pereat mundus*）」**という命題に従って行動することはできない。なぜならそれは高い観点からみると、非人道的（inhuman）に現れる。具体的な人間性の命法を傷つける。なぜなら、分析哲学者フランケナが言ったように、道徳は人間のために作られたのであり、人間が道徳のために作られたのではないからである。道徳は、高度の意味で人間的な責任性という要求に、具体的な人間性の諸条件に定位しなければならない。そして道徳は「全力を尽くして」十分に練習するというようなことはできない。どれだけ多くの人間あるいはどれくらい多くの人間的事情がその際挫折するだろうかということに、まったくお構いなしに、そうすることはできない。具体的な人間性の倫理学は、原則倫理学と結果倫理学の有意味な混合によってのみ達せられ得る。ひとは道徳や権利の崇高な諸原理にだけ固執し、そしてすべての他のものはいかなる役割をも演じないなどと言ってはならない。カントはこの方向への傾きを持っていた。そしてわれわれは同様に結果にだけ志向して、たとえ動機がどんなに悪かったとしても、幸運にもいかなる悪も起こらなかったなら、このような悪い動機を持った人ももともと許されているなどと言ってはならない。諸原理も結果も役割を演じている。均衡のとれた中間のようなものが見いだされなければならない。あるいは妥協、あるいは釣り合いをとることが見いだされなければならない。それは場合によっては個人の価値判断に依存している。責任の種々のレベルは結局は、さまざまな責任性の具体的人間的な結合のなかへ

共に導かれなければならない。そうした結合は、人格とその良心が責任を負い、支え、成し遂げ、正当化し、そして支持しなければならない。

　10番目の次元は8番目と似ている。それはもっぱら別の段階分けに関係する。つまり、直接に行為へ向けられているというのは、ここでは、言語記述に関して、あるいは［行為の］方向づけに関して言われる。直接に行為へ関係する責任は、たとえば、法律を尊重することの道徳的責任をひとが持つことのうちに表現されるような責任とは別の言葉の地平において、たとえば責任性の客体言語において表現される。法律を尊重することの道徳的責任は、本質的に高次の責任であって、直接には個々の行為へ関係しないで、二次的に始めて、間接的に行為に関係し、それゆえ高次の責任である。そうした責任は相応のしかたで、メタ言語的に記述されるだろう。換言すると、特定の相互作用の諸段階に従った責任のいろいろな段階分けがある。われわれは下位のさまざまな責任性のコンセプトと複合体の全体について、たとえばいろいろな法律を遵守することについて、みずから再び責任を問うことができる。かくしてさらに次のようである。法律のテキストと法律の集大成ないしそれ相応の道徳の理論あるいはまた道徳的命法の複合体や体系が、人間によって作られ、そしてこの体系の設立、承認、実施、統制がより高い段階の責任の問題を再び提起する。かくしてひとは言うことができる。倫理学者も哲学者も特別なメタ責任を持っている。倫理的メタ責任、すなわち道徳の理論的な貫徹や分析のいっそうの展開に対する責任を持っている。これまでの道徳ではまったく片づけられない完全に新しい要求や要請が生じている状況がある。たとえば、遺伝生物学や遺伝子技術を人間の遺伝型に利用することにおいて、そうした状況がある。人間はこれを行って善いのか。十戒のなかにそもそも何かが予定されているのか。われわれはそうした状況でほとんど途方に暮れている。人間は何をなし得るのか、すべきか、して善いのか。人間は人間がなし得ることのすべてをして善いというわけではない。人間はそこで規範を設定すべきか。それは議会によって処理され得るのか。国際的に非常に大きな相違がある。英国では、ドイツにおいてよりもはるかにリベラルである。ヨーロッパ連合はいつか統一に達しなければならないのだろうか。その統合は通常のように、多かれ少なかれ偽りの妥協によるのであ

ろうか。

　与えられている道徳の根本直観をさらに書き綴り書き直すことに関して、責任性の問題が進展してきたし、進展する。ここでは、倫理的命題、道徳律、法規範それ自体の発展といっそうの発展に対しての責任が問題である。すでに存在しているものの解明・適応ないし統制だけが問題であるのではない。われわれの倫理的直観も揺るがないかたちで書かれたものではなくて、新しい状況に直面してさらに展開されなければならない。これまでそのための試みはほとんどなかった。そしてこれらの問いはこの種のメタ責任性に含まれるだろう。このメタ責任というカテゴリーが多くの段階で理解され得るというのは、明らかである。一方には、直接に行為へ関係しない道徳規範あるいは道徳律のメタ言語的記述がある。他方には、複合体やコンセプトの全体を、あるいは道徳的根本直観をメタ理論的にいっそう展開させることに関係するメタ言語的な記述がある。メタ責任には、いっそう細分化される可能性がある。

■区別11〜14

　11番目の両極性において、責任が分割不可能であるとは［責任の］理念の内実に関して言われている。そしてこの分割不可能性は、分解可能・分割可能な責任、あるいはとにかく分割可能なものとして表象される責任に対立し得る。そもそも部分成分に分解され得ない統一的な責任が与えられるということは、あり得ることである。こうして、子供に対する親の包括的責任がある。この責任は個々の成分に分解されない。こうした包括的責任に基づいて、個々の責任性が子供に対する両親の個々の行為、あるいは子供に関連する両親の個々の行為に関して帰結するのは言うまでもない。しかし全責任という理念は直接に分解不可能である。だから、この両極性では、責任の全体の内実に関して区分される。

　それに対して、第12のカテゴリーは担い手に関係した責任性である。たいていの場合、責任を帰すことの排他性へのある種の傾向が確認される。われわれはできるだけ贖罪を必要とする。消極的な責任を帰すことにおいては、一人の人、一人の人だけに責任を負わせる傾向がある。それは、排他性であり、特に普通の法的責任を帰すことにとって、あるいは法において責任を問うことに

とって特徴的なことである。ここでは、われわれは独占的なあるいは閉ざされた責任について語ることができる。しかるに一方、ひとはジョン・ラッドとともに、道徳的責任では、つぎの点をむしろ典型的なものと見なすべきであろう。すなわち、道徳的責任は関与者に開かれていて、関与を許容し、共同責任性をまさしく要求するか、あるいは共同責任性を通常の場合だと表明し、およそこれを排除しない。だから、それは包含的 (inklusive) である。関与者に開かれている責任は、包含的な責任である。そのとき多数の担い手に、あるいは開かれた担い手としての共同体に向けられている。このことは、したがって、共同体が責任の担い手であるということに関係する。確かにしばしば、道徳的責任性への訴えでは多くのひとの共同責任が語られるのである。

　こうした対比はほんとうに重要であり、これは次の二分法 (第13) に見られるようなグループに結びついた責任性と関連がある。責任性は個人的で、個々の人格に帰せられるか、あるいは責任性はグループによって担われ得るかどちらかである。その際このグループは、多かれ少なかれ構成可能であるか、集団、群衆、あるいは出会ったグループのように、まったく突発的なグループであるかである。突発的なグループはある状況のなかではじめて生じ、非構成的である。だが、団体や、高次に構成された公式の組織というものもあり得る。どちらの場合でも、いろいろな区別が立てられる。この区別は第24、第25でもう一度取り上げられる。いずれにせよ重要なのは、グループによって原理的に担われる責任を、人格に関係する個人的な責任と対比して語ることである。この両極性は前に述べた (第12) のと同じではない。第12では、関与の開放性や発展可能性が問題であった。ここ第13では、責任は個人にあるのか、あるいはグループにあるのかというのが、根本の型である。このような区別は、具体的な責任問題を判断するためにも非常に深い意味がある。このことは明白である。

　第14。われわれはここで、科学倫理に現れる対外的責任と対内的責任という有名な二分法を持つ。対内的責任は同業組合内での責任、たとえば職業モラルや科学者エートスであり、同僚、自分の階級・職業の理念に向かい合って抱かれる責任である。この責任は特定の階級規則、職業倫理、倫理綱領等を包括する。職業エートスで特徴づけ得るすべて——その際このエートスがしばしば

職業規則の中へ体系的にまとめられているのだが——は、たいてい責任性を一般的にともに含んでいる倫理綱領である。非常にしばしば、科学の倫理、あるいは科学者の倫理が科学者のエートスと混同されている。だが科学者のエートスは、同業組合の内輪の行為に関わる。たとえば研究において、公正の規則が遵守され、資料出典が挙げられ、優先順位が守られるという行為である。また、だまされたり、欺かれたりしないなどなど。したがって、それらは少しも普遍道徳的と名づけられることはない。発見に当たっての相応の優先を守らないということもまた、詐欺あるいは嘘あるいは沈黙のようなものであるという意味では普遍道徳的であると言える。ひとは、何かを言わないということによってもまた、確かに嘘をつくことができる。それはたいていの場合、軽い過ちと見なされる。それに対して、一般の人々に向かい合っての、職業グループの行為に影響を受ける人々に向かい合っての対外的な責任は、むしろ一般的な意味で普遍道徳的な意義を持つ。特に、このことは、技術者が特定の開発を行い利用し、それによって人間が影響を受けるとき、そうした技術者たちに生じる。それはまた、自然科学や基礎指向の技術的開発と、目的に結びつけられたプロジェクト指向の特殊的な個々の開発とのあいだにあるグレーゾーンで生じる。基礎研究と応用のあいだには、今日ではもういかなる識別可能な対立もあり得ない。基礎と応用のあいだには非常に多くの移行の諸段階がある。応用がその都度強く含まれ、直接に意図されていればいるほど、関与した技術者あるいは応用科学者の対外的責任は、それだけ強く決定的な役割を演じている。メスバウアーが学生新聞『安全弁』で去年行ったようには、単純に言い逃れることができない。メスバウアーはそこで、基礎研究でわれわれは責任を負う必要がないと言った。それはそれ自体すでに無意味である。少なくとも科学者エートス、対内的な責任という意味で責任がある。これを多分彼は拒否しないだろう。だが、ひょっとして研究によって被害を被るかもしれない人間に向かっては、社会に向かっては、いかなる対外的な責任も持たないと彼は考える。事情は、そんなに単純なことではない。なぜなら、研究にあっては、その際どういう結果になるか、いかに、そして誰にその成果は利用されるか、そうしたことはしばしば予見することができないからである。それに加えて、利用の可能性はたいてい両義的

である。研究は人間にとって積極的に利用されることも、あるいは消極的に利用されることもある。それは諸々の観点に大いに左右される。諸君は核エネルギー論争を思い出していただきたい。

■区別 15 〜 18

　われわれはまた区別しなければならない。15 番目には、記述的であれ規範的であれ、他人に帰せられる責任と自己に帰せられる責任とのあいだに区別がある。自己に帰せられる責任には、十分に道徳的なものが含まれている。われわれは、良心が自己に帰せられる道徳的責任の意識のようなものであるということについて語った。これは、ここでの区別に該当する。

　第 16 番目は、本当に特に興味ある対比である。それは、われわれが［責任の］内容的な形態について呈示した 10 個のカテゴリーに基づいて知っている対比である。すなわち非難責任、負い目責任、あるいは非難責任性あるいは非難に値するものが、一方の極に、そして称賛責任ないし承認責任が他方の極にある。多分ひとはここでも、もっといっそう正確に区別しなければならないであろう。わたしは、拡張された道徳的な保護責任と事前の配慮責任について語るよりも、むしろ称賛に値する責任あるいは承認責任について語りたいのだが。とは言ってもひとは、単なる報復的な負い目責任に対立するような独自のカテゴリーとして、保護責任、事前の配慮責任を持ち出してくることができよう。（そうするとそれは対比 16a となろう）。われわれは、道徳的なものにおいても、残念ながら法的なものにおけるのと同様に、責任の議論を〈負い目を帰すこと〉に、あるいは〈非難に値するもの〉に還元し、したがってただ否定的にだけ理解するという傾向にある。しかしそれは、倫理的道徳的観点を法に類似した観点に極端に制限することになる。負い目を法的に割り当てるような例を使って、あるいは負い目のある人を法的に際立たせるような例を使って、道徳をあまりに極端に解釈しすぎる見解である。そしてその限り一面的な解釈である。ここでは、責任性のもっと幅のあるプロフィールから出発しなければならない。そして通常は、特定の具体的な責任の問題の中に、むしろある種の混合が生じるだろう。責任性が未来へと開かれている。このことが、ここでは保護の側に、この意味で拡張された道徳的責任性の側に見られる。ジョン・ラッドは、次の

ように考える。すなわち、典型的な道徳的責任性は、本質的にこの極の中に見られるのであり、伝統的な負い目責任は実践的に少なくとも拡張すべきであり、おそらくそれどころか道徳的責任性の観点から退場させなければならないと考える。彼は「非難責任」と道徳的責任性のあいだを区別する。彼は、道徳的責任性をこの拡張された積極的意味において見る。だが、それも見方があまりに狭い。道徳的な負い目というものを自己に負うことができるのは、言うまでもない。道徳的責任性は罪過やあるいは負い目を帰すことと無関係に行われない。すなわち、ひとは法的負い目を持たずに、道徳的負い目を持つことがある。道徳は法よりも綿密で、法よりも敏感で、繊細である。ひとは人格的な負い目を負うことができる。法に全然違反しなくても、場合によると法に特にはっきりと従っているときでさえも、そうである。だから、拡張した観点が存在しなければならない。ラッドは「ケアする責任 (caring responsibility)」あるいは「ケアの見方 (caring aspect)」についても語る。われわれの力は拡張された責任をわれわれに課す。われわれは存在者に対して、その幸福と悲しみに対して、広範な意味で責任がある。その存在者がわれわれやわれわれの力に依存している程度に従って、そうした責任がある。

　次の対比（第17）は、制裁的な責任と非制裁的な責任との対立である。それは、負い目責任と保護責任［との対立］に結びつく。しかし、全く同じように、第2の対立にも結びつくであろう。なぜなら、制裁、それゆえに刑罰あるいはそれ相応に積極的な制裁も、制度の中での社会的統制だからである。制裁そのものが生じ得るためには、通常、諸制度が前提されなければならない。少なくとも一般的な制裁が問題で、単に人間のあいだの直接的な関係での個人的な制裁だけが問題でない場合はそうである。非制度的な関係における諸人格のあいだでも生じる制裁の可能性を示す例がある。その例は、それがなるほど制度化や法的制裁と関連するが、同じものではないということを表している。したがって、厳密な意味では制度化されたり、全く法的に形式化されたりしないような制裁を表現する可能性がある。そのことは、自己に責任を負わせることにも当てはまる。ときどきはまた、良心のやましさとも関連している。良心のやましさは、内的心理的な自己制裁であるが、公式的には制裁を加えられていないと

言ってよい。たとえばあなたがたは、著名なドイツ人物理学者たちがイギリスの捕虜収容所から行った1945年の報告を考えてみてほしい。彼らにはラジオでアメリカの原子爆弾※が広島に投下されたということが伝えられた。最初信じられなかったが、やがて一部の人たちは度を失った反応を示した。オットー・ハーン※は、とりわけこれに共同責任を感じた。実際は原爆投下と何も関係しなかった。なぜなら彼は原子爆弾計画に参加しなかったし、エネルギーの帳尻を判定する能力をそもそも欠いていたからである。むしろそうすることができたのは、リーゼ・マイトナーや彼女の甥オットー・フリッシュである。ボーアは、核分裂の報告をアメリカへもたらした。そしてその後は、ほとんど万事にわたり自らの道を歩んだ。ドイツ人たちは、このような爆弾を製造する状況にはなかった。そしてドイツ人たちは、そうするつもりもなかった。ベーテやハイゼンベルクはとりわけ、今日示されているように、意識的にまちがった評価を下し、物理学者の能力を過小評価した。彼らは、原子炉を製造しようとはしたが、どんな爆弾も製造しようとはしなかった。オットー・ハーンは、責任を負わされるということはあり得なかったとしても、それにもかかわらず自発的に責任と負い目を共にしていると感じた（この本のp.202以下、p.211以下を参照）。

　第18。責任性は、たとえば法的なものにおけるように形式的であり得る。あるいはむしろ内容的事柄に関係し、内容に結びつくこともできる。結果に方位づけられている場合は、しばしば、内容的なものが前景に現れるという具合であり、それに対して他方、原理に方位づけられる場合は、形式的なものが強調されるという具合である。

■区別19〜26

　遵法主義的に対する誠実的という第19の区別は、次の意味で理解され得る。遵法主義的はまさに形式的法的なもの、一般的原理を示唆している。そして遵法主義的は、場合によっては内容にも関係し得る。無条件的に形式的に理解されてはならない。他方、誠実性は、恩義のある人格に向かい合った責任に関係する。「誠実な (loyal)」は、人格あるいはグループや伝統に相対する忠実の絆・義務を意味する。誠実性は、文化全体でもあり得る。この次元は、法的責任と道徳的責任との対比に類似的である。

こうした類似性は、次の第20のプロフィールにも形を変えて当てはまる。もっとも第20のプロフィールは、他のプロフィールから分析的には区別される。諸原理の意味での抽象的に一般的な責任性に対して具体的状況的な責任性が対立する。もちろんこのプロフィールは、第5の対比と関連している。しかし第20のプロフィールは、内容的形態がどうかという点には関係せず、状況を取り去った抽象的一般性か、あるいは具体的状況かのどちらかに関係する。相応のことが第18と第21の両極性の状態に対しても妥当する。第21の両極性は、形式主義的に文字通りの見方と人格の関与（参画）する責任性との両極性である。第21の次元は、責任性の内容形態（第18）によりも、担い手に強く関係する。責任の担い手に見られる関与（参画）形式、行為形式が、ここ（第21）では中心におかれている。わたしは、法の条文通りに振る舞い、文字通り形式的に反応するか、あるいはわたしはわたしの人格全体をもって参画し、責任を引き受けるかである。しばしば法的連関で債務責任を負わせる（Haftbarkeiten）場合には、文字通りのことが意味されている。非常にしばしば人格的に債務責任を負う社会について語られるけれども、しかしここではむしろ形式主義的な責任が意味されている。それは必ずしも人格的見方での道徳的責任性へ導かれるとは限らない。このことはまた、それ相応に政治的責任に対しても妥当する。

　次の第22の両極性は、役割責任や課題責任に相応する課題とのつながりに、そして責任における人格的関与（参画）に関係する。課題とのつながりに対抗するものは、ここでは道徳的な責任である必要はない。わたしはまた、道徳的

※原子爆弾：原子物理学の分野で理論研究が最初に進んでいたのはドイツであったが、専門家の多くはユダヤ系で、その学者たちは1930年代後半、ナチスドイツによって国外に追放された。イギリスは第二次世界大戦中の1940年に、原子爆弾の開発が可能だと知っていたが、ドイツが先にこの兵器を手にすれば破滅的な結果になると考え、米国に積極的に情報を提供して共同開発の道を選んだ。米国では、ヨーロッパから亡命した学者らが同じようにドイツに先がけた原子兵器の開発をルーズベルト大統領に勧告し、米国の政府と陸軍がこれ に応じて科学者を組織し、持てる経済力と工業力を動員して新兵器開発に乗り出した。それが「マンハッタン計画」である。中国新聞 http://www.chugoku-np.co.jp/abom/97abom/peace/04/aramo.htm より。

※オットー・ハーン Otto Hahn（1879-1968）：物理化学者。1944年ノーベル化学賞受賞。中性子をあてることによりウランに核分裂が起きることを発見し、核分裂生成物を最初に科学的に証明した。

結びつきから独立して人格的に参画して責任を負うことがある。それは直接に文字通りの意味で解釈されなければならない。そのかぎり、第22の対比を第21の対立から区別しなければならない。

　狭い意味で（23番目の両極性で）道徳的であることに対する〈道徳に似ていること〉は、場合によっては、道徳的責任性か、あるいは特定の領域の中で、たとえばいろいろな団体内部で成り立つ疑似道徳的責任性かということに関係する。疑似道徳的責任性というのは、言い換えれば、他人の幸福や悲しみに直接に関係しないが、しかし疑似道徳的期待の構造をもっているような責任である。

　24・25・26番目の両極性は密接に相互に連関し、それらは、グループへの責任の結びつきか、責任の個別性かに関係する。責任性の分配性と非分配性は、このような集団的あるいは団体的責任性が個人の責任性に送り返され得るのかどうかに関係している。責任性が分配されるというのは、責任性が個々人に分担されるということを意味している。たとえば、三人の若者が大多数の人の目前で溺死したオリンピック公園での事故 [原注13) を参照] のようなケースがある。そこでは責任は分配される。しかし、分配されない別のケースがある。たとえば、エレブス山の例の事故での団体の責任の場合である。したがって、こうした区別が考慮されなければならない。

第5節　責任の類型から優先規則へ
■責任のさまざまな類型的区別とその結合

　責任のこうした26個の類型を責任の問題あるいは責任の葛藤にその都度関係させるならば、そのときわれわれは、どんな種類の責任が問題になっているのかを、ずっと細分化したかたちで示すことができる。どのような責任の場合にも常に言えることは、当面問われているのは規範的、あるいはむしろ記述的、あるいはその中間にある〈責任を帰すこと〉なのかどうかということである。また言うことができる。責任は大なり小なり制度的である等々と。［責任の］両極性で事をすすめるなら、その場合には一種のギザギザ模様の図面が作られる。そんなことをしてみても、責任葛藤の解決にならないのは、言うまでもない。すべてはさらに、他を圧倒する人格的決断と全体責任のただ中で、そして結合

責任というありさまで決定されるか引き受けられる。この結合責任というのは、道徳的、法的、さらに別種の責任性の地平を部分的には飛び越える。結合責任は、超道徳的な責任性であると言える。そうした責任を個人が担い、それに向けてひとは決断する。事情によってわれわれは、法的責任を、これよりもいっそう緊急に感じられる高次の道徳的責任によって仕上げ直したり、ローラーで重ねて引き伸ばしたり、失効させたり、遵守しないことができる。また事情によっては、このことにいろいろな帰結が伴うのは言うまでもない。たいていの責任性は本質的には、暫定的な責任性であり、これは道徳的責任性にも当てはまる。すなわちたいていの責任性は有効であり要求を掲げるが、いっそう緊急の責任性により無効になることがある。さまざまな種類の責任性のあいだで、重要な優先規則を定めなくてはならない (p.182 以下を参照)。

　われわれは次のように総括する。責任の種々の区別のプロフィール、連続性、そして多様性を表す像は変化に富んでいて、そして少し漠然としている。疑いもなくわれわれは、それに加えてさらに非常に多くのことを言うことができるし、言わなければならない。責任のさまざまな種類・類型・両極性のあいだでいろいろな結合を作り出すには、本来なら、一種類の規則に到達しなければならないであろう。ここではまだ、このことに詳細には手がつけられていない。

■責任葛藤での優先規則

　たしかにいろいろと利用する範囲内で実践的に整理するための手がかりは手に入れることができる。すなわち、経済倫理、とくにアメリカの「ビジネス・エシックス」で議論されているような優先規則をよく考えてみれば、手に入れることができる。このような優先規則の根底にはたとえば次のような考えが見られる。根本的な、軽減・分配・分割されることができず、尊重されなければならない基本権、したがって人権あるいは基本権が存在するという考えである。またわれわれは、基本権が保証されるときに初めて、さらに進んで、たとえば葛藤の場合に、**公正**である妥協、だから費用と効用をいわばすべての当該者に等しく分配する妥協を、求めるべきであるという考えである。このような規則はただ次のことを要求する。すなわち、効用の比較考量は危害の回避の**後**に初めて正当化され、そして実践的に解決し得ない葛藤でもできるだけフェアな

妥協が求められ、そしてある意味で道徳的責任性は非道徳的な制限つきの責任形式に先だって配置されるべきである、ということを要求する。したがって、一般に普遍道徳的な責任は契約上与えられた役割・課題責任に先行するということが、妥当する。さらに、状況の中で直接的な行為責任はたいてい、しかし常にではない（サマリア人の例）が、遠隔的な責任性に先行する。このことも妥当する。もちろんこれは多くの重大な場合にまったく別様ではあり得る。このような優先規則では、倫理的直覚は以下のことも要求する。例えば公共の福祉は他の特殊な利害関心に先行すべきであり、そして例えば（公共の）安全性が、たとえば技術的な通常の作業に見られるように、本当に特別に重要な価値であると要求する。文書のかたちで再現されているドイツ工業規則は、著名である。それは、技術的な（本当はむしろ技術倫理的な）規範と連関する優先規則という特徴をそなえている。

　責任葛藤を取り扱い、軽減し規制し、時として解決してくれるための優先規則は、一部はアメリカの経済倫理の提案から採用され、さらにもっと練り上げられたものである。そうした優先規則の現況について、リストのかたちで概観を与えてくれるのは、次の一覧表である。

優先規則

　責任葛藤や役割上の葛藤に対しては、さしあたり少なくとも以下の16個のこと［規則］が段階的に分けられる。暫定的に（prima-facie）妥当する（道徳的）選好規則と優先規則があげられる（最初の四つの規則については、Werhane, 1985, p. 72以下を参照）。

　　1.「該当する個人それぞれの道徳的権利を考慮すること」。このあらかじめ分配されている（基本権）権利[28]が、効用を考察することに優先する。
　　2.「各人を等しく顧慮する妥協を求めること」。等価の基本権のあいだで生じる解決できない葛藤の場合に。
　　3.「関係者それぞれが持つ道徳的権利を考慮してから初めて、関係者全員に対してもっともわずかの損害をもたらすような解決に賛成してよく、またそうすべきである」。

4. 規則1、2、3を「適用」後に初めて損害に対する利益を比較・考量すること。それゆえ、放棄不可能な（あらかじめ配分されている）道徳的権利が、損害の回避・防止に優先する。そして後者は効用の考量に優先する。
 5. 関係者や関与者のあいだでの実際上解決しがたい葛藤が生じた場合、いろいろな関係者に対する損害と効用に関して公明正大な妥協を求めるべきである（公正な妥協であるのは、たとえば、おおよそ等しく分けられたあるいは正当に均整の取れた負担ないし利益の分配である）。
 6. 普遍道徳的で直接に道徳的な責任は、非道徳的で制限つきの義務づけに先行する。
 7. 普遍道徳的な責任は、通常、課題責任ないし役割責任に先行する。
 8. 直接的な第一の道徳的責任は、たいてい、間接的で遠い、遠隔の責任に対して優先する（緊急性と制限つきの義務のゆえに。しかし結果の重大さや結果の持続に従って段階づけられる）。
 9. 普遍道徳的な責任と直接に道徳的な責任は、第二次の団体の責任に優先する。
10. 公的福祉、公共の福祉は、他の特殊で特別な非道徳的な利害のすべてに先行すべきである。
11. 技術的な通常の作業で、いろいろな優先原理が公式化される。ドイツ工業規格31.000を用いて、われわれはたとえば次の規則を立てることができる。

　「安全に適う製作の場合には、保安目標を技術的に有意義に、経済的に最良に到達できるような解決法に優先が与えられるべきである。その際、安全技術上の要件が疑いなく経済的熟慮に優先する」。要するに、安全性は経済に優先する。
12. 全地球的な、大陸的な、領域的な、そして地方的な環境との協調性が区別され、考慮されるべきである。システムにとって重大で決定的な環境協調性が先行し、そしてこの極端なタイプのうちでは、領域のより広い環境協調性が（包括的なものが）先行する。

13. 「緊急性」が問われる場合、エコ協調性が経済的利用に先行する。
14. 人間との協調性や社会的協調性が、葛藤の場合には環境世界に先行する。しかし種との協調性や自然との協調性はたいてい**一緒に**あるいは意味深い折り合いをつけて実現されるように努力すべきである。
15. 具体的な人間性は、抽象的要求や普遍的原理に先行する（具体的な人間協調的・社会協調的な財の比較考量）。
16. 人間に適合した行為（人間との協調性および社会との協調性）は、単なる〈事態に適合していること〉に先行する。

このような優先規則は、責任の種々のタイプのあいだに生じる葛藤を探し出し、できれば解消することに役立つ。これらは、葛藤状況では特有の現実（時事）性をそなえる。責任の類型とレベルのさまざまな区別は葛藤の発見と同定のために必須である。これに対して優先規則は、相応の葛藤状況を解決するか、あるいは少なくとも規則づけ評価する際に、またその葛藤状況の固有の原因を探し出す際に、効果的に利用できる。こうした問題領域で、将来はなおいっそうの分析的・創造的・組織的な、社会的および政治的な仕事がなされなければならないだろう。

7. 科学者の責任へ向けて

■**科学者の外部的責任は、その内部的責任とは異なる**

「科学者の責任」というテーマには、あわせて二つの観点が含まれている。第一に科学**内部**の責任への問い、第二に科学者の**外部的**責任への問いである。内部の責任とは、科学者が自分の仲間・同僚・学会（近頃の国語で言うとScientific Community）に相対して担う責任である。そうした責任は、念入りな科学的仕事の規則を遵守し、可能な限り客観的な真理の探究・確保の最大値のもとでフェアーな競争の規則を遵守するということを含む。すべてこれらの規則が科学者の科学的エートスに関わるのは言うまでもない。すなわち、可能な限り客観的である認識に対する科学者の責任に関わる。そして科学者自身の利害関心や称賛願望や相応の評価配分にも関係する。それらの規則は、狭い意味で倫理的であるのではなく、科学者以外の潜在的な関係者（Betroffener）に傷が及ばないことには関わらない。エートスはなるほど倫理を前提するが、しかし倫理ではない。科学者の規範コードはこの意味で、エートス、職業エートス、あるいはわれわれが通常名づけたがるようなものであって、本当の意味で科学者の倫理なのではない。それは残念ながらしばしば混同され、まぜこぜにされている。理想的な規範と現実の振る舞いは、もちろん科学者においても区別されている。絶対的な規範は、完全に実現され得ないし達成され得ない。それにもかかわらず、科学的振る舞いを制御する内的システムは、かなり、あるいはある程度までよく機能している（Brode-Wade, 1984を参照）。科学のエートスでの内部的責任をわたしはここで詳細に話したいとは思わない。わたしは科学者の責任の外部的問題を詳しく取り上げたい。

科学者もまた外部に対する責任を担う。このことをわれわれは、もしかする

と科学者の研究成果で、あるいは科学者の研究過程で直接に影響を被るかもしれない人々との関連で議論にしたいと思う。

1984年だった。したがってまだチェルノブイリ以前の時代だった。わたしは、自分の所属する大学の新聞『フリデリキアナ』(*Fridericiana*)に載せた「責任と技術」についての論文で、科学・技術の巨大プロジェクトに対する責任は今ではもう個人によって担いきれない旨を述べておいた。「個人はただ形式の上だけで公的に、いわば政治的に、科学技術の巨大プロジェクトに対して責任を担う。しかし、個人（たとえば原子力発電所の長）が、原子力発電所での〈想定可能な最大規模の事故〉（GAU）の後に辞職するとして、それが何の役に立つのか。単に責任を形式主義的に引き受けることはもはや十分ではないように思える」。これに答えて、ユーリッヒ出身※の一人の物理学者がわたしに怒りの手紙をよこした。その手紙からわたしは引用したい。「レンク教授が責任の実在的観点について、特に技術者のそれについて、たとえばGAUについて語っている箇所で告げていることは、穏やかに言っても、もっとも不快な事実歪曲に等しい」。GAUには単に（？）［原典のママ］「解釈上の故障事故として……技術者を拘束する現実性がある。このような故障事故が確実に制御されることに対して技術者は責任がある」。「無知によりまだ取り除けないのであれ」、「法的に確定されたものであれ、裁判に訴えることができるものであれ［責任がある］」。事情が「まったく異なって」いるのは、「言葉の権力者たちが言うような責任性の事実的側面である。たとえば、かれらがGAUという言葉で駆り立て、促進し、示唆し、あるいは進行させようとするものに対する責任性である」。手紙の著者は、「アジる政治学・哲学・社会学者の暴力（Agitpolphilsoz-Gewaltigen）」※、「レンク教授タイプの言葉を自在に操る人々」が伝統的・アカデミックな倫理学を伝統的アカデミックに取り扱っていることについて少し悪態をつき、次のように言っている。「そこには、片づけなければならない相当の欠陥がまだある」と。彼はわたしに次のように忠告する。「技術の倫理的問題よりも、責任の種々の技巧に取り組むように、また、『責任と無知』『責任と現代の政治の営み』『責任と行数稼ぎ』『責任と現代のアカデミックな教師』のようなテーマで、ジャーナリスティックに有効に一気に仕事を片づけるように」と忠告する。

最後の忠告に関しては、涼しい北西地方出身の物理学者である彼は、正しい。わたしは喜んでその忠告を引き受ける。

 しかしながら彼は論点をまったく理解しなかった。彼はGAUつまり「想定可能な最大の事故」を、(ただ単に?)「解釈上の故障事故」と見なし、したがって実在的としてではなく単に虚構モデルとしてだけ見なした(ハリスバーグ※でも核溶解が生じたということはまだ公に知られていなかった)り、また彼は、**想定される、想定可能である**モデルを超え出るような「超大規模事故(Supergau)」を、実在的あるいは実在可能なものとは少しも判断しなかった。だがおそらく、そうしたかどで、彼を非難すべきではなかろう。おそらくもっと重要であるのは、個人に責任を負わせるという政治的戦略(チェルノブイリ原子力発電所の委員長が周知のように罷免**された**)や法律編纂が実際には規制のための道具立てとしてもう十分でないということである。身代わりの山羊を捜して捕まえるようなことは、むしろ無力の儀式に等しい。有名な「ババ札 Schwarzen Peter」を割り振るようなものである。なるほど、一人の人(一人の人**だけ**)に責任があり、責任が負わせられればそれに越したことはなかろう。だが、科学と技術は、明らかにあまりに強力になっているので、純然たる個人の責任性、特に非難できるという意味での責任性(「非難に値すること」、Bodenheimer, 1980、Ladd, 1990)という政治的・法律的規制の伝統的処置では、まず十分に把握できないし、極端な場合には制御できない。原子力発電所委員長あるいは担当の所管大臣が辞任せざるを得ない(あるいは、われわれのところでは現実にあるのだが、大臣直属の次官をそれほど悪くない支給で年金生活に送り込む)ならば、このようなことをしても、実際はただそのような規制が相対的に無力であることを示しているにすぎない。わたしは、責任の問題が科学と技術の大きな力やその影響力の巨大プロジェク

※ユーリッヒ Julich：ドイツ・ノルトラインヴェストファーレン州の都市。アーヘンとデュッセルドルフの中間点。
※アジる政治学・哲学・社会学者の暴力 Agitpolphilosoz-Gewaltigen：この言い回しは、皮肉的に言われていて、1986年以後の煽動させられた若者の変革や大学生の変革にコミットした批判的哲学者、社会学者、政治学者や、暴力的なほど雄弁な社会科学者が用いた彼らのレトリックに適用されている。ここではむしろしかるべき精神科学者の修辞的能力に、したがって明らかにレンク個人に適用されている。
※ハリスバーグ Harrisburg：アメリカ・ペンシルバニア州の都市。

トに直面すると、今ではもう単に政治的・形式主義的には解決され得ないと繰り返し主張する。

　むしろヨナスにしたがって、戦略上の防止責任や保存責任を消極的に公式化すれば、責任への関与を稔り豊かに受け容れることができるように思われる。だがそのことにより、全体責任も個々の関与者の責任もその際に解消されることはない。

■普遍的な倫理的責任

　科学者は誰に向かい合って責任があるのか。自分たちの個人の良心に向かい合ってなのか（本書 p.15 以降を参照）。しかし良心とはむしろ、自己に責めを帰すこと、自己責任の媒介であり「声」ではないのか。だから良心とは、責任を評価し測定する審級ではないのか。基準を用い、したがってこれをあらかじめ前提する審級ではないのか。哲学の伝統で、特にイマヌエル・カントで常に見られたように、道徳的・実践的理性がこうした審級であるのか。あるいはまた、人間の自己尊重の理念、人類ないしは社会の理念が、そうした審級なのか。われわれは人類に向かい合って、社会に向かい合って、あるいは法則に向かい合って倫理的に責任があるのか。ある意味ではまったくそのとおりである。だが、これらすべては抽象的な概念でもある。どんなリアルな人格的法廷でもない。直接に各人の責任を問うたり釈明を求めたりできるような、いかなるパートナーでもない。抽象概念に向かい合っての責任性は、たとえそれがどんなに効力があるとしてもメタファーである。社会的な支配あるいは法的な支配が、この普遍的な倫理的責任を具体化している。だが、社会的・法的支配は、あらかじめすでに素性としては、直接的な人格的責任にも普遍的な倫理的責任にも関係している。とりわけつぎのことが言われなければならない。倫理的責任は究極的に常に人格に向けられているということ、そして道徳的なもの、倫理的なもの、人格的なもの、人格的責任という理念への訴えであり続けるということ。倫理的責任性は経験的な良心の声以上である（本書 pp.57〜61, 63〜64 参照）。わたしはもちろんここで詳細に立ち入ることはできないが、われわれはふたたび、いわばカント倫理学の端緒へ立ち返っている。疑いもなくこうした理念は人間の尊厳といくらか関係している。人間の尊厳に、人間の存在に属すること

としては、責任を引き受けるということがある。ただしそれは、ひとが行為することで比較的に影響力の大きい自由な存在者であるかぎりにおいてである。行為の自由と責任性とは相互に制約し合っている。人間の尊厳の理念には、同胞や自分の人格に対する尊敬が属する。人類の生存、人類の人間らしい存続、人類の発展という、そうした理念も属する。加えて、以下のことが人間の尊厳の理念に属するとわたしは考える。すなわちそれは、われわれが分別ある存在者として、自然の連関を少なくとも一部認識・解明・操縦することで自然の中で卓越している存在者として、他の存在者に対しても、とりわけ自然体系に対しても共同責任を引き受けることができるし、引き受けるべきであるということである。こうした責任は、われわれの理解能力や介入能力が増すと同時に、とりわけわれわれの破壊力が高まるとともに増大する。われわれは分別ある存在者として、他の存在者のために彼らを代表して共に思惟することができるし、そうすべきである。われわれは、他の存在者がわれわれに依存している場合には、他の存在者に対しても責任を、共同責任を担っていると心得ているし、心得るべきである。

また、次のように問うことができる。すでに言及した責任概念が多様であるにもかかわらず、問題や状況に適うように、その都度人間的に慎重な態度で的確な具体的統一的決断に至るにはどうしたらよいのか。なぜなら、われわれが直観するところによれば、少なくとも人格的責任に関しては責任は究極的に分割できないに違いないからである。そして共同体の責任は、分散されたり分割されたりするという意味で分けられるとは、わたしは言わないのであって、むしろ**関与が開かれて**いて、例えば議会のメンバーの責任のように、すべての人に等しく関係しており、分配によって最小限に減らされることがないからである。特に道徳的なものについては、たとえば議会にあって、なるほど事実上は妥当している次のような社会心理学的な命題に従って、事が進むことは許されないし、進むべきでもない。つまりその命題とは、あるグループ内で多くの人々が共に仕事に参加して実際に責任を担うことになればなるほど、個人が自分自身の責任を感じて担うことはそれだけ少なくなるという命題である。要するに残念なことに、希釈化の効果という現象がある。この現象はすでに哲学的・分

析的にも研究されていたものだが、そうした現象が研究されたからと言って、すべての問題がすでに解決済みと言うことにはならないだろう。

　ひとは、責任の特定な葛藤状況にあるとするなら、いろいろな基礎づけを利用し、上述の優先規則（本書 p.182 以下を参照）あるいは新しい優先規則のいくつかを利用しながら（もちろんこれら規則を隷属的あるいは機械的に利用するのは許されない）、またいつも独自の道徳的判断力に指導されながら、統一的な決断を下すよう試みなければならないのは、言うまでもない。したがって、状況に関係した**具体的で人間的な方向づけ**と言えるような統一的な解決を導くよう試みなければならない。いずれにせよこれは、われわれの道徳的直観である。責任のどんな類型分析も優先規則も、行為者から具体的な決断を奪い去ることはできない。**道徳的**に見るなら、行為者は具体的な人間性の意味で判断し決断すべきである（Lenk, 1998 を参照）。

ミルグラム実験※

■実験経過・結果

　引き続いてここではぜひ社会心理学的実験を議論したい。この実験では人格的な責任が葛藤し合うということが極度に現れている。この実験に続く科学倫理的な議論やこの実験がもたらす社会への結果は、当該科学の倫理を変化させることとなった。しかもこの変化は徹底的であった。アメリカの心理学者、スタンレー・ミルグラムの有名な社会心理学上のミルグラム実験のことである。科学倫理上たいへん議論の余地がある（余地があった）この実験は、心理学において種々の倫理的な議論が始まり、そして非常に細かな項目に及ぶ規則や倫理的指令が生み出され、それらがその後に世界中でも効力を持ち、ついには他の科学に燃え広がるという結果へ導いた。このことは別としても、このテーマは次の理由からも特に重要である。ここで実際に問われているのは、具体的な人間性の実践に関わるような問題である。たとえば次のような倫理的問題が問われる。「偽造された」実験的状況のなかで、他の人に、ただ見かけ上（しかももちろん知らなかったとしても）であれ、苦悩と苦痛を付け加えなければならないという状況へ人［実験者］を追い込むということが正当化されるかどうかという

問題である。こうした状況でもなお道徳的に正当化される実験の指示について語り得るのかどうかが、問題である。あるいは科学的進歩という「高度の」目的のために、科学者もそむいてはならないような具体的な人間性や普遍道徳の諸規則が犯されているのかどうかが、問題である。要するに、それは大きな問題である。実際に、ミルグラム実験でも基礎研究が問われている。基礎研究については、わたしは後でもう一度立ち返り問題とする。社会心理学のこの種の実験は、遅れてドイツでも追遂行されたが、アメリカでの実験とかなり類似の結果を伴った。

　何が問題なのか。実験的状況のなかにいる人間は、科学者たちの権威主義的な指示にどの程度の強さで反応するのか。その際このような状況に置かれた人間は、期待される人間的振る舞いや倫理的要件あるいは伝統的道徳的規則を踏み越えるまでに至るのであろうか。これらのことを探究するのが、目標だった。たとえば、科学的権威によって指示されたことであるなら、これら人間は他の人を傷つけたり、あるいは他の人に苦痛を加えたり、あるいはとりわけ致命的な危機ぎりぎりまで進んだり、あるいはこのようなことを甘受したりするだろうかということである。権威に対する服従の覚悟を試す、あるいは簡単に言えば、権威服従についてのミルグラム実験は、大体つぎのように行われた。いわゆる実験指導者がいる。しかしもちろんこの指導者は本当の実験者では全然なくて、実験の指導の役割を担っている人である。そして被験者がいる。彼がまさに関心の的なのである。その被験者は、彼は彼で［別の］被観察者つまり「生徒」に一連の語彙を読んで聞かせ、対応する記憶の同定を質し、そして生徒がしくじった場合は生徒を「処罰」しなければならない。失敗するたびごとに、被験者は実験指導者によって指示されているように、生徒にその都度処罰のために電圧を強めた電流を流さなければならない。状況はもちろんできる限

※ミルグラム Stanley Milgram（1933-1984）：アメリカの社会心理学者。1960年代前半に、俗にアイヒマン実験と呼ばれている「権威に対する服従の実験」で有名となる。しかしこの実験方法に対する倫理的批判があまりに大きく、その結果アメリカ心理学会では、人間を被験者とした実験の遂行に関する倫理綱領をとりまとめ、実験の真の目的を被験者に偽って実験に参加させることはできなくなっている。なお、彼の著『服従の心理』はベストセラーとなった。参照：S.ミルグラム『服従の心理　アイヒマン実験』岸田秀訳、河出書房新社、1995年（＝改訂新装版）。

り完璧に装われていた。被験者自身の入門指導の段階では、被験者が生徒用のいすにちょっと座ってみることを許されたのであるが、その［電流を流す］やり方が実験中に本当に効果を発揮するために、小さな電流電圧が用いられた。模擬実験は今や次のように進められた。失敗を繰り返すたびに電圧が徐々に高められることになっていたし、（見かけ上も）被験者により漸次上げられ、しかも30の段階に分けられ、450ボルト（！）にまでも至るようになっていた。この実験の指示にはたくさんのヴァリエーションがあった。一方には犠牲者、だから生徒あるいは被観察者への距離の近さを変えたことにより区別されるヴァリエーションがあり、他方には、生徒、被観察者がプログラムにどういう仕方や方法で反応するかによって区別されるヴァリエーションがある。「もっとも遠い距離」のケースでは生徒が隣の部屋に座っていて、自分の答えをまさにキーボードに再現するというものであり、このようにして電流への反応を送り返し、つまり被験者に自分の答えと反応をボタン押しとコンピュータのキー操作により示すというものである。別のヴァージョンは、次に過激で、しかしまだ距離のあるケースである。すなわち、生徒のなまの表現を伴う音響的な反応が送り返される。「痛い」「ここから出たい」「やめてくれ」等々。「実験指導者、もうたくさんだ。わたしをここから出して下さい。わたしはあなたに心臓障害があると言ったではありませんか。わたしの心臓は、今ちょうど具合が悪くなり出した」（例えばMilgram, 1974, p.74）。これは例えば150ボルトの場合であった。電圧上昇は「苦痛で満ちた叫び」が確認されるまで続行する。「一体君たちはやめないのか。わたしをここから出してくれ」という叫びである（270ボルト）。285ボルトでは「苦痛に満ちた叫び」。同じくそれからさらに300から315ボルトまででは、実験をさらに続行すること、その後で交代ないし解放することにかたくなな拒絶反応。そして最後に330ボルトからは、「絶え間なく続く苦痛に満ちた」そして息苦しい叫び声。その後沈黙。それは、「生徒」に「心臓障害」という条件を特別に付して始められた第5の実験ヴァージョンであった。

ヴァリエーションは、完全に体系的に変更された。［被験者と生徒との位置関係の］空間的な近さがさらにいっそう変えられた。例えば、生徒が実験指導者や被験者の部屋にいっしょに入れられ、それから演技者として直接に被験者と

並んで座った。その結果、被験者はしかも生徒の腕をつかむことができた。演技者［生徒］は反応とその都度の苦悩を非常に真摯に演じた。その結果、その「セッティング」は非常に現実的に働いた。そしてその際次のことが発見された。生徒の返答、あるいは生徒と被験者との空間的位置関係が近ければ近いほど、人格的であればあるほど、真摯で直接的であればあるほど、それだけいっそう人々は、高いボルトの段階での実験を中止する気になった。そしてそのことが、つまり中止のぎりぎりのところが肝心なことだったのだが、しかしこの点を被験者はもちろん知らなかった。実験シリーズの全体が始まるまえに、前もって尋ねられた心理学者も素人も結果を予測することができないのは、いつものことだった。被験者たちは、最初の二つの実験ヴァージョンでは、すなわち遠隔指示（隣室、キーボード）の場合と音響による返答の場合とでは、だからこうした「もっとも遠い」、だが本当に過激な状況にある場合には、被験者の60〜65％が450ボルトぎりぎりまで進むことをいとわなかった。それは、「危険である」とアナウンスされた量、それどころか致死量を超えるものだった。実に、彼らはこうした状況で電圧を用いた。どうもそうらしい。例外だったのは、「生徒」が直接に彼らと並んで座っていて、そして彼らがまた生徒と**直接ふれ合う**ような関係にあった状況である。そうした状況では、生徒は被験者らの腕のなかで麻痺し、苦しみ、死ぬように見えた。要するに、実験の結果は一般に予測も予言もされなかった。被験者の65％は、電圧の最終段階まで進む用意があった。しかも［被験者が］男性の場合も女性の場合も同じで、したがって性に特有の区別は全然なかった。だから、条件変数も特段の役割を演じはしなかったが、だが近さと遠さの変数は別であった。

　実際決定的なことは、科学者の**権威**であった。こうした実験の場合、その権威は実験指導者の権威である。権威という圧力は、たしかに決定的であった（同書 p.125）。このことをわれわれは、状況のヴァージョンを変えることで見つけ出し確証することができた。すなわち、本来は実験全体の計画者として「生徒」に相対して登場していた実験指導者自身が、クジで「生徒」の立場に立つような、そうした事情がクジ引きであらかじめ「生じる」ことになった瞬間に確証できた。そのときは、被験者の誰もが実験を即座にあるいはできるだけ

早く中断した。そのとき、高い段階へ進む覚悟はまったく存在しなかった。あらかじめの科学者の権威が、それを妨げた。

例えば一人の看護婦が被験者とされた実験 Nr. 8 で示されているのは、看護婦がとてもおどおどし神経質だったということである。だがその看護婦は病院の中で似たような場合には、薬の量が多いと、指示する医師に対して異議を唱える機会がしばしばあった。実にここ（この実験）ではまったく別だった。「わたしは今、終わりまで続けなければならないでしょうか。先生。その男の人がどうかならなければよいのですが」（同書 p.97）。だが彼女は、さらに続けた。一見痛ましい結末に至るまで続けた。終わってから面接で、彼女はきわめて慎重だった。彼女の答えは非常にゆっくりだった。その際、彼女も尋ねた。一体男の人たちは「終わりまで、450ボルトまで進んで、持ちこたえたでしょうか」と。聞き手はそれに直接に答えずに、彼女に尋ねた。彼女自身はそれについて一体どう思うかと。それに対して彼女は言った。「わたしは、男の人たちが［実験指導者の意志に］従うだろうとは思わない」（同書 p.98）と。すなわち彼女は、女性が男性よりも（科学的）権威に対して抵抗の意志を少ししか示せないと言った。これは、われわれのあいだでは確かに流布していた見解である。

続行するのを実際に拒絶した別の参加者は、しかも明確に、そして比較的早く、実験指導者を「頑固な技術者」と見なした。そして当該者［被観察者、生徒］に関する非人間的な結果を洞察することができないらしい「視野の狭い」専門馬鹿と見なした。この参加者は、「あなたはさらに続けなければならない」「あなたはいかなる選択肢も持っていない。実験はさらに続けられなければならない」というような指示に対して、つぎのように言って抵抗した。「われわれがロシアにいるとするなら、おそらくそうかもしれない。しかし、アメリカではそうではない」と（同書 p.64 以下）。この被験者は、旧約神学の教授だった。彼は、権威の依存関係に対して一般にどのような態度をとるかと尋ねられたとき、次のように言った。最高の権威として神が考えられるなら、人間の権威は無のようなものである（同書 p.66）。言い換えると、彼は権威に従うかどうかを、もともといわば全然別の観点で見ている。

ミルグラムは、この実験から一連の結論を導き出している。例えば一般的仮

説は次のようである（同書p.169）。「**人間には、合法的権威が提示する行為の定義（境界、規定）を受け容れる傾向がある**」。すなわち、こうした構成された状況ではわれわれは権威の指示に順応し、そしてこの指示に同調する。ところで、すでに先に見たように、この順応・同調は自己が危険に陥るという危険を冒してまで進む。第二次世界大戦の少し前に、そのための実験がなされた。例えば、心理学者オルネは被験者に言った。「ガラガラヘビを持ってこい」と。そして人々は信じられない仕方で科学者の権威という消しがたいイメージにとらわれて、実際にガラガラヘビを捕まえようとした。彼らは、目に見えない、光を反射しないガラス壁だけが邪魔になって捕まえることができなかった。当該の実験で相応の権威を占めている白衣の「お偉い先生」の指示が、ここでも問題である。

ミルグラムの実験では、次のことが判明した。のちにドイツ連邦共和国で比較実験が行われたが——それについてのフィルムもある——ドイツでは権威依存度が約10〜15％高かった。ドイツ人は伝統的に権威を信じているので、特に御上に盲従しているということ、これに対し自由を愛する個人主義的なアメリカ人ではもちろんそうではないというのが、ミルグラムがはじめに期待したことであった。彼はそう期待していた。だが得られた実験結果は、たいていの場合、ほとんど等しかった。わずかのパーセントしか違わなかった。すなわち、実験の状況のなかで権威の威力に曝された被験者は、ある状態（ミルグラムにおける「動因状態 Agenszustand」）に入ってしまっており、その状態では、命令に従う確率が異常に高く、抑制をきかせ判断能力を発揮する通常の反応が効かなくなる。事情は明らかにそのようである。ミルグラムは言う（同書p.170）。この種の権威道徳や権威への盲従を確定するために、言葉にはいろいろな表現、すなわち「**忠誠、義務、規律**」等々がある。これらの表現は、「問題の人格自身の善良さに関わるのではなくて、下位にある人が社会的に分け与えられている役割をどの程度に満たしているか、その程度に関わる」（同箇所）。それからまた、これに対応して「自己弁護の主張」がある。これをわれわれは、おぞましい伝統を持つここドイツでは「良心に反して命令遂行を強制された状態の言い逃れ（Befehlsnotstandsausreden）」と名づけている。自分の義務を果たしただけで、

それは、役割に定められていただけである。だから責任は実験指導者にあったのであり、わたしにはなかった。「ひとがみずからの行為に対して責任があると感じるためには、ひとは自分の行動が『自己』から生じていると感じていなければならない」とミルグラムは言う（同箇所）。操作された状況、研究的な状況では、被験者は自分の行動をそのように感じ取っていなかった。被験者は、もし被験者の思うとおりにできたのであれば、生徒に「けっして、ショック」を「与えなかった」であろう。少なくとも、それほど強い「ショックを与えなかった」であろう。だが、そうするよう実験指導者が要求したのだ。たいてい被験者は、以上のように言ったと言う。だから、〈いわば良心あるいは超自我が為す統制機能が、自己自身の行為を価値評価すること〉から、「いかに上手にあるいは下手に権威システム内部で機能するかについて確認すること」（同書 p.171）へとずらされている。こうしてひとは易々と、抑制を止めるのをいとわなくなってしまう。「自分の意志で他人に対して残忍になる」というのが、もう分からなくなる。一種の「ショート（短絡）」が起こり、行為がもはや本物の良心判断のもとに置かれることはない。この実験について述べるのは、これぐらいにしておく。

　心理学者にはまだ他の実験もある。一部は、もっとはるかに強烈な実験であった。例えば、兵士を飛行機に座らせる。そして（一見）墜落したかのように見せる。地表直前で再び水平に立て直し、そしてその反応を写真にとった。つまり、被験者を本物の死の不安にさらした（Berkun, 1962）。この実験はもちろん、後にアメリカ心理学会の倫理規範によって禁止されている。ほかに、有名なスタンフォード大学のチンバルドによる監獄実験が引き合いに出されよう。その実験では、学生たち、つまり通例科学上の「モルモット」たちが、選抜ないしはクジ引きによって、監獄で囚人あるいは看守であるという状況に連れ出された。実験は5日間続くはずだった。だがチンバルドは2日後に中断せざるを得なかった。なぜなら、学生たち——全く普通の親切な男子学生や女子学生だったのだ——は、KZ（ナチの強制収容所）の国家権力の手先のように被保護者（従属者）に対して振る舞ったからだ。状況あるいは役割が学生たちを強制した。わたしたちが倫理的に優れた人間、あるいは気骨のある人間というにはほど遠

いのは、明らかである。わたしたちが自分たちの伝統的な人格の見方の中でうぬぼれるほどではない。役割の強制や権威の緊張の状況がミルグラムの実験では支配的だった。チンバルドでも状況や役割の強制が支配的だった。これらの実験のどれもが、非常に考えさせられる。

　ミルグラムの場合、まだ別の重要な結果があった。たとえば、以下のことが重要だった。反抗的な被験者たち、したがって自己の信念を主張する勇気を奮い起こし実験を中断した被験者たちは、あの神学教授のように、見かけ上彼らが犠牲者に与えた苦痛に対して主として自分自身に責任があると感じた。それはいつも、事例の 48 ％だった。そして実験指導者に負い目を負わせたのは 38 ％だけだった。それに対して、終わりまでやり通して、だから致死量を用いる覚悟をしていた「服従的」被験者のうちでは、自己自身に責任があるとするのは一部、すなわち 36 ％だけだった。実験指導者に責任を帰すのは、他の被験者の場合と同様に 38 ％だった（同書 p.232）。それどころか、服従的な被験者たちは、生徒に、被観察者に責任を帰した。犠牲は負い目と共にある。それは確かにわれわれの社会で、ある意味で伝統的な見解であった。とくに、セクハラ、性的暴行等々の場合に裁判所が認知さえしていた見解であった。

■誰に、どのような責任があるのか

　さて次のように問うことができる。わたしたちは、わたしたちが挙げた責任の類型、わたしたちが論評を加えたいろいろな［責任の］プロフィールや次元を使うことで——それら責任のプロフィールや次元は、ここで確かに一部はまったく的を射ている——、責任考察と責任葛藤を解明するのに少しでも寄与できるのか。わたしは、できると思う。ただし今ではもちろんのこと、ここで手短に行われたよりも、もっと詳細な論証を徹底し、実例に則して具体的に述べなければならないであろう。少なくとも、科学者としての実験指導者について、状況を設定する直接的で通常的な開始責任［因果的行為責任］と役割・課題責任とのあいだが区別されなければならない。あるいはまた、これに対応して被験者にあっては、役割の遂行義務と道徳的で人と人との間にかかわる通常の行為責任とのあいだが区別されなければならない。こうした連関での全責任を一般

に、一人の人（人格）（だけ）に帰すことができるのか、できないのか。たとえば、計画する者、すなわちミルグラム自身に。実験に参加する被験者もまた、彼らが一度は自由意思（1時間4ドル）で参加したからには、通常の行為関係という状況に進入し、他の人に苦痛や苦悩を意識的に付け加えた（たとえ見かけ上にすぎないとしても）ことによって、状況の中に身を置きながら十分に無責任な態度をとらなかったのか。とくに、彼らが限界にまで進み、終わりまで従順に命令に従って行為する覚悟があったとしたら、無責任ではなかったのか。そもそも排他的に実験指導者にだけ責任を負わせることができるのであろうか。言い換えれば、完全にミルグラムに責任を負わせられるのか。

　ミルグラムは、最後に、一人の批評家であるダイアナ・ボームリンドと長い議論をした。それは書物（同書 p.221）の付録でミルグラムにより要約されている。その際彼は、自分の実験を倫理的に正当化するよう試みた。この正当化の構造は、心理学的にも、また倫理学的にも、本当に興味深い。われわれは、個々に詳細に立ち入らなければならないだろう。だがここでは、ただ素描的に示すことができるだけである。ミルグラムが言うには、心理学にとっても、人間にとっても、そしてもちろんまた個人にとっても、大きな利益があった。この方法で人間について、それ以前には予感・予言されなかったことが経験された。疑いなしにわれわれはドイツの経験から、KZ（強制収容所）由来の経験へ立ち戻ることができた。確かに後者の経験は幾度も記録されてはいるが、しかし人々はこのような反応の仕方を以前には体系的に研究していなかった。新たな問いがある。誤謬や偽装、そして偽りの情報というものを、社会心理学者たちが婉曲に言うようなしかたで、どんどんと押し進めて、人々をして他人に——たとえ見かけのことにすぎないとしても——苦痛や死の恐怖を加えさせる状況まで追い込むようなことが、いったい正当化できるのかどうかという問いである。そしてここには、もちろん人も知る科学倫理的問題が提出されている。なぜなら、社会心理学者には、偽装された条件を指示するという方法誘導的必然性があるからである。さもなければ、われわれは決して真正で歪められていないデータを得ることができないであろう。要するに、この実験が倫理的に議論・批判されるまえに、どうしたら社会心理学者にとって

の実験対象をもっとも適切な仕方で欺くことができるかということによってお互いに競い合うというのが、社会心理学者のあいだで、いわば一種の「スポーツ」だった。

■事後の同意・正当化？

　実験の1年後、選ばれた参加者の40名が医学的に、精神医学的に、心理学的に再び調査された。そこで、トラウマが持続するという反応はまったくなかった。ミルグラムは実験を、事後に与えられた同意とともに、あるいは同意に基づき正当化した（同書 p.225）。聞き取り調査で大多数の人々から同意が与えられた。いつも、参加し関係した被験者の84％が、実験は正当なものだったという意見だった。74％が、その際多くのこと（「人格的に重要なこと」）を、あるいは重要なことを学んだと主張した。ただ1.3％だけがはっきりと否定的な気持ちを表明した（しかし15.9％は、実験に参加したことを「すまない」、あるいは「非常にすまない」ことだと思った）。以上の理由に基づいてミルグラムは、実験の正当化を導出し得ると主張した。なにしろ参加者自身が、それは本当に正しいと答えたからである。しかし、事後に与えられた同意に基づき、ある種の正当化を提供できるのだろうか。その同意をミルグラムは、いつも前もって折り込み済みであったが、だが後になって初めて取りつけることができたのは言うまでもない。トラウマが持続することはあり得ないだろう**ということ**、その事実——これを彼は初めには知ることができなかった——に基づいて、いわば遡及的に弁解し、この実験は、あとにトラウマに導かなかったのだから、正当化されると言えるのだろうか。かりに別様の結果になったとしたら、つまり人々がある種のトラウマの持続という傷害を持ったとしたら、そのときミルグラムは、自分の実験を取り消すことができるのだろうか。そんなことは明らかにできない。あるいは、そのとき彼はその事実を単純に公表しなかったであろうか。あるいは、彼は道徳的な負い目を覚えたであろうか。ひょっとしてさらに自分の過ちを認めただろうか。ある一人の被験者は、あとになって次のように報告した。すなわち、苦痛を加えるのに彼が唯々諾々としていたのを、自分の妻に物語ったところ、彼が妻から受けた返答は、「今からあなたは、自分のことをアイヒマンと呼んでよろしいよ」（同書 p.72）であった。それは実にまた意味深

長な反応だ。それは精神的な医学的なトラウマを意味しない。だがこの妻の反応は、どうでもよいというわけにはゆかない。

ミルグラムはさらに、その批判者［先の妻］が誤っているとも言った。彼女は被験者をそれぞれにあまりにも「実験指導者によって完全に支配されている受動的な被造物とみなし」すぎるという誤りをおかしている。しかるにミルグラムは、以下の立場から出発した。「実験室にやってくる人間は決断能力を持った能動的な大人である。彼は自分に向けられた行為指令を受け容れたり、拒絶することができる大人である」。「批判者は実験の成果として、信頼がむしばまれ権威に埋没するさまを見る。わたしは一つの結果として、潜在的に価値ある経験を見る。なぜなら、その実験は人間が権威のもとに無批判に服従するという問題を知らせてくれるからである」と彼は言う（同書 p.226）。さてこのことは、ミルグラムによって、まったく一般的に考えられているのは確かである。だがこのことをミルグラムは、被験者それぞれに固有の反応の仕方や、被験者が自分自身について獲得することができる洞察に関連づけて、個人的にも考えている。さてここでもまたわれわれは、このようなことが正当化されるのかどうか、個々に問い質すことができるのは言うまでもない。われわれは他人に、［他人が］自分についてどう経験するのか、何も知らないくせに、これを単純に押しつけることが許されるのであろうか。

他面では前述のように、この実験、あるいはこうした一連の実験が実際にきっかけとなって、その後にアメリカの心理学者や科学者一般が、特に社会科学者がいろいろな実験や実験指針を道徳的に正当化する彼らの考察を大幅に改訂することになった。さて、そのことは、本来的には、科学倫理にふさわしい議論と連携させて一般的に議論されるべきである。なぜなら、これまで人々がいつも信じてきたのは、基礎研究が道徳的に完全に中立であり、そしてこのような社会心理学的な基礎研究もまた基礎研究として特徴づけられたし、特徴づけられるということであるからである。だが、こうした基礎実験に臨んで人々は、ある行為状況のなかにある人間自身と関わり合うような状況を自由勝手に処理するのである。

ミルグラムのケースは、被験者が部分的には実存的に狼狽させられているに

もかかわらず、むしろ「通常の事例」である。もっと適切に言えば、日常の研究、普通の研究に携わりながら**直接的**に道徳的問題が起こってくるという実例である。いつも、こうしたケースであるとは限らない。それに対して次の実例は、研究者の責任が極端な例外的な状況で、例えば戦争で、議論されるようなケースである。

自然科学者における責任の問題に関して
■自然科学者の外部的(外部に向けられた)責任

　自然科学者、特に物理学者は、社会心理学者よりも、自分たちが人間を**直接に**実験しないという理由で、立場上気楽であるのが普通である。科学者はしばしば気楽に振る舞い、時には気楽すぎるぐらいである。ルドルフ・メスバウアーは少し前に、カールスルーエ大学学生新聞『安全弁 (Ventil)』(Nr.94/1994) の公開インタビューのなかで、自然科学者の責任ついて彼がどのように考えていますかという問いに次のように答えた。

　「とりわけドイツでは、基礎研究の分野においてはどんな責任も負わないというように従事しています。わたしたちは自然がどのように働くかを理解しようとしています。応用物理学を行うときはちょっと違います。だが、このことも、この国ではひどく誇張されています。その際、わたしは原子炉技術のことを念頭に置いています。……あなたがたは科学を単純に禁止することはできません。そしてわたしたちがここドイツにおいて科学を中止しても、ほかの国で続けられます。ドイツでは、科学に対する敵がい心によって、研究状況全体が非常に危険な状況へと進んでいます」。同様にノーベル賞受賞者のクリッツィング[※]からも次のような回答があった。「研究成果を応用する場合には」自然科学者は責任を持つだろう。「基礎研究では、そうではない、結局研究は禁止することができない」。

　基礎研究での外部に向けられた責任という問いは、もちろんまじめに問題にされねばならない。まさしく物理学では――応用物理学だけではなくて――そう

※クリッツィング Klaus von Klitzing (1943-)：ポーランド生まれのドイツの物理学者。1985年、量子ホール効果の発見によりノーベル物理学賞を受賞。

したことが問題にされた伝統がある。特に、アメリカの「マンハッタン計画」※以来、すなわち原子爆弾開発計画以来、そうした問題が大いに議論されてきた。だが、科学はずっとそれ以前に、すでに「科学の無垢」を失ってしまっていた (Herrmann, 1982)。すくなくともフリッツ・ハーバー※による毒ガスの開発を指摘しなければならないだろう。彼は周知のように、第一次大戦中にドイツ最初の毒ガス投入を計画・強行し、そしてこれに関する研究を戦争後(！)も続けた。ちなみに言うと、ほかの周知の科学者たちと一緒に行った。オットー・ハーン※もこのグループにいたし、リヒャルト・ヴィルシュテッター※やA. ガイガーやジェイムズ・フランク※もいた。フランクは後に、一般市民に対するアメリカの原子爆弾使用に**反対する**ベーテ・フランク・レポート (Bethe-Frank-Bericht) を企画・公表した。

　これらの計画や経験のすべてを通じて、科学者の**外部に向けられた**道徳的責任性について白熱した論議[29]が起こったのは言うまでもない。わたしはいくつかの論文で、とりわけ『科学と倫理』という論集 (Lenk (Hg), 1991) でも、そうした議論にすでに検討を加えておいた (参照、Lenk, *Zwischen Wissenschaft und Ethik*, 1992)。ここでは個々に繰り返す必要はない。ただ簡潔に次のように言っておく。ほかでもない科学者のあいだでも一般に、責任性の**内向き**と**外向き**の問いないしは形式が、あまりにもしばしば簡単に混同されている。一方には科学倫理、より正確には、科学における一般倫理あるいは普遍道徳、言い換えれば潜在的な被害者に相対しての道徳的責任があり、そして［他方には］科学者同業組合内部での**エートス**があるが、この二つはいっしょに基礎づけられるべきではない。確かに両者は、科学の営みにおいて組み合わせられるべきであり、そうせざるを得ないとしても同じ基礎を持つのではない。それなのに両者を混同することに、まさに問題がある。

　科学者自身は**エートス**に引きこもりがちである。そしてただ最良の・能率的・正確・誠実な研究を行い、そして自分のライバルたちを誠実・フェアーに遇することが、科学者自身の本来的な責任であると主張しがちである。しかし、科学者はそのように振る舞うことができないときがもちろんある。それは、直接的な人体実験が問題であるとき、あるいは直接に人間が巻き込まれるような野

外実験 (Feldexperimente) が問題であるときである。そして基礎研究から応用研究への境界がはっきりしないときでも、科学者はそのように簡単に考えることも、そのように安直に片づけてしまうことも今ではもうできない。今日の遺伝子生物学のことを考えてみるだけでよい。そこでは基礎研究と応用研究という二つのことを分離するのは、もう現実的でないし、そうする意義もない。少なくとも、細部にわたって分離するのは非常に難しくなってしまった。リュッベが、科学技術の進歩の有害な副産物のすべてを見積もるべきだという十分な責任や過度な要求は科学者には重すぎると考えるとき、彼がある意味で正しいのは言うまでもない。彼は言う。「底なしの道徳主義だけ」——その「責任のパトスがその道徳主義の実践的無力の補完物である」——では、人格の責任を人格の行為力の及ばないところへ拡張することになるかもしれない。しかしこの主張は、本当は実際のところ、事情によっては非常に枝分かれしてしまった責任性というほとんど見通すことのできない森の中では、今ではもう持ちこたえることができない。人間は、みずからの道具や科学化された技術やエコシステムへの極度の介入（それらが主としてすでに、残された自然といっしょになって「人工

※マンハッタン計画：原子エネルギーを使った新兵器開発、マンハッタン計画は1942年に始まった。米国政府と原子物理学者、産業界、軍当局が一体になった秘密開発計画は着々と進み、1944年秋には航空機による原爆投下を任務とする 部隊が編成された。1945年5月にドイツは降伏、日本も原子兵器の早期開発を断念。しかし米国は原子爆弾を完成させ、戦後世界での米国の主導権を決定づけるために使おうと考え、3発の原子爆弾を作り、7月16日に最初の1発をニューメキシコ州アラモゴードの砂漠で実験に使い、残る2発を 広島と長崎の実戦に使用した。トルーマン大統領は「今から16時間前、アメリカ空軍機は日本の最重要基地広島に爆弾1発を投下した」と 世界に向け声明を発した。日本との戦争の勝利を確定し、続いて長崎に3発目を投下、米国はその後の「核時代」の扉を開いた。中国新聞 http://www.chugoku-np.co.jp/abom/97abom/peace/04/aramo.htm より。
※フリッツ・ハーバー Fritz Haber (1868-1934)：ドイツの化学者。カールスルーエ工科大学教授、ベルリン大学教授。1918年、ノーベル化学賞を受賞。毒ガス戦争の指導者。妻クララはこれに反対して自殺。
※オットー・ハーン Otto Hahn：p.179 の訳注を参照。
※リヒャルト・ヴィルシュテッター Richard Willstätter (1872-1942)：有機化学者。1915年ノーベル化学賞受賞。第一次大戦で実戦用のガスマスクを開発した。
※ジェイムズ・フランク James Franck (1882-1964)：ドイツ生まれの物理学者。1925年ノーベル物理学賞受賞。1935年アメリカに移住。原子爆弾の開発に携わる。原子爆弾は使用されるべきではないが、その威力を示すために住民が少ない地域で爆発させることを可とするフランク委員会の委員長となる。

的な」「技術から生じた」小世界となってしまった）を単純に手にすることで、あまりにも力強くなったので、連関全体に対しても共同責任を自覚しないわけにはゆかなくなった。現実に存在する危険に直面すると、過大すぎる要求という洞察を契機にして、両手を膝にのせて何もしないというのでは十分でない。このことは、原則的かつ時としては、科学者個々人に対しても妥当する。個々の科学者は、実験的な研究企画の開発・利用・実施を戦略的に進めてゆく代わりにそうした責任を自覚する必要がある。実験的な研究企画の場合、われわれははるかにずっときめ細かく振る舞わなければならないし、そして政治的で倫理的な問題に統合的に――法律的でもあるのだ――取り組まなければならない。わたしはそう思う。

　技術的かつ応用科学的な結果を積極的にも消極的・破壊的にも使用できるという両義性もまた、今ではもう、ゴルディアスの結び目［難問題］を刀で断ち切るようには、それほど明白かつ単純に解決することはできない。ないしは、明白に責任のない基礎研究と責任を負うべき応用研究とが完全にお互い切り離されることによって解決できるわけではない。一切合切が、今日でははるかに困難になってしまっている。

　責任を負うことができないということが簡単に無責任（Unverantwortlichkeit）に行き着く。そして責任性が力や知といっしょに増大すると、両者といっしょに、それ相応にまた人間**たるもの**一般の共同責任性、力と知のある個人の共同責任性が拡大する。

■**アルベルト・アインシュタイン、ゲッチンゲン宣言、パグウォッシュ会議**
　人間は責任能力のある存在者であるというのは、一般に妥当する命題である。このような存在者として初めて人間は、完熟した道徳的人格である。人間は責任のある存在者である。科学者もまた人間である。それゆえに、科学者もまた責任のある存在者である。以上の推論は非常に明白に思われる。しかしすでに述べられたことに基づくと、事情はもちろんそれほど明白ではない。人々は、伝統的な仕方で科学を道徳的に中立と見なした。人々は、科学の成果をいつも善にも悪にも用いることができた。そしてしばしば、何が善であり、悪あるいは非倫理的であるかを決めることさえできなかったし、今でもできないでいる。

人々は、科学者たちの発見・開発、そしてその使用に対して科学者たちに責任がないと慣習的に見なしてきた。しかしながらアルベルト・アインシュタインはこうした意見に与しない。彼は30年代のはじめから、物理学者の友人マックス・フォン・ラウエ※に次のような手紙を書き送った。「わたしは、科学者が政治的な、すなわち広い意味での人間的な関心事で沈黙しなければならないという君の見解に与しない。君は、このような自己制限がどこへ導くかをドイツの状況でまさしく知っている。それは盲目の者や責任のない者に無抵抗に操縦を任せることを意味している。その背後に、責任感情の欠如が潜んでいないか。かりにジョルダーノ・ブルーノ、スピノザ、ヴォルテール、フンボルトのような人々がそのように思惟し行為していたとしたら、今どきわれわれはどこにいるだろうか」。

　外部に向けられた科学者ないしは研究者の責任とは何であり、そしてどの点にあるのか。問題は特に、またしてもアインシュタインによって、つまりルーズベルト大統領宛のアインシュタインの（本当はシラード※が書いた）手紙によって明らかとなった。その手紙によると、アインシュタインはシラードとウィグナー※の勧告に従ってアメリカの原子爆弾の開発を嫌々ながら勧めた。あるいはその問題は、広島と長崎への原爆投下の後しばらくしてから、シカゴの原子力科学者たちによって明らかになった。また1949年にアインシュタインやヴィクトール・パシュキスも加わって一緒に創設された〈科学における社会的責任学会〉によって明らかになった。その学会のドイツ支部は1965年に、したがって非常に遅れてから、〈科学における責任のための学会〉（Gesellshaft für Verantwortung in der Wissenschaft）という形で創設された。だがドイツ向けとしては、以下のことも思い起こそう。すなわちそれは、むしろ政治的な向こうを張るものではあったが、戦略的立場にある知識人の認識に基づく実践的な共同責

※マックス・フォン・ラウエ Max von Laue（1879-1960）：ドイツの理論物理学者。1914年ノーベル物理学賞を受賞。
※シラード Leo Szirad（1898-1964）：ハンガリー生まれの物理学者。アメリカに亡命帰化。アインシュタイン書簡を起草。原爆の開発に反対。
※ウィグナー Eugene Paul Wigner（1902-95）：アメリカの物理学者。ベルリン大学で学ぶ。プリンストン大学教授。

任によって支えられた声明行動のことである。連邦軍の核兵器軍備拡張が議論の対象となったときのもので、ゲッチンゲンの原子物理学者であるゲッチンゲン人18名による声明行動※のことをである。あるいは同じ1957年に開かれた最初のパグウォッシュ会議※を思い起こしてもよい。その会議の創設者の一人でまだ生きているジョセフ・ロートブラット※は、1995年にようやくノーベル平和賞を授与された。こうした何よりも第一に道徳的に動機づけられた科学者の参加は、のちに、ドイツの科学者団体においても制度として定着した。だがその参加は、一般的拡がりのある倫理的論争には導かずに、むしろ具体的批判やプロジェクト評価に終わった。とはいえ、時にはいくらかの政治的破壊力を備えてはいた。

■ボルンのペシミズム

　ゲッチンゲンの18人の一人、マックス・ボルン※は、きわめてペシミスティックな意見を表明した。「技術時代という現代では自然科学者は社会的・政治的・経済的機能を持っている。自分の研究が技術的使用からどんなに離れていても、その研究は人類の運命を決定する行為と決断の鎖の中の一つの項を意味している。科学のこの観点が十分に効力を持つということは、広島の後になって初めてわたしに意識されるようになった。広島の後に、この観点はきわめて重要となった。この観点は、自然科学がわたし自身の時代における人間の問題に、どのような変化を引き起こしたのか、また自然科学はどこへ導こうとしているかについてわたしに考えさせるものであった。わたしに科学研究への愛があるにもかかわらず、わたしの熟慮の結果は落胆させるものだった。この地上に思惟する存在者を生み出すという自然の試みは挫折したように、わたしには思われる。そのように思われる理由は、核兵器を使用する戦争が勃発して地上のすべての生物を破壊する可能性がかなり高く、しかも増大しているということだけではない。破局を避けることができる場合でさえも、敢えてわたしは、人類のためにもっぱら薄暗い未来を見ることにしよう」（Born, 1965）。ボルンは言う。現代の技術時代の本当の病気は「あらゆる倫理的原則の破壊である」。技術時代のわれわれの状況にわれわれの倫理法典を合わせるという試みは、すべて失敗に終わっていると言う。ところでわたしは、倫理的悪夢をこうした全体的に

悲観的な調子で描写することに与しない。だが、この基本的な主旨にはある種もっともな理由が認められる。わたしの考えでは、倫理的原則がすべて崩壊したとは決して断言できない。むしろ言えることは、［倫理的原則の］効力がかなりの程度失われたということである。とくに国際的空間において、そしてまさしく技術的な効果の可能性に関してそう言うことができる。どこが問題なのか。現代のわれわれの体系的技術的世界にとって適切であるような、新しい倫理的な方向づけは、どうしたら獲得されるのか。一つのことが明らかである。すなわちわれわれは、今日、そして将来にわたって、科学、特に応用科学と技術の焦眉の倫理的問題をいまではもう無視することが許されないということである。こうした問題についてもまた、アメリカの大学はヨーロッパの大学よりも柔軟に対処していることが明らかになった。アメリカの大学では、すでに科学の倫理、医学の倫理、刑法の倫理、立法の倫理、行政や政府の倫理、経済の倫理、そうした倫理へのコースが制度化されている。生命倫理学や環境倫理学がまさしくキャッチフレーズになった。われわれのところ［ヨーロッパ］では、あまりにも多くのことがまだ制度化されていない。「医学の倫理」がわれわれのあちこちで——たいていは随意に——導入されたばかりである。

■自然科学者の責任をめぐる自然科学者たちの態度表明

　人間を用いる実験、いわゆる人体実験では、直接に研究を進めてゆく途上で、人間が科学のプロセスの中へ取り入れられて、いわば研究の対象になる。外部に向けられた責任は、いわゆるフィールドワークや応用研究で、とくに顕著で

※ゲッチンゲン宣言：1957年ドイツの科学者18人が、ゲッチンゲンで原子兵器の生産・実験・使用に協力しないことを宣言した。
※パグウォッシュ会議：1955年のラッセル・アインシュタイン宣言の呼びかけに応じて、1957年カナダのパグウォッシュで科学と世界の諸問題に関する第1回の会議が開かれ、以後50回の会議が開かれている。広い意味での科学者が学問の枠を越えて、核兵器・戦争の廃絶、技術の平和利用、環境問題など、人類社会が抱えている問題を議論している。
※ジョセフ・ロートブラット Joseph Rotblat (1908-)：英国の物理学者。ラッセル・アインシュタイン宣言の署名者の一人で、長年パグウォッシュ会議の事務局長・議長を務めた。
※マックス・ボルン Max Born (1882-1970)：ドイツの理論物理学者。1954年にノーベル物理学賞を受賞。

ある。だがこの責任は、こうした領域に限られているわけではない。こうした対外的な責任についての見解は、さらに細かく多岐に分かれる。生化学者アーンスト・チェイン※のような人たちは次のように言った。すなわち、自然法則の記述的研究としての科学は倫理的・道徳的な性質がなく、倫理的に中立であると言った。だからチェインが言うには、科学者は自分の発明がひょっとして傷つけることになるかもしれない結果に対して責任がないのであって、そうしたことに責任があるのは**社会**である。もっとも、科学者の誰もが市民としてはそうした社会の恩義を受けている。特に科学者は、自分が発見した基本的法則を他の人が応用することに対しては責任がない。その法則が利用できる可能性について科学者は、彼の計画の最初の時点に少しも予感することができなかった。科学者の発見したことに対して彼に責任を負わせるということは、その科学者が研究を始める前に、彼が自分の研究の成果を正しく予測するように要求するのと同じことであると言う。応用を決定することは、記述的な知をはるかにしのいでいる。これは正しい。だから、科学者に、彼の発見物についての彼自身によるのでない応用に対する責任を負わせることは無意味であると言う。こうした責任は、**ひとり**政治家あるいは決定者のみが負わなければならないだろう。チェインはしかも次のようなことまでも言っている。すなわち、戦争研究における科学者や技術者は、弾道学上であれ生物学上であれ、新しい兵器を開発する場合、彼らが開発する武器の恐るべき破壊的効果に対して少しの責任も負わないであろうと言う。これに反論して、例えばベルゼイは、一見したところでは研究の自由が普遍的な原理として与えられているにもかかわらず、危険な研究領域に直面した場合には制限と特殊な責任とが成立するだろうと強調した。ここで危険な研究領域というのは例えば、人類に対する格別のリスクを内蔵する領域である。科学者の発見したものを人類に対して有害に作用するという仕方で用いる可能性があると、例えばある政府がおそらくこの発見を誤った仕方で用いるだろうと、科学者が信じるに足る十分な根拠を持つとするなら、その場合にはとりわけそうした責任が成立する。この場合、科学者は自分の発見したものを政府の手に渡してはならない。科学者は、自分が人類にとって破滅的な可能性を持つものを発見するとき、公然と与り知るところでないとは言

えない(そしてそれは特に生命技術や遺伝子工学の領域において論議を呼んでいる)。科学者が彼の研究の成果を研究開始のまえにすでに正確に予測できるよう要求するなどということは、もちろんできない。しかし科学者が研究の多くの危険な領域で起こるかもしれない結果を見積もり、そして状況全体の中へ埋め込み、考量しながら判断するよう要求することはできる。けれどもこのことは、科学者の普通の人間的責任に属するとベルゼイは言う。科学倫理という特別な道徳をまったく必要としない。だが、特別に応用科学者や技術者は時として、決定の戦略的に枢要な立場に立たされる。その立場というのは、技術を超えた決定的な連関を巻き込んで、そして決断の起こりうる結果をともに考慮に入れるよう要求する。この結果が前もってただ不完全にしか見積もることができないとしてもである。そのようにベルゼイは言う。しかしチェインや他の人々は、科学者の責任を以下のものに限定する。それは、学際的な共同研究を支援すること、そして科学的発見や新しい技術的可能性やその問題性について時宜を得た了解的な情報を提供すること、試験的プロジェクトに参加すること、および、焦眉の実践的諸問題を強力に論究するよう精神諸科学に要請することである。その要請というのは、最後には精神諸科学の方で「自分たちの月面着陸」を企てて(グラウ※)、応用諸科学の倫理的問題を納得の行く形で解決するという要請である。これに対して、科学理論家であるカール・R・ポッパーによれば、自然科学者だけが、例えば人口増大の危険を予見することができるし、あるいは石油製品の使用の増大の危険を、あるいは平和目的のために利用する原子エネルギーがもつ危険を査定することができると言う。あたかもここでは**自然**科学的な問題が取り扱われているかのようにである。ポッパーは、自然科学者だけが彼ら自身の仕事の副産物や結果を査定することができると言う。だからこそ彼らは他の人々よりも多くの責任を持っていると言う。新しい知を入手することで新しい義務が作られるとポッパーは明確に言う。しかし、これは科学者の役割義務の枠のなかで科学者が負う特別な責任の部分であると言う。「誰も

※アーンスト・チェイン Sir Ernst Boris Chain (1906-1979):生化学者。ドイツベルリン生まれ。ナチス時代に英国へ逃れ、ケンブリッジ大学やオックスフォード大学で教授。ペニシリンの治療的性質の発見で1945年ノーベル生理医学賞受賞。
※ゲルハルト・グラウ Gerhard Grau:著者のかつての大学同僚の教授、電子工学者。

が、特別な力や特別な知を用いようとするならば、そこでは特別な責任を負う」。ポッパーは責任性と〈責任を意識させること〉を活性化しようとする。医師のためのヒポクラテスの誓いに方向づけられるような約束を応用科学の学生たちのために導入することによって活性化したいと思っている（Weltfish, 1946 に従うと）。これに対してヘルマン・リュッベは、すでに言及したように、科学的・技術的進歩の有害な副産物の責任と評価が科学者には絶望的なほどに荷が重すぎると判断している。たとえば拡張された科学的・技術的行為の可能性の予見され得ないような結果に直面して、責任の概念はそれゆえに顕著に無理強いされていると言う。科学者と技術者は責任を少しも担うことが**できないだろう**。なぜなら、われわれの公共的市民文化の地平でのこの決定は、政治的に責任を負わなければならないからであると。

　おそらく、責任を個々人に割り振ることだけが問題なのではない。**共同責任**（を担うこと）が問題である。責任への参加が問題である。要するに科学者は、こうした点では、システム内部での科学者の特殊な立場やその都度の地位といっしょに与えられるような、どんな責任からもまぬがれることができるのか。

　実際のところ、将来計画の策定の社会政策的で社会的な観点に対しては、特にまた科学者の責任への覚悟に関しては、別のところで社会批判家（ギンスブルク Ginsburg）が猜疑心を抱いたように、多くは期待され得ないのか。科学者たちは、人々が推察したように、チェルノブイリの破局のとき住民を意識的に惑わしたのか。一部はしかも、安心させる説明によって「真っ赤な嘘で騙した」のか。科学者たちは危機的状況を本当に見わたし得たのか、見落とし得たのか——übersehen というこの表現には二重の意味がある。ヘーフェレ（Häfele）がチェルノブイリで見たのは、いかなる肉体的な破局でもなくて、ただ「意味論的な破局」にすぎない。ヘーフェレはそもそもそうした見方を、1万人を超える死者（10年後に）、そして、はるかに多くの死にゆく人々や放射線を被曝して成長する子供たちを見たあとで、保持することができるのか。エコロジー的な汚染についてはまったく言わずもがなである[30]。

　著名な生化学者デルガードの言い逃れ、つまり「わたしは倫理学者ではなくて、生物学者だ」は、一般にどんな場合にも弁解として十分であるのか。実際

7. 科学者の責任へ向けて　211

　すでにヴェルナー・ハイゼンベルク※とカール・フリードリッヒ・フォン・ヴァイツゼッカー※は、広島原爆の投下についての報告に関連して、こうした問題を論究した。そして研究と開発に参加した科学者一人一人に対して注意深く、かつ良心的に、重要な連関を顧慮するよう要求した。ヴァイツゼッカーによれば、その当時例えば、アメリカの原子物理学者は爆弾の投下まえに政治力を発揮するよう十分に努力しなかった。彼らは、その際重要な決定の可能性を持っていたはずなのに、原子爆弾の使用についての決定権をあまりにも早く手放したのだ。科学者は、客観的にかつ事実的に、最も重要であるものを大きな連関のなかで思惟することができたのだからなおさらのことだ、とヴァイツゼッカーは言った。この主張は、後のポッパーと同様である。科学者の判断力についてのこうした楽観論、すなわち科学者にはよりよい特別な判断力が具わっているという楽観論は、多分、今日ではもう是認できないようにみえる。それにもかかわらず、まさしく科学者団体が研究とその結果に対して責任が持てるかどうかという道徳的問題に苦労して取り組んできたというのは、先に述べたとおりである。

　ところで目下の連関で興味を引くのは、ヴァイツゼッカーが発見者と発明者のあいだを区別していることである。発見者はすでに定義の上からして通例は発見前に利用の可能性について何も知らない。そのようにヴァイツゼッカーは言う。発見の後でも、実践的な利用までの道のりはまだ遠く離れているから、予言は不可能である。原子核分裂についてのハーンの実験は発見だった。爆弾の生産は発明であった。この意味で、発見者はどのような共同責任からも解放されているのか。だが、発明者はそうではないのか。だから科学者であり発見者でもあるハーンは道徳的に責任がないが、しかしエドワード・テラー※は水素爆弾の指導的責任者として絶対に責任があるのか。区別は一瞥するともっと

※ヴェルナー・カール・ハイゼンベルク Werner Karl Heisenberg（1901-1976）：ドイツの物理学者。不確定性原理を定式化したことで有名。
※カール・フリードリッヒ・フォン・ヴァイツゼッカー Carl Friedrich von Weizsäcker（1912-　）：ドイツの物理学者。1957年ハンブルク大学哲学教授、1970年マックス・プランク研究所長。天体物理学の二つの基本問題に解答を与えた。
※エドワード・テラー Edward Teller（1908-2003）：ハンガリー生まれのアメリカの物理学者。「水爆の父」と言われている。

もらしく見える。ひょっとすると事実そのとおりかもしれない。もっとも単に理念的に単純化した意味でだけ、そうであろう。その区別はすなわち、あまりに単純すぎる関係を仮定している。ちなみに、理念的区別のどれもがそうである。応用科学と技術の発達も、例えば内燃機関の開発、あるいはダイナマイトの生産や核エネルギーは、もちろん、積極的にも破壊的にも利用可能であるという両義性をそれ自体に持っている。おまけに基礎研究と技術開発とは、とりわけ今日遺伝子技術や遺伝子生物学のような領域では（ここでは基礎研究と技術開発とが特に密接にかみ合っていて、言及したように、まさしく流れるように入り交じっている）、発見者と発明者のあいだの理念化した純粋な区別が仮定するように、それほど明瞭かつ単純に今ではもう分離されない。エドワード・テラーにとって、こうした［発明者としての］役割がいずれにせよ後になると明らかとなった。ただし、それにもかかわらず彼は絶えず、中立的な専門家の役割に引きこもった。中立的な専門家というのは、「マンハッタン計画」における原子爆弾の父、ロバート・オッペンハイマー※が表現したような意味で、技術的に非常に「魅力的な」計画に魅了されていた。もっともそれほど時の経たないうちにテラーは、1945年7月2日付けのシラード宛の手紙――その手紙はしばらく経ってから初めて公開された――で次のように書いた。「わたしはいつかわたしの良心を清めることができるというどんな希望にも身を任せない。確かにわれわれの研究は非常に恐ろしいものなので、われわれの魂は抗議を浴びても、政治干渉を受けても救われはしない。そこでわたしは、ただわたしの義務を遂行しようとしただけだと居直ることもできない。反対に、真正な義務感情があったなら、わたしはこのような研究を思い止まったことだろう。もちろんわたしは、特定の武器を法的に禁じることができるという希望をもっともなことだとは思っていない。言うまでもなく、一般にわれわれに生き延びるチャンスがあるとするなら、それは戦争を端的に放棄する可能性のうちにある」[31]。したがってテラーが期待できたのは、ただもう威嚇の可能性と威嚇の効果だけであった。これに対してシラードが頼りにしたのは、研究成果の一般的な世界的規模の公開と、問題の自動的な抑制と均衡という解決法であった。テラーの態度表明は、ただ無力な冷笑主義にすぎず、どんな道徳や正当化をも追放するだけなのか。

これに対してハーンは、彼の後の生涯全体にわたって、自分が絶対に予測できなかった彼による最初のウラン核分裂の結果に思い悩まされた。発見者［ハーン］は道徳的にあまりに小心翼々でありすぎたのか。これに比べて発明者・技術者はあまりに頑固で分別がなさすぎたのか。ことによると、心理学者が言うように自己正当化や合理化という事後的な、時には無意識的な戦略が動因となって、そうなのか。［先の］手紙の引用箇所はむしろ、意識的な道徳的狂信主義あるいは敗北主義を代弁する——あたかも何も為すべきことがもうなかったかのように。科学者と技術者は、今日ではもうファウストの契約ではなくて、紛うことのない悪魔の契約の担い手になってしまったのか。すくなくとも、ロバート・オッペンハイマーが言ったように、彼らを不遜という奈落の淵に導いた悪循環の担い手になってしまったのか。彼らは罪を思い知るにいたり、しかもすでに罪を犯してしまったのか。そうだとすると、科学は罪を引き受けるように束縛されているのか。ハイゼンベルクとフォン・ヴァイツゼッカーは先に挙げた会話の中でそのように尋ね、そして意外にもこれを否定した。ところで以上素描したいろいろな態度表明の多くは、どちらの側でも、行為の張本人単独の責任（Alleinverursacherverantwortung）という従来からの個人主義的な概念にあまりにも結びつきすぎている。そのようにわたしには思われる。

■**責任性の拡大の視点——科学者の共同責任性**

上述した人間の責任性の拡大という観点に立って、同じく上で述べた共同責任の分割可能性を明るみに出せば、科学者とりわけ個々の研究者に全体的な単独の責任を負わせることをせずに、われわれはもっときめ細かく共同責任について語ることができるだろう。科学的・技術的進歩に際してファウスト的な契約を一度とり交わしてしまい、もう撤回できないでいるという状況に直面すると、責任性は拡大し、［責任への］関与の開放性と可能性が暗示される。このことは実際、基礎研究のプロジェクトに際して行為の張本人単独の道徳的な責任をどこかに遡及的に負わせることがほとんどできないということに比べれば、

※ロバート・オッペンハイマー Robert Oppenheimer（1904-1967）：アメリカの物理学者。ロスアラモス研究所長として原子爆弾の開発に携わる。米国原子力委員会の最高顧問会長を務めた。

いっそう重要である。このように拡大され共に担われた責任性を科学者に、特に若い科学者や学生たちに自覚させることが肝要である。このための準備が、すでに大学に、またできれば学校に、情報提供や議論や最大限具体的なケーススタディという主旨で整えられなければならない。これで十分でないのは、もちろんである。

(ガス) 化学戦争におけるハーバーの混乱
■ハーバーによるガス兵器開発

「学者は戦時には誰とも同じように自分の祖国に属しているが、しかし平和時においては人類に属している」(Stoltzenberg, 1994, p. 223 からの引用)。このような命題をハーバーは、おそらく文字通りそのようには言わなかったであろう。この命題は趣旨としては、第一次世界大戦後に初めてハーバーによって簡潔に表現された[32]。しばしばこの命題は簡単に次のようにも引用される。「平和時には人類のために、戦争時には祖国のために」。その言葉とその言葉のテーマに関係した意味は、1923 年の聴聞会に関連しているのは言うまでもない。その時ハーバーは、ドイツ帝国議会の委員会の求めにより、ガス戦争開発への参加に関して尋問を受けた。ハーバーは実際にドイツにおけるガス戦争の主導者だった。彼の伝記作家シュトルツェンベルクが 1994 年に書いたように、彼は参加を「決して拒絶しなかった」(同書 p.241) だけではない。彼は、化学を武器として用いる戦争が、戦争対決に付け加わる一つの可能性であり、特に言えば、あまり「残酷」ではないばかりかまさしく「人間的な」(!?) 可能性であろうと語った。

イープルで毒ガスの大量投入が最初に軍事技術・組織的に行われたのは、1915 年 4 月 22 日だった。敵を敗走させパニックを引き起こすという本来の成果は達成された。だが、シュトルツェンベルクによると (同書 p.249 以下)、ドイツ軍司令部はまだその [毒ガスの] 作用に十分な信頼を置いていなかった。だからこの成果を利用して効果的に追撃するには、[毒ガスの] 備蓄が十分ではなかった。かくして 1 年後になっても、イープルでは依然として塹壕戦の対決が続いた。ドイツはそのときホスゲン・塩素混合物[※]でできた榴弾を用いた。し

かし連合軍はもうすでに十分に準備が整っていたので、この混合物をきわめて速やかに分析することができた。だから、毒ガス使用による戦争の大きな転回点は少しも生じなかった。

　ハーバーは実際、主導者であると自覚していた。彼は、20キロの塩素ガスを充満したボンベを塹壕に置くという考えだった。このボンベのなかには、サイホン管がはめ込まれていた。その結果、「好都合な」風が吹くと塩素が排出して、もちろん塩素が空気よりも重いから、その塩素ガスは対峙する塹壕のなかへ押し寄せ、敵軍を陣地の撤退へと駆り立てるはずであった（Stoltzenberg, 1994, p.243 以下）。ハーバーはカイザー・ヴィルヘルム研究所主要部門の長で、この部門はガス兵器の開発に当たっていた。その部門にはまた、後に核分裂の発見者として有名となる共同研究者オットー・ハーンがいた。ハーンは特に、フェイチュ（Feitsch）のイゾンツォ川前線で約900の「ガス放射器」から発射されたホスゲン榴弾の使用（1917年10月23日）を準備したことに対して責任があった。さらに当部門には、ジェームス・フランクもいた。彼は後に、市民への原爆投下に抗議する著名なフランク・ベーテ・レポートを著した。最後に挙げれ

※ホスゲンガス：毒ガスは英仏独墺が広範囲に使用した。ロシアとトルコの使用は比較的少量である。毒ガスは致死性ガスと刺激性ガスに分かれる。さらに致死性ガスは即死性のものと遅効性のものに分かれる。即効性かつ致死性ガスは青酸ガスが代表的であるが、活性化ガス（空中で酸素と反応してしまう）で効力が安定しない。フランス軍が少量使用したのみだ。致死性ガスで遅効性のものはホスゲンガスが有名となった。ホスゲンとはカルボニル塩素で一酸化ガスと塩素を150度の高熱で反応させることで得られる。1915年ドイツとフランスでほぼ同時に使用された。即座には呼吸性障害があるだけだが、遅効性で48時間以降に突然死亡することがある。通常は弾頭に装填し発射する。摂氏5度で揮発し拡散する性質がある。常温では枯葉の臭いがするという。刺激性ガスは、呼吸障害性・催涙性・催クシャミ性・糜爛性（皮膚に付着して炎症を起こす）とに分かれる。即死することはないが反面後遺症があることが多い。催涙性催クシャミ性ガスは、ガスマスクの装着を耐えがたくするもので、はずした時、別のガスで致命傷を負わせるという発想にたっている。

　毒ガスは効果はあるがきわめて使用が難しい武器である。ほとんどのガスが気象条件に左右された。ガスの種類により拡散の度合いが違い当然風の影響は免れない。風に抵抗がある有名なものはマスタードガスである。マスタードガスは比重がやや空気より重く地表に数日停滞するという特色があった。マスタードガスは硫化ジクロロ酸エチルのことでドイツ軍により1917年から使用された。致死性ガスに区分されていないが、大量に吸入したときは硫化水素中毒と同じ症状を呈し死に至る。糜爛性で皮膚に付着するとたとえ着物を通していても水疱を生じることがある。また一時的ではあるが盲目となるケースがある。黄十字またはイーパライテ・イペリット（イープル戦で多用された）とあだ名された。

ば、ガイガー計数管の発明者であるガイガー等もいた。

■**ハーバーの弁明**

したがって、ここでは責任性との絡みで何が言われるべきなのか。一方では、毒ガスや毒ガス兵器の使用を明確に禁止した1907年版ハーグ陸戦規則が違反され、ないし踏み越えられたのは確実である。もっともこの点にハーバーは、先に触れた聴聞会で異論を唱えた。いずれにせよ、この1907年10月18日付けの命令で禁止されていたのは、「a) 毒ガスや毒ガス兵器の使用、b) 不必要な苦悩を引き起こすのに適した武器・砲弾・物質の使用、c) 唯一の目的が有毒なガスあるいは窒息させるガスを撒くことにあるような砲弾の使用。榴弾の破砕効果が毒の作用を上回っていなければならない」。ハーバーは、ガスやガス榴弾の経過・作用・使用を描き出して見せた1923年に、個人的には「けっしてガス武器が国際法上許容されることに尽力したのではない」と言明した。「こうした方面のことは」、軍司令部特に「参謀総長や、国防大臣フォン・ファルケンハイン自身の手で公明に個人的に調べられた」と言う。そしてファルケンハインは、彼が厳格に遵守されるのを願っていた国際法上の制限がハーバーにとって存在していたということについて少しの疑念も認めなかったと言う。ハーバーもまた、ハーグの陸戦規則と矛盾していないと信じて疑わなかったと言う。なぜなら、彼はどんな砲弾も使用しなかったからである。だがハーバーは、a) の点を読んでいなかったのは明らかであり、見たところただc) の点だけを読んでいたらしい。ハーグで「交わされた唯一の取り決めにおいて、砲弾は窒息させる毒ガスをまき散らすことだけの目的では禁止された」のであり、この取り決めは「これほどに常軌を逸した意図へのどんな余地も与えなかった」とハーバーは言った（同書p.310より引用）。要するに、こうしたハーバーの言明が有毒ガスの砲弾使用に関係するのは、c) を基準においてのことであった。だが、そうした砲弾が実際に製造され、そうしてすでに上述したように、1917年から1918年にわたって使用された。

さらにハーバーによれば、最初にはフランス人が毒ガスを戦争の手段として用いた（引用、同書p.311）。それは厳密に言って正しい[33]。しかしその毒ガス使用は、組織的戦略の文脈の中で、大規模には生じなかった。そしてまた組織的

な研究計画に基づいてもいなかった。彼はさらに以下のように表明した。「化学的大量殺傷物質の投入」は「無駄でなくて、戦争の決め手となり」、そして「化学戦争は通常行われる戦争よりも恐ろしくなく」まさしく「人間的であった」（同箇所からの引用）と。

「1918年の戦時中、アメリカの死傷者全体の20％から30％まではガスが原因であった。ここから明らかなように、毒ガス戦闘物質が最も有力な戦争手段の一つとなる。だが報告が示すところによると、部隊にマスクやその他毒ガス防御の手段を装備させることで、毒ガスによる発病の3％ないし4％だけが死に至った。このことは、毒ガスの武器が最も効果ある武器であるというだけではなくて、最も人間的な武器の一つに仕上げられるということを教えてくれる」（1923年のハーバーからの聴取からの引用、Stoltzenberg同箇所からの引用）。

■ハーバー対シュタウディンガー

わたしはさらに一人の偉大な化学者・人物を取り上げたい。その人物は、「毒ガス戦士」フリッツ・ハーバーに論敵として対抗した。二人の対立は実に、これまで書かれることのなかったドラマのテーマである。話題であるのはヘルマン・シュタウディンガー※である。彼は、第一次世界大戦中チューリッヒで生活し、全世界の人々に大量殺戮兵器に対する注意、すなわち新しい科学技術的・化学的な兵器の可能性に対する注意を喚起するよう必死に試みた。また、戦争廃止の必要性を指示するようにも必死に試みた。その最初の試みが、『技術と戦争』（*Technik und Krieg*, 1917）という論文として著された。

彼は書いている。「未来の戦争は予想外の絶滅と破壊をもたらすであろう。そしてこうした状況にあって、現実に持続する平和への問いが人類全体の課題として現れる。この課題は、いろいろな文化国民が没落に脅かされるべきでないなら、今日、ほかでもない今日こそ解決されなければならない。一種の休戦をもたらすにすぎないような平和は、ヨーロッパに降りかかる最悪のものであろう」（Stoltzenberg, 1994, p.314 からの引用）。

※ヘルマン・シュタウディンガー（Hermann Staudinger）：1881-1965. 化学者。フライブルク大学教授。1953年に高分子化学の研究でノーベル化学賞受賞。プラスチックの開発に寄与。

1917年のことであった。シュタウディンガーは、陳情書と言ってよいようなものを、一部変更した形でドイツの司令部に送った。だが、司令部はその陳情書を挑発や「唐突な代物」として受け取ったのは言うまでもない。ハーバーは後日、それを国家反逆罪のようなものだと名指した。つまり、シュタウディンガーは「困窮の時代にあるドイツ国を突然裏切った」と言う（同書 p.317 からの引用）。

　シュタウディンガーは国際赤十字社を動員しようと試みた。そして何回か講演を行い、特に赤十字社の機関誌のなかで毒ガス戦争に対する抗議を表した。その際彼は、作家ロマン・ロラン※とも共同作業にあたった。だがそれも無駄であった。なぜなら彼の提案はフランスでも拒絶されたからである。著名なフランス政治家はこう言った。「戦争の武器を一つだけ禁止するような根拠はなにもない。すべてを禁止するか、あるいは何も禁止しないか、というのでなければならない」（同書 p.316 からの引用）。これに比べると、すでに何世紀も前であるというのにレオナルド・ダ・ヴィンチはなんとはるかに先を進んでいたことか。彼は当時潜水艦のデザインを描いたが、彼自身はこのような卑劣な武器を金輪際追求しない、あるいはまったく公表しない、ないしは領主に知らせないと決心した。シュタウディンガーは、化学的有害物質・ガスの使用に引き続き抗議した。そして大戦後の1919年に、相応のいろいろなテキストを、特に上述の論文をハーバー宛に送った。こうして手紙の交換が始まった。まことに、発掘されたドラマの素材になった。ハーバーは、手紙を読んだし［シュタウディンガーの］諸著作にも「目を通した」と答えた。「今日では、立場があまりにも相違している」ということについて、今話し合うのはよくない。もしかすると後日、それについて語ることがあるかもしれないと答えた。これに対するシュタウディンガーの返答はこうである。「わたしが残念に思うのは、論文の傾向が……口頭での議論を続けるのを適当でないとあなたに思わせているということである。わたしが希望するのは、その論文で主張した見解があなたの同意をも得ることができるということ、すなわちわれわれ化学者こそが現代技術の危険に注意を喚起することで、ヨーロッパ情勢の平和構築のために尽力すべき義務を未来に持つということである。なぜなら、さまざまな荒廃を生むようなも

う一度の戦争などは想像もできないからである」（同書p.317からの引用）。ハーバーはこれに素っ気なく答えた。シュタウディンガーは、「このような化学活動の態度」を手中にするよう努めることで、あまりにも「現実世界の枠外に」身を置きすぎていると。「このような考えはほとんど稔りがない。技術の側面からは永遠平和は保障されない」。「あなたはドイツが大変困窮しているとき、ドイツを裏切ってしまった」（同箇所）。「ドイツ人誰も彼もの課題」は国防を高めるために全力を尽くすことであろうと答えた。シュタウディンガーは最後にもう一度、返事の手紙を書き、次のように述べた（同書p.319からの引用）。「現代の技術をある程度見通すことができる人なら誰でも、大量殺戮手段の種類もその大きさも［従来とは］まったく異なっていること、だから、自国の技術的能力を戦争に利用することができる工業国の人々が再度の戦争を起こせば、これまで決して存在しなかったような大量殺戮が生じるだろうということ、こうしたことに注意を促すという課題と義務」がある。そして最後に彼は書いている。しかもハーバー個人に向けて書いている。「わたしは最後にもう一度強調したい。もしあなたの持っているような知識を、特に外国についての知識とアメリカの技術の可能性についての知識を持ち合わせている一人の男が、アメリカとの宿命的な断絶が引き起こすに違いない危険を絶好の時機に指示してくれていたなら、それはどんなにか意義あることであったであろうか」。そこ［ハーバー宛のシュタウディンガーの最後の返信］では、ハーバーの「明々白々な態度表明」がシュタウディンガーに強烈な印象を残していたのであろう。シュトルツェンベルクが［彼の著書で］利用した議論が今日でも依然として通用すると判断したのは正しい（同書p.319）。

■ハーバー評価

　ハーバーは、本当に評価が定まらない、矛盾を内蔵した人物で、人柄においてもそうである。しかし、それはここで議論することではない。他方、彼は友人たちには賞賛されていた。たとえば、リヒャルト・ヴィルシュテッターがいる。ヴィルシュテッターは、ハーバーの際限のない研究能力を際立たせただけ

※ロマン・ロラン Romain Rolland（1866-1944）：ソルボンヌ大学音楽史教授。『ジャン・クリストフ』を出版。1915年にノーベル文学賞を受賞。

ではない。ハーバーの感じやすさ、「彼の心情の高貴さ」、彼の「心からの善意」、彼の「着想の豊富さ」等々を高く評価した（同書 p.227 からの引用）。シュトルツェンベルク（同書 p.320）は、ハーバーについてなお次のように書いている。「一人の人間を非難するのは簡単である。その人について自分なりの正当な判断を下すのは難しい」。

　今の時代から当時の見解や支配的な国家的な気質（たとえば戦争への熱狂がある。この熱狂で 1914 年たくさんの人々がすすんで武器を手にした）を振り返って見るならば、そのとき、先のシュトルツェンベルクの言葉は間違いなく正しい。だが、わたしが上記で試みたように、責任性のいろいろな類型や種々の地平に基づいて、今や細分化してみるよう詳細に試みなければならないのは、言うまでもない。そうすれば、ほかでもないハーバーを巡る葛藤、ハーバーのうちにある葛藤をことによるともっとよく理解することができるかもしれない。これらの葛藤は、もちろん十分に解明されてはいない。フルフトとツェッペリン（Frucht-Zepelin, 1995）のような幾人かのひとは、最近の刊行物で次のように言った。ハーバー自身はユダヤ人であったがゆえに、彼にはドイツ祖国への「すげなく断られた愛の悲劇」があったと。実際こうした要素があったのか、この要素だけがあったのか、もちろん正確には分からない。しかしその際、新たな問いやジレンマがたくさん生まれてくる。ちなみに、ハーバー自身にあっても、そうである。ハーバーは実に、後日、戦後になって、有害生物駆除のための帝国政府委員になった。彼の研究所の一部門では、フリー（Fury）の指導下で、ツィクロン製法が開発ないし改良された。その製法はアメリカの直接的な青酸ガス燻蒸、たとえば有害生物根絶用の粉末から引き継いだものである。こうして青酸がハーバー研究所では、「担体を使って安定化され、警戒化学物質（Warnstoff）と結合させられた」。その方式とツィクロン A は、最後にはしかし、毒物戦闘物質を潜在的に獲得することになるとして禁止された。このようにして産出されたツィクロン A（90％のシアン化炭酸メチルエステルを使った）の代わりに、その後ツィクロン B が開発された。それは青酸とクロル炭酸メチルエステルから直接に合成された。主に有毒作用のある物質は、従来のツィクロンの場合と同じであった。だから、今日スポーツでドーピングのやり方の場合に慣

例になっているような方法が、いわば選択された。つまり、まだ禁止されていないような新しい手段、新しい組み合わせが探し求められる。ツィクロンBは後になって、絶対的に悲劇的で、比類なき非人間的な歴史を持つはずである。なぜなら、ツィクロンBは、粉末で有害生物だけを燻蒸法で殺すのに使用されただけでなく（そのためにこの方式がさしあたり開発されたのは言うまでもない）、アウシュヴィッツで人間のガス殺のために組織的に大量生産方式でおぞましくも悪用されたからである。まちがいなくハーバーの研究所で始まったツィクロン製法の技術開発に対して責任がある者は、間接的には、身の毛もよだつ悲劇に組みこまれたわけである。ハーバーは責任ある者として、このことに自ら間接的に苦しんだ。彼の親戚縁者の中では、たとえば、彼の異母姉妹の娘ヒルデ・グリュックスマン（Hilde Glücksmann）とその夫、そしてその二人の子供がアウシュヴィッツでハーバーの研究所で開発されたツィクロンBで殺されたのだ。シュトルツェンベルクは次のように批評した（同書p.467）。「どんな恐ろしい悲劇が研究者の仕事から生じ得ることか。ハーバーは、この領域での自分の活動からどんな結果が生じるかを、少しも予感することができなかった」。予感できなかったという点は、もちろんイープル会戦（Ypern-Affare）を目の当たりにすると疑ってかかるべきである。ハーバーはイープル会戦に自分から主導的に協力しなかったのか［否、協力したのだ］。

現代物理学者の諸要求

わたしは以上述べたことを、現代の戦争技術の別の事例に適用したい。その際わたしは、わたしの大学の現在の同僚である、別の一人[34]の物理学者の講演を引っぱり出す。彼は最近までヨーロッパ物理学会の会長だった。すなわち、固体物理学者ヴェルナー・ブッケルは1995年ゲッチンゲンで、ニューメキシコ州トリニティ・サイト（Trinity-Site）での最初の核爆発実験の50周年を迎えるに当たり、「責任が問われる科学」という題目の講演[35]を行った（Buckel, 1995）。その講演で次のように述べた。「科学の成果から生じ得る多くの危険に直面すると」、核研究はもちろんただ一つの例にすぎず、今ではもう「『科学者は新たな認識を提供する。新しい認識を使って何が作られるかは科学者の関心事では

ない』」と言うことはできないというわけである。またブッケルが言うには、「こうした議論はもうやめにしなければならない。［科学者は新しい認識を提供するだけであるという］こうした主張はすでに以下の理由からも支持できないし、不正直である。すなわち、すべての科学者は自分たちの研究成果から生まれる積極的開発に対して責任をとる覚悟が十二分にできているという理由である」。もちろんわれわれは、最も厳密な尺度に従うと、ブッケルも言うように（わたしはそれをいずれにせよ強調した）オットー・ハーンに原子爆弾に対する責任があると見なすことはできないであろう。「われわれが何を見つけることになるかを、われわれは知ることができない。だから、科学研究を禁止したり、悪魔に仕立て上げたところで、——若干の例を度外視すれば——人類を万が一の悪い開発から守るための手段とはなり得ないだろう。科学を悪魔に仕立てるとすると、われわれはどんな研究も中止しなければならなくなるだろう。このことをまじめに欲する人は誰もいないだろう。なぜなら、新しく到来する問題を解決するためのどんな機会も人類から奪われるだろうからである」。

さらにブッケルは続ける、「わたしの確固とした信念に従うと、われわれには意識的に進むべき一つの道だけがある。われわれは、科学の成果を責任の自覚を持って取り扱うように試みなければならない。科学者はその際大きな課題を持っている。科学者はいかなる結果が自分たちの研究成果から生じ得るかを予見できる立場にある。ほかの何ぴともそうではない。科学者はこの課題に応えなければならない。そして彼らは、可能性として予見できるものごとを、あからさまに言わなければならない」。同じ研究報告の他の箇所では彼は次のように主張する。「危険を背負い込んでいる領域」に関係しているにもかかわらず、完全に責任から解き放たれ、責任に無関係であるような研究を「教育を受けた素人に理解」させようとする、そのような「諸々の試み」は、「しばしば弁護人の弁論という性格」を具えている。「［弁護を試みる］ひとは聴衆者に何かを納得させたがる。そこでそのためにふさわしい論証を選ぶ。そうした論証は確かにすべて適切であるが、しかし十分な真理ではない。公衆はこのことに繊細に反応する」（「それはなるほど適切である。だが真理ではない」。かつて一人のジャーナリストとやり合った当時の連邦首相の言葉を、この際わたしは思い出す）。

ブッケルは言う。「われわれが必要とするのは、考えられ得る[36]あらゆる諸結果を指摘するような科学者である。その際、そのように指摘することが資金提供者や特定の強い利益者団体に都合がいいのかどうかは顧慮しない」。ブッケルはさらにまた、ドイツ核科学者18人による1957年のゲッチンゲン宣言を高く評価し、次のように言っている。すなわち、連邦国防軍の核兵器武装への協力を拒絶するのは、「最上の意味で責任ある行為」であったと言う。

ブッケルの叙述は、いくつかの考慮に値する要求を掲げることで終わっている。

1. 「科学者たちは商人であってはならない。かれらは、特定の利益者団体に賛同したり、あるいは反対したりして、自らの科学的陳述をしてはならない。そして、もしかしてさらに、これに対する多額の謝礼をもらうことがあってはならない」。ブッケルの報告によると、ある高名な政治家がかつて彼に公の場で述べたと言う。「わたしが万事に肯定的な人物鑑定を受けているのは、実に明白である。問題なのは、ただ、わたしがどれほど報酬を支払う用意があるかにすぎない」。ブッケルの論評は次のとおり。「この言明は、幾多の科学者たちの道徳についての非難に満ちた判断である」（ひとり**科学者たち**だけの道徳だろうか。まあそうではなかろう）。

2. 「科学者たちは努力すべきである。彼らの研究の（可能な（著者による））帰結を（できるだけ（著者による））予見することに努めるべきである。努力が要求されるのは、専門領域の外部にも熟知させなければならないからである」。

3. 「科学者たちは、自分たちの研究成果がどんな否定的な結果を持ち得るかを、情け容赦なく公開するべきである」。肯定的な結果とともに公開すべきである。「そうすれば、われわれはこれらの結果を早期に知り、避けることができるだろう。研究を人々は決して禁止すべきではない」。そうではなくて、「研究の結果を支配することを学ぶべきである。研究はわれわれの将来の問題を解決するために決定的に重要である」。

4. 「科学者たちのこうした行動は、われわれの社会のある種の意識の変化

を前提にする。もし科学者たちが可能な危険を早期に指摘することで、自ら責任を意識して振る舞うなら、そのことが、社会の中で一つの価値として承認されなければならない」（希望的観測か Wishful thinking?）。

5. つぎにさらにブッケルが要求するには、科学者たちは科学者として語るなら、まさに自分たちの「個人的意見を見合わせる」べきである。だが科学者たちは市民として意見を持つことができるだろう。科学者たちは、そうした意見を単に「もってよい」だけではなくて、「持つべき」でもあろう。それは、まさしく「科学的に基礎づけられる必要のない」ような、それどころか科学的であってはならないような価値評価の意見である。わたしはさらに一歩突っ込んで言う。すなわち、科学者たちは、研究の応用についての論争や科学についての公開の議論との関連にあっても徹底的に、自分たちの個人の意見を言うべきである。だがかれらは、自分たちの個人的意見をまさに個人の意見として**特徴づけ**なければならないだろう。

通常研究の問題には、寄稿論文の中で、ここでの叙述よりももっと詳しく取り組むだろうし、そうすべきであるのは言うまでもない。特に最後に引用した実例［核開発研究］は、もちろん、緊急と危機の場合での応用科学に由来する物騒きわまりない極端であった。通常の研究がそれほどセンセーショナルでないのは言うまでもない。だが、しばしば同様の問題状況が生じている。ただそれほど劇的でも露骨でもないだけである。だから、ここでもこのような極端な先鋭化が選ばれたのである。

倫理委員会は道徳的ジレンマを解決するか

しばしば、ことさらに倫理委員会が取り上げられることがある。倫理委員会は医学に関係してだけではなくて、**すべての科学のために**設置されなければならない。だが、単に生物医学的研究だけではなくて技術や科学一般で基礎研究や発展の結果として生じる倫理的・社会的・法的な重荷の調査と評価とに取り組んでいるような、そうした常置の倫理委員会がはたして、こうした委員会の席が専門網羅的に広範囲に占められているときでさえも、科学を操縦するのに

ふさわしい制度であるのかどうか。このことはわたしに疑わしく思われる。この委員会を提案したのはオーバーマイアーである。かれは、恒久的な技術刷新や進歩がわれわれを押しつぶすまえに科学を規制するには、時がもはやすぎてしまっていると言った。だがこうした主張は、おそらく、科学的発見とその結果としての重荷を現実に即さずに予言・予知できるという可能性を仮定しているだろう。そこで、スーパー専門家やスーパー委員会が制度化されることが求められるかもしれない。しかしそのようなものは存在しないし、まったく存在し得ない。あったとしても、そうしたものは実際には極度に酷使されて疲労困憊してしまうだろう。生物医学・薬理学的研究での倫理委員会は、一切の人体実験の場合と同様に、管理のために有意義であるかもしれない（なぜなら、そうした研究では人間が、相当正確に世間に知られている実験の危険に、あるいはできるだけ専門分化した実験の危険に直接に曝されているし、同時にこの危険は見積もることもできるからである）。そうだとしても包括的な委員会は、基礎研究の決定的な問題のすべてを取り扱うには、科学者一人一人と同様に、おそらく荷が重すぎるように思われるだろう。

　個別的な問題においても、具体的な情報の確認においても、意義深い委員会の仕事がある。これは、疑いなしに非常に重要で詳細な仕事である。例えば、大気技術指令 (Technische Anordnung Luft)※のことを考えてみればよい。それは、委員会の入念な仕事の成果でもある。この種の決定委員会にあって科学者は、立法に比すべきような、法律の枠組み指針を満たすような機能を全面的に引き受ける。これは今日、全体責任を仲立ちする重要な部門であるように見える。だが幾人かの人々は、例えばかつて生物学者ハンス・モーアがそうであるように、これら一切合切が倫理的に見ると有効に働かないという意見を明らかに持っているようである。倫理委員会の解決は次の理由から機能することができないと言う。なぜなら科学は、どんな政治的・社会的要素も関与していないところでだけ、道徳的に価値判断されるのであり、科学が本当のところ、いつか現実

※大気技術指令 Technische Anordnung Luft：ドイツエンジニア協会の規制的ガイドライン。このガイドラインは大気汚染に関連して環境問題の保全と統制のために起草され、採択された。したがって、このガイドラインはドイツにおいては法的効力を持っている。

に道徳的に規制されるというようなことはほとんどないからである。科学のエートスだけが機能して規則となり、科学倫理はそうはならないと言う。そうでないと［科学のエートスが働かないと］生活一般におけるように、科学者のもとでのどんな倫理的統一も達成できない。また［科学のエートスとしての］誓いというものは、政治的テーマに際しての科学団体の正直な意見の相違と正統的な多元主義をこの世から無くすのには、まったく向いていない。そのように、モーアは70年代の終わりに書き記した。政治的に人類はいかなる統一でもないし、統一へもたらされることもあり得ないとモーアは言う。しかし倫理は政治にすぎないのでない。そしてわたしは、科学倫理学者としてモーアがここでみずからの責任を果たしたとは思わない。彼はここで性急に極端に走りすぎ、あまりに早く意気阻喪した、とわたしは思う。実際に人類は、生き残りという最小限のコンセンサスに至ら**なければならない**。これは倫理を必要とし、前提としなければならない。そうしてのみ世界破局は避けられ得る。世界破局は避けられ**なければならない**。「たとえ世界が滅ぶとも、道徳はなされえよ (fiat moraritas, pereat mundus!)」※は、考慮の対象になり得ない。ところで人間の生の価値や人間の保持に値する価値については、ある種の根本確信がある。それは、すべての文化と社会にとって共通で、すべての文化と社会とはその基盤の上に築くことができる。

人体実験と野外実験に特有の二重の責任

それどころか、もっと科学に立ち入ると、たとえば人体実験の場合には共通の根本確信が見られ、その確信は正当化される。この確信には、道徳的な判断が働いている。ナチの医師たちは戦争中に刑務所の囚人たち（捕虜）にいわゆる臨死実験を強制的に課した（彼らはこれを基礎研究と称していたけれども）。そのとき彼らは、非倫理的に振る舞った。これについては、責任を自覚した科学者すべてのあいだに合意がある。人間実験おそらく動物実験もまた、特別な外部に向けられた責任を免れない。人体実験の倫理的問題についての議論が、これを明らかにした。

このテーマはどんなに刺激に満ち溢れたものであっても、ここではもうこれ

以上掘り下げることができない。野外研究でも、たとえばマラリアを撲滅するためのDDT大規模実験や、事情によっては社会科学での非相互作用的・非侵襲的観察、とりわけ関与的な反応観察にあっても、たとえば遺伝子研究におけるように基礎研究が応用研究からもはや区別され得ないし、場合によっては実験室研究からもはっきりと切り離されないことがある。こうした研究では共同責任がまさしく科学者たちによっても担われなければならない。その度合いは、実験研究の影響を被る人々がどの程度に直接的に研究過程の中へ引きずり込まれているのかに応じている（前記、ミルグラム実験を参照）。共同責任——それはまさに上記で言及された根本思想だったが——は、単独責任なしに可能である。だが共同責任は、責任の区別のいろいろな可能性を、だから［責任の］類型の形成というものを前提する。科学者や学術団体の多くは、このことを徹底的に認識して、こうした自分たちの義務を認めた（例えば、遺伝子研究で懸念されたリスクを主題に開かれた1975年のアシロマ会議※が思い出されよう。その会議で分子生物学者たちは、彼らにその時点で不穏当に危険であると思われた遺伝子研究に対して自ら進んで暫定的な制限を、すなわち彼らの言葉で言えば、モラトリアムを要求した）。科学者は、直接に実験研究の影響を被る人がいないままに、まさに自由な活動として研究を行うのではない場合には、倫理的で正当化できる責任を、たとえそれがたいていはまだ正確に立法的に確定されてはいなくても、そうした外部に向けられた責任を引き受ける。直接に影響を被る人々が実験に含まれている場合に、対外的な責任を引き受けるのは、明らかであるが、そうした場合でさえも、現実的に事細かな法的規制はまだ何も存在しない。人体実験の場合よりも本質的にいっそう議論の余地があるのは、疑いなく、例えば武器開発の場合のように、あからさまな殺傷結果を伴うような応用研究の場面で科学者の倫理的な共同責任を問うという問題である。こうした研究の場合には、われわれが見

※「たとえ世界が滅ぶとも、道徳はなされえよ（fiat moraritas, pereat mundus!）」：fiat justia et pereat mundus というドイツ皇帝フェルディナンド（Ferdinand）1世の言葉をもじったもの。
※アシロマ会議：1975年2月24日から4日間、アメリカ・カリフォルニア州のアシロマで、当時まだ開発されて間もない組み換えDNA実験の安全性をめぐり開かれた、はじめての国際会議。科学者が自発的に組み換え研究を一時停止するというモラトリアム決議がなされた。

たように、時としては外部に向けられた科学者の共同責任が発見できるにしても、[現実にはもちろん] ハンス・モーアの言うことがむしろ的を射ている。例えばナパームを開発したフィーザー※は、ヴェトナムでナパーム弾で焼けただれた子供たちの写真を突きつけられた。そのとき彼は、これは自分の問題ではないと断じた。彼はただ自分の仕事を果たし、素材の開発に従事したのであり、その素材を使用してなされたことは彼の責任でないと言った。だが人はナパームを使って、ナパーム弾で子供を殺傷するほかに、一体何をなし得るのであろうか。

　ヒポクラテスの誓いの理念にもまた問題があるのは言うまでもない[37]。それは理念として結構であるが、しかし効力も、コントロールの支配可能性も、成果を上げる可能性もわずかしかない。その誓いが本当に政治的、実践的に通用することはほとんどない。それは、せいぜいのところ理念型である。倫理的で法的な支配という問題は、誓いによってだけでは解決することができない。その理由を特に挙げると、科学者の輝かしい出世街道のシステムというものの中には、ある意味で正反対に走る傾向が、すなわち倫理的規範の違反を促すような刺激がまさしく据え付けられているからである。

競争の駆り立てと倫理的葛藤

　こうして例えば、人体実験と関わらなければならなかったアメリカの医学研究者たちのところでベルンハルト・バーバー（Barber, 1976）が行った一つの調査の結果から、次のことが明らかになった。すなわち、特に名誉心に駆り立てられて、あまり成果をあげていない科学者たちがとかく、人体実験の際に倫理的顧慮を完全に脇へよけてしまい、自分たち自身の科学上の栄達に関心を寄せ、いわば刺激的な、あるいはセンセーショナルな実験と成果とを都合よく速やかに生み出す傾向にあるということである。これが危険な展開であるのは、言うまでもない[38]。だがこうした場合に倫理委員会は、ある意味で何としても職業法的規則を取り入れることで、実際に行われてしまった、倫理的に許されない人体実験を制限することができる。単に栄達だけを思いやることで、いずれにせよ、人体実験のジレンマをいっそう激化させることがあってはならない。コ

ントロールが実際必要に思われる。とりわけ研究をできるだけ妨げることなしにコントロールを効果的に働かせることが、いずれにせよ研究の要請である。そしてそれは、非常に困難な倫理的境界設定の問題である。どのみち余計な実験や不必要な動物実験は実施されてはならない。すなわち、人体実験はできる限り動物実験によって置き換えられるべきである。そして、そうした侵害を伴うような実験の中で本当にどうしても必要なものだけが実施されるべきである。このことは意味深い理念であって、この理念がそうした倫理委員会によって細部にわたって判定され得るだろう、とわたしは思う。物事は、あらゆる処と同じように、ここにおいても細部がいつでも一番厄介である。すなわち、一体いつ現実に、予見可能な科学的に新しい成果のためにある種の犠牲の可能性を伴う人体実験が必要となるのかを決定するのは、非常に難しい。出世街道と倫理とのあいだ、昇進・名声の関心と道徳的な考慮とのあいだ、そうしたあいだでの葛藤が、科学者の業績体系の中にいわばプログラムされている。競争の圧力がその葛藤を先鋭化し、主体的・道徳的な諸決断を困難にする。だから倫理委員会は、こうした葛藤にあっては必須のコントロール機関として意味がある。この機関は、無思慮で不必要な実験を防止し、あるいは修正することができる。その都度、道徳的視座のもとでそうできる。いずれにしろクルト・ヒューブナーが言っているように、科学には悪魔の性急さがある。だが、その性急さは今日では進歩の印である。科学においてこそ、まさにそうである。

　遺伝子コードの解読をめぐる研究グループ間での競争、そのスポーツに似せた研究競争を考えて見るといい。先の葛藤が、まさしくそのダイナミックな研究の中に組み込まれている。しばしばその葛藤は不可欠の動機づけの力であるように思われる。その葛藤は理念としては、被験者の負担になるようなことがあってはならない。特に個人の負担になってはならない。倫理はまったく、さしあたりは個人の倫理であり、たいてい個々の関係者が無傷であれという可能性を目指している。だが科学は不必要に妨害されたり、阻止されてはならない。これが多くの関係者の関心である。このような［倫理と科学のあいだの］葛藤を

※フィーザー Fieser, Louis（1899-1977）：アメリカの化学者。ハーバード大学教授。ステロイドの化学について研究し、ナパーム兵器を開発した。

オールラウンドに解決するための最良の処方箋は、これまで存在しなかった。われわれは、この葛藤の意識を向上させるために万全を尽くさなければならない。そうして、科学者が応用の場面で一面的に決断しないで、たとえば盲目に自己の栄達関心の虜にならず、そして倫理的顧慮を排除しないで、しかし慎重に自分の科学的業績や科学の進歩、そして同時にこれに結びついた公共の福祉にも十分間接的に奉仕するような、そのような状態に科学者を置くために、われわれは万全を尽くさなければならない。コントロールできなくなり、手綱を失ってしまった競争は容易にエスカレートする。もっとも過酷な競争こそ、規則により、すなわち犯されてはならない手続き・プレーの規則により制限されなければならない。諸規則は有効でなければならないし、コントロールできなければならない。先端研究でも、先端スポーツと事情は同じである。両方の競争体系のどちらにも、特に業績開発の先端では、不公正への誘惑がある。非倫理的である研究は、先端スポーツでの秘かな反則やドーピングに対応する。何らかの規則違反により自分のために利益を収め、役立てる（このこと自体はもちろん、研究では、結果から見ると問題がない）ことがアンフェアーであるのは、スポーツ競争に限ったことではない。アンフェアーで非倫理的であるのは、取り立てて言えば、他者を負傷させたり、他者に損害を与えたりすることであろう。他者であるのは、スポーツではたいてい競争相手であり、研究では被験者であったり、または研究に関与しないで影響を被る人であったりする。もしかしたら、研究をあまりにスポーツ化してはならないのかもしれない。だがこうは言ってみてもそれは、研究ポスト及び研究者名声・資格をめぐる激烈な競争の時代、これからますます激化する競争の時代にあっては無益な叫びであるのに変わりはない。

<u>単独責任を伴わない共同責任性</u>

　科学と技術における研究者の責任は、本当のところ、戦略的な立場に立たされた、役割に固有な責任と道徳的な責任との特殊ケースである。先に言及した受託者の予防・防止責任をよく考えてみる必要がある。こうした責任では、いつも有害な効果を前もって評価し防ぐことができる。例えば、直接的に応用を

指向する科学技術的なプロジェクトにはそうした責任がつきものである。個人が張本人としていっしょに負う責任というものが与えられている場合があり得るが、しかし科学・技術者がどんな場合にも普遍的で厳格な張本人として負う責任あるいは完全に単独の張本人として負うような責任は、特に基礎研究に見られる研究成果の両義性と集団的成立という局面にあっては与えられていない。つまり実際のところは、**単独責任を伴わない共同責任**を詳細に区分し具体化することが重要である。われわれはこのような中間的な解決を見つけなければならない。予防的責任、破壊や持続的傷害を先を見越して阻止する責任は、それだけいっそう重要である。基礎科学者という発見者タイプと技術者という発明者タイプとのあいだを先に言及したように区別するのは、多分、最初のおおざっぱな方向づけにすぎなかった。こうした問題領域の全体には、開発力学と方向づけ・価値評価の困難さとがある。そうした状況に直面して、将来の倫理的挑戦に堪えることのできる姿勢を示す唯一の現実的可能性があるとすれば、それは次の点にありそうである。すなわち、科学倫理的問題について道徳的意識をできるだけすべての科学者に、とりわけ科学者の卵たちに啓発すること、そして特に具体的なさまざまなプロジェクトについて、個々の研究プロジェクトに関係する連関を討議することである。その限り、科学・法廷のようなものは、何度も提案されたように（Kantrowitz, 1968、ほかに Wenz, 1983、アメリカ大統領特別調査委員会 Task Force, 1976 を参照せよ）、もしこの法廷が科学者自身の意識形成に直接に影響するならば、よいアイデアであると言えるだろう。立身出世街道上の葛藤を脱劇場化するための別のいろいろな可能性が、さらに見つけ出されるか、開発されなければならない。

　科学倫理の発展は特に緊急に求められている。応分の教育も同様である。バーバーが活躍していた時期、1976 年の彼の調査では、まだほとんど一人の医学生も医学倫理のカリキュラムに参加していなかった。われわれのところ［ドイツのカールスルーエ大学］では、まだ非公式だが教育過程や研究計画を進めるに当たって自分たち専門分野の倫理問題に注意を払うのは、科学者や研究者一般、特にまたエンジニア科学者 300 人のうちで実に一人だけだ。ひとり医学研究においては、変化の兆しが見えてきた。特にもちろん遺伝子研究においてであ

る。他の応用科学は、まだまだ後れをとっている。したがって倫理学は教科としてだけ要求され、奨励されているのではなくて、研究の領域に対する道徳的良心の訓練のために科学倫理を意識化する科目としても開発されるべきなのである。とりわけ研究に照準を合わせた専門教育の中で、そうすべきである。後者の要求として、すでに 20 年前（1974 年）にハイファ（Haifa）で、いわゆる技術と道徳的責任性についての国際的に著名なカルメル山（Mount-Carmel）※宣言が結実した。国際的に著名な科学者たちの多くが、これに署名した。次のような内容であった。科学者や技術者には特別な責任が、しかし彼らだけのものではない責任が課せられている。だから科学・技術に向けられた倫理的で社会科学的な「監視人分野」を開発し拡張することが差し迫っている。この分野の助けを借りることで科学的刷新、特に技術の刷新が、何よりもまずその刷新で起こりうる道徳的な影響に関して考察・評価されるべきである。このような分野の代表者が「上位検閲官」気取りであってはならないし、またそうあるべきではないだろう。だが以上のことがすでに述べたように、ほかでもない基礎科学の開発の場合には、それほど単純かつ明白に実行されるということはない。応用科学者や技術者の倫理意識を教育することが、それだけいっそう重要である。こうした教育が広く提起され実施されるなら、そのとき初めて、共同責任が拡張して、責任性を割り引くことも単独責任を帰すこともしないで責任性を分配することが、科学者自身のもとで正確に認識され、そして彼らによって運用され得るであろう。

科学における責任についての七つのテーゼ

総括として、かつ結びとして、わたしは科学における責任について七つのテーゼを挙げたい。これらのテーゼは、上で部分的に試みたように、多種多様に詳説され、補足されなければならないのは言うまでもない。

1. 責任の問題は、科学的知識と技術的力が増加すればするほど、そして世界が技術的に形成されればされるほど、それだけいっそう切迫してくる。この力と知が誰かに責任を負わせる。

2. 科学者や機関・専門団体としての科学が総体的に中立であるというのは、非現実的である。それは、科学者や技術者の単独責任が非現実的であるのと同様である。
3. 分析的には、可能な限り、もっとさらに「純粋基礎研究」と「技術的応用」というモデル的な両極のあいだを、「発見」と「開発」のあいだを区別していかなければならない。オットー・ハーンは［基礎研究者として］、原子爆弾の開発に対する責任を負わされ得なかった。しかしテラーは［技術者として］、水素爆弾に共同責任を負わなければならない。だが今日具体化している現実は、たいていの場合、中間的な種類、混ざったタイプ、たとえば応用を指向した基礎研究、あるいは基礎に近い目的研究、ないし目的指向の方法（基礎）の（実例：情報の）技術開発と言ったものである。
4. 社会や人間性（のイデー）に向かい合っての科学者や技術者の対外的な共同責任性、グループ責任、共同責任、これらをより理解しやすくし、機能化し、より把握できやすくするには、関与モデル（Beteiligungsmodelle）が開発されなければならない。責任の関与という理念は、力と知による中枢性と影響をその都度基準にして仕上げられなければならない。価値判断や起こり得る制裁のための制度的な手続き規則が開発されなければならない（特に道徳的に行動する専門家を保護すること、教育・指導目的のために顕彰し、そのための議論を可能にすること、いろいろなヒアリング等々）。その場合しかし、すべてを単純に法的規制に従属させたり、万事をことごとく官僚的なスーパー委員会［監督委員会］によって倫理的に扱うようなことがあってはならない。道徳は法的規制を超えてゆく。特にわれわれドイツ人はこの洞察を排除しがちである。その際重要なのは、科学者自身を根本的に学際的なそして科学自体を超え出るような議論のなかに包み込むことである。

※カルメル山宣言：カルメル山はイスラエルの北の海沿いの都市にある山。そこで、1974年に「技術時代における倫理」についての国際シンポジウムが開かれ、世界中から著名な科学者・若干の哲学者が集まって署名した宣言（Lenk-Ropohl(eds.), *Technik und Ethik*, 1987, pp.315-318 にレンクの手による独訳あり）。

5. 責任性の多様な種類やタイプが分析的に区別されなければならない。さまざまな種類やタイプは相互に重なり合い、あるいは互いに葛藤することがある。責任のいろいろな葛藤を明確にするために、そしてその解決の準備をするために、責任性の種類やタイプをもっと厳密に区別しなければならない。
6. 責任の優先規則（実例：直接的で道徳的な責任は間接的責任や役割責任に先行する）が、事情によっては公開の議論や精神科学・哲学的分析によって考案され、審査されなければならない。
7. 科学と技術の挑戦に直面しての倫理的議論に関しては、総じてわれわれは残念ながらまだ緒についたばかりである。すでに何げなく触れて置いた次のテーゼを立てることに、どんな予言者的な能力も必要ではない。すなわち、われわれは応用科学に具わり、技術と経済世界に見られる緊急の倫理的問題をこれまで同様におろそかにするというような真似は、すでに今日、そしてこれからはますますもってできないことなのである。

原　注

1) 〈共にする知〉は、もちろんドイツ語でも、共鳴するところである。ちなみにそのドイツ語はおそらくノートカーがはじめて使用した［ノートカー Notker Labeo（950頃-1022）：スイスのザンクト・ガレン修道院長。ノートカーは、アリストテレス、ボエティウス、マルティアヌス・カペラの著作や、古典詩篇をドイツ語に翻訳したことにより、哲学とドイツ言語の育成に貢献した——訳者］。

2) カントはこうした議論を、基本的には、第三の道徳的神証明のために使用している。カントには実に、神が道徳性の必然的な要請として求められるとする種々の［道徳的な］神証明がある。そこで、裁判官が［心の］事情に精通した存在であるという、このことが、本質的には彼の宗教書に現れる（Kant, *Gesammelte Schriften*, Bd.6, pp.1-202）第三の証明を与えている。その証明は、なるほど通常は神証明として見なされても取り扱われてもいない。だが、こうした洞察との紛れもない関連で暗示されていることは、第三の種類の道徳的な神証明であると理解してよい。わたしは、このことを以前の著書（1981a, 1989b）で展開しておいた。

3) 伝統的には「生命力」「エラン・ヴィタール」「ヴィス・ドルマティヴァ」と同じく、ほとんど同語反復といってもよいような主張か。いずれにしても、判断力という概念は、認識論的な解釈上の構成体として理解しなければならない。

4) これもまた、ホムンクルス流の行動主義的な話し方に見られるような隠喩であるのは言うまでもないのだ。わたしは別の箇所で、カント理論哲学と対決して批判を全般的に行うよう試みておいた。そうした批判が、以下の立言に何か批判を向けるよう指示する。その立言とは、理性が自己自身を、ないしは実践的判断力や実践理性が「自己自身を判定」し、あるいは「自己を判断」し「自己自身を裁く」と言うものである。これは、心理学上は行動主義的な術語である。だがカントが行動主義的にそうした言葉を語ったというようなことは本来あり得ない。というのは、理性も判断力も悟性も、カントにとっては能力であり、その能力というのは、人間が何をなしたらよいかを調べ把握し差し出す素質のようなものである。理論的認識論全体にはいろいろな機能が要請されるが、そうした機能の協働を一般的に明らかにするためにカントが使用するのは、基本的に、認識論的な構成体である。そうした協働として特記すべきは、もちろん理論哲学と道徳哲学、実践哲学との協働である。理性はカントにとって、たとえそのように少しも見えないにしても、統一である。カントはもちろん、理論理性、純粋理性について、実践理性について、そして判断力について、それぞれちがった著書を著している。だが、理性が統一を形成し、実践理性が結局いつも優位を占めて最高の判定尺度を与えると、カントは考えている。この点については、ここでは議論できない。重要な点は次のことにすぎない。すなわち、判断力、ないしは実践理性と同一と見なされる行為中枢というものを誤って仮定するような、こうした行動主義的な術語が、やはり、まさしく隠喩という覆いを意味するということである。

5) それにもかかわらず、七年戦争のとき、マルヴィッツ出身の陸軍大佐ヨハン・フリードリッヒ・アドルフは、フーバートゥスブルク城を略奪されるままにせよというフリードリッヒ二世の命令を遂行するのを拒絶した。なぜなら、そうすることは「将校の名誉と良心に反する」ことになるからであった。彼は[皇帝の]不興を買い除隊させられたし、あとでは自らの墓碑に「服従により名誉に浴すべきを、不興を選べり」（Fischer-Fabian, 1987, p.21 以下）と刻されたのだ。

6) 例えば、マトロスによれば、自己が自己自身に等しくあり続けるということが、前提にされていなければならないと言われる。自己は、連続的でなければならず、いつでも同一で、そうしたものとして前提にされていなければならない。だが、このことは私見によれば、[良心を]記述的またはアプリオリに導出したことになっていない。問題になっているのは、方法論的に必然的な仮定、決断や受諾により手に入れた仮定であり、いわば、規範として働く構成、投影である。

7) Kant, *Gesammelte Schriften*, Bd.4, p.439 でカントは、次のように記している。「万物に対してそのように力をふるう存在者は神と呼ばれる。だから、良心は、自己の所業につき神の前で果たすべき責任の主観的な原理として考えられなければならないであろう。もちろん、後者の概念[責任の概念]は（たとえただ曖昧な仕方ではあっても）あの道徳的な自己意識のなかにいつも含まれているであろう」。

8) 「自己責任とは、こうである。すなわち、**わたしは、わたしに対して、つまりわたしがわたしの実存の可能性をイメージしながら自己に突きつける現実化への要求に対して、わたし自身をまえにして責任を負う。この場合のわたし自身とは、わたしの自己存在である。こうした自己存在とは、わたしがわたしに・もとづいて・存在・できることを要求してくる典型として、わたしにおそってくるような自己存在である**」（Weschedel, 1972, p.60）。

9) ここで付言しておかなくてはならない。たしかにヴァイシェデルは、「自己をまえもって呼び寄せること」を二重の意味で考えている。一つは、自我になること、すなわち〈この根源的な直観という根本構造の中から外へと自己を連れ出すこと〉である。だが二つには、〈未来へと自己を投企すること〉、すなわち〈自己を未来にいろいろ展開する可能性のもとで解釈し見るということ〉でもある。

10) ここで「責任性」とはいつも、どちらかというと普遍的に構想された概念として理解されている。これに対して「責任」は、たいてい特殊な状況で生じており、そうした状況で見届けられ、形成され、引き受けられる。

11) 興味あることに、二人[ヴァイシェデルとレヴィナス]の出発は同時代に始まる。すなわちレヴィナスも、自分の理論を本質的には 30 年代の初頭にすでに開始していた。たしかに彼の場合、国家社会主義という精神外傷的経験を背負い、自分の家族全体が強制収容所で殺されたという過酷極まりない運命に翻弄されたので、彼の理論が進展し脚色され一段と先鋭化するのは、やっと後になってからではある。

12) われわれの見るところ、レヴィナスは伝統的で抽象的な術語で語りながら、同時

に伝統的に抽象的な哲学のアプローチを拒む。すなわちかれは、抽象的な表現を駆使することによって、それでも具体性と言えるものが息づき、上述した哲学のジレンマに陥らないことを成就したいと思っている。

13) だが、よく知られている次の事例を考えて欲しい。すなわち、一つは1964年ニューヨーク市ブロンクス区で起きた Kitty Genovese 殺害を無関心に傍観し続けた人々、もう一つは、1989年ミュンヘンのオリンピック公園にある湖で氷が割れ三人の若者が溺れた事故で無関心を決め込んだ傍観者たちという事例である。だから、たしかに次のように言葉を補わなくてはならない。すなわち、わたしがただ傍観者に**とどまって**いたが、だが活動を開始すべきであったような、まさにそうした場合にわたしは（いっしょに）責任があると。

14) 前者の場合には、責任性をわたしは「災難」として（わたしの身に運命的に降りかかる何かとして）体験し、その後でこれを積極的に受け容れる。こうして初めて責任の引き受けが行為となる。

15) 民俗学者はもちろん次のように考える。すなわち、偉大な類人猿は、象徴化する意識と自己意識をも発展させることができるのは、彼らが単に人間に似てたいへん効果的に上手に嘘をついたり騙すことができるという理由からではない。彼らはゴリラを例外として自分自身をたとえば鏡のなかで再認識できるからである。

16) しばしば会社に対して次のような非難がなされた。会社は人口密度の高い都市の近くに工場を建てた。しかしそれは本当のところ不当な非難だった。なぜならその都市は、会社の設立後はじめて会社の周りの空き地に発展したからである。インドのスラム街の入植と同様に、全く典型的な仕方で生じている。スラム街、いわゆる貧民街 (shanty towns) の成立は、インドにおいて見飽きることはなく、防止できず、指導できない。

17) すでに暗示したように、彼は、わたしとの議論に基づいて新しい種類の見解を展開した。なぜならもともとの彼の見解は、個々の**人格**の道徳的責任だけがあり、グループには道徳的責任があるなどとは言えない、特にまた何らかのシステムやその状態にも道徳的責任があるとは言えないというものであったからである。しかし今や彼は、次のような意見である。システムに普遍道徳的責任や、「道徳的不十分さ」あるいは「道徳的腐敗」という形で、このような責任の欠如が見届けられなければならない。

18) 非難責任 (blame responsibility) に対して事前の配慮責任が対立させられる。事前の配慮責任は、**世話する心性** (*caring mentality*) のようなものを含んでいる。他人の幸福への関心に親切に気配りし配慮するというある種の態度、だから、人間性、具体的人間性を含んでいる。

19) それは、わたしがハンス・ヨナスに対して主張した批判と平行する批判である。ヨナスは、もちろん次のように言った。すなわち、伝統的な因果行為責任は、ちなみに言えばそれほど新しいものではない普遍的な保護責任によって置き換えられなければならない。普遍的な保護責任は、誰かが彼や彼の力に依存する存在者

に対して持つ保護責任である。

20) ヨナスの親切な心配りの責任に対して、拡張された〈事前に配慮している〉という責任 (Vorsorglichkeitsverantwortung)［原文では Versorglichkeitsverantwortung とあるが誤植と思われる——訳者］は、網目状に結合された社会技術的な体系の中で実際に「新しい種類」であり、あるいは少なくとも今日では以前に知られていない鋭さと射程において現実化している。

21) そうしたこと［すべての徴表を二つの次元に割り振ってしまうこと］は、ある意味で二分法的分類の厳格さの軟化である。二分法的分類は、個々のものに関係する。しかしいつも**また**、判断する者に具わる義務のいろいろな前提や必要条件にも関係する。

22) わたしは次のことを述べたい。「非難責任 (blame responsibility)」という考え方は、エドガー・ボーデンハイマーという名前の道徳哲学者に由来し、彼は 1980 年、『責任という哲学 (*Philosophy Responsibility*)』という 1 冊の本を書いた。そしてそこで——もちろんふたたび誤って——責任**一般**を、非難に値すること、あるいは、非難すべきこと、非難され得ることの概念と同値した。

23) 特に彼は債務責任 (Haftungsverantwortung) を法的意味で理解している。この責任は、それだけでは、それ自体としては、いかなる道徳的・**人格的**価値評価も、賞賛も、非難も伴わなくて、「中立的」と見なされている。

24) カール・ヤスパースもまた責任を引き受ける覚悟を、負い目を認める覚悟と単純に同一視している (Jaspers, 1965)。

25) 事情によっては、他者とともに、しかし**個人**に関して。

26) われわれは**純粋**で**中立的な**因果責任を、すなわち単なる原因結果関係による出来事の結びつきを、行為責任にとってはどうでもよいものとして除外した。ただしそれは、たいていの行為責任（原因を前提にしない債務についての責任の場合を除く）にとって必須ではある。

27) 自分の酩酊状態を自ら引き起こした酩酊者は、彼によって引き起こされた損害に対して、「彼に過失の責任が負わされ」得るような「場合と同じように責任がある」のである。いずれにせよ法律ではそうである (§827BGB)。

28) 道徳的な権利は、ヴェルハアーネ (Werhane, 1985, p.16 以下) では、次のとおりである。すなわち、同等の顧慮の権利、安全・生命維持への権利、生への権利、苦しまされない権利、自由（行為の自由、そして選択の自由、自律、そしてプライバシーという意味での）への権利であり、私有物への権利である。

29) 物理学や化学における通常の研究は、ここで例外的な実例で議論されるような、外部に向けられた責任性の極端な先鋭化を少なくとも示していない。これは、否認されるべきではない。外部に向けられた責任という、日常研究ではただ稀に、場合によって暗示的に現れる問題性を際だたせるためにこそ、引き続き疑いなく極端な例が論究される。

30) 同じことが、旧東ドイツの政治的転換後初めて詳細に知られるようになったことだが、1957 年のキシュティム Kyschtym（マヤーク Majak）の核の破局に当てはまる。そこでは、チェルノブイリにおけると同様におよそ 20 倍の非常に多量の放射能が放出された。

31) 後に繰り返しテラーは、研究者のどんな（共同・）責任（応用研究における科学者の責任）も拒絶した（例えば、フランクフルトアルゲマイネ紙 1995 年 4 月 21 日、フランクフルト展望、1995 年 8 月 3 日）。

32) シュトルツェンベルクによって引用された草稿に比較して、人々に広まったが確たる証拠のない短文を強調するのは、はるかに暗示的・煽動的であるのは言うまでもない。そこで、おそらくしばしば強調してイデオロギー的あるいは挑発的な意図で引用され、さらに引用され続けてきた。人から人へ言い伝えられ、次から次へと引用されている言い回し。

33) フランスの将軍カヴェニャック（Cavaignac）は、1907 年版のハーグ陸戦規則のずっと前に、モロッコ植民地戦争で「毒ガスの霧」をアラビア人に対して使用した。そして 1845 年、フランス・アルジェリア戦争では 1000 人以上のカバイル人がフランス軍によって山岳迷路をいぶしだす際に毒を使用され殺害された。ハーバーが 1915 年にオットー・ハーンに対して指摘したところによると、シアン化合物がすでに 1914 年秋にはフランス人によって戦争手段として「少量は」使用されていた（Stoltzenberg, 1994, p.247 以下より引用）。

34) ハーバーもまた、彼を著名にしたハーバー・ボッシュ製法を企画・開発したときは、カールスルーエ工科大学の正教授だった。その製法はちなみに、第一次大戦におけるドイツの硝酸塩や硝酸の欠乏を取り除いた。この欠乏は、もしハーバーの発明がなかったならば、すでに 1915 年あるいは 1916 年に、弾薬類の欠乏（火薬の欠乏）ゆえにドイツの軍事的崩壊へと導いたであろう。ドイツは、ハーバーがいなければ、すぐに火薬を使い果たしてしまっていたであろう。

35) 1995 年 7 月 15 日に、「責任が問われる科学」という題のもとに、最初の核実験爆発（1945 年の 7 月 15 日）の 50 周年記念を機縁として、ドイツ物理学会、ドイツ科学者団体、自然科学者・運動「平和のための責任」、そしてゲッチンゲンの科学者同盟によって行われた催しが問題である。

36) 「思惟可能なありとあらゆること？」。これは満たされない要求である。

37) 自然科学者に対して提案された誓いの公式化のいろいろな例は次のとおり。ウエルトフィシュ（Weltfish, 1946）によると、「わたしはわたしの知が人類の破壊や権力欲ではなくて、人類の善のために用いられるということを、そして同僚すべてと共に、どこの国であれ、どんな信仰であれ、どんな党派であれ、われわれの共通の目標のために協力して働くということを誓います」。以下のいろいろな見解は最近のものである。ブエノスアイレス（1988 年、科学者・軍縮・人民会議）によると、「倫理的舵なしには科学とその産物が社会とその未来を傷つけあるいは完全に破壊し得るという意識を持ちながら、わたしはわたし自身の科学的能力を、単

に報酬や名声のために、あるいはもっぱら雇用者や政治的指導者の指示に基づいてだけ用いることをけっしてせずに、ひとえにわたしの人格的な意見と社会的責任性に基づいてのみ、すなわちわたし自身の知を支柱に、またわたしの研究の状況と可能な結果との比較考量に基づいて利用して、その結果、わたしが企てる科学的・技術的研究が真に社会と平和の最上の利益になることを誓う」。社会的発明研究所 Institute for Social Inventions（London）の科学者・エンジニア・技術者のためのヒポクラテスの誓いによると、「わたしはわたしの職業を良心と尊厳をもって果たすことを誓う。わたしは、わたしが獲得した能力をただ人類・地球・万物の安寧に対する最高の敬意を払ってのみ用いるよう努力したい。わたしは、わたしの研究と上記の現在・将来世代に対する義務とのあいだに国籍・政治・先入観・物質的利益への考慮が妨害しながら介入するのを許さない。わたしはこの誓いを、厳粛に、自由に、わたしの名誉にかけて誓う」。科学者たちのヒポクラテスの誓いの理念は人体実験の際には、また実験過程に応じ直接に人間に影響を与えるような研究では、無意味ではあり得ない。出来上がった研究のいろいろな成果の応用に対しては、本当に別種の規制が役立つのだろうか。ちなみに、それは［別種とは言っても］厳密に理解するとむしろヒポクラテスの誓いに類似している（ヒポクラテスの誓いでも第一に問題なのは、治療での科学的認識あるいは医術の応用である）。製法を開発する科学者にある種の共同責任が与えられるのは、場合によってはあり得る（このことは、否定的なケースで特にはっきりと読みとれる。すなわち、ナパームの科学上の開発者〈前記本文を参照〉は、もちろん、いわゆる水素爆弾の生みの親と同様に、どんな倫理的共同責任も拒否したのだ）。ヒポクラテスの誓いに類似した科学者の誓いの困難は、おそらく、わずかしか効力がないということ、わずかしか制御可能でないこと、わずかしか通用しないということである。研究の倫理的問題を現実的に解決するためには、この理念はまさにあまりにも一般的・抽象的であり、あまりにもたやすく受諾でき、ほとんど具体的に把握することができないのである。この理念は、ジレンマをおそらく純粋に理論的・理念的に解決するが、社会的・実践的には解決しないのである。

38) 傷害の危険と結びついたありとあらゆる可能な仕方での人体実験をまえもって審査する目的でいわゆる倫理委員会を招集するのは、このことに起因すると見なされ得る。こうした考えは、疑いもなく善である。実践はまだ異論の余地がある。幾人かは、委員会の効力と制御の可能性を疑っている。幾人かは、研究に対する官僚制的な制限と義務づけを恐れる。［研究の］制御の独立性を確保のための法的な——すくなくとも「職業法的な」——規制は、前者の関心に照らせば必須である。だがそうした規制はおそらく、申請・検査・制御の手続きの官僚制的な回りくどさの増強へと導き、したがって、研究の妨害となり得るものへと導くと言う。倫理的根拠から、研究の影響を被る人々のために、このような種々の制限は我慢しなければならないだろう。

引用文献

Barber, B., "The Ethics of Experimentation with Human Subjects," in *Scientific American*, 234, 1976, pp.25-31.

Baumgartner, H.M. & Staudinger, H.(eds.), *Entmoralisierung der Wissenschaften? Physik und Chemie*, München-Paderborn 1985.

Becker, J. u.a.(eds.), *Ethik in der Wirtschaft: Chancen verantwortlichen Handelns*, Stuttgart 1996.

Belsey, A., "The Moral Responsibility of the Scientist," in *Philosophy*, 53, 1978, pp.113-118.

Belsey, A., *Scientific Research and Morality: Beitrag zum Sechsten Internationalen Kongreß für Logik. Methodologie und Wissenschaftsphilosophie* (Sektionsvorträge: Sektion 14, pp.211-215), Hannover 1979.

Berkun, M.M., Bialek, H.M., Kern, R.P. & Yagi, K.(eds.), "Experimental Studies of Psychological Stress in Man," in *Psychological Monographs*, 76, 1962, pp.1-8.

Birnbacher, D.(ed.), *Ökologie und Ethik*, Stuttgart 1980.

Birnbacher, D., *Verantwortung für zukünftige Generationen*, Stuttgart 1988.

Blühdorn, J.(ed.), *Das Gewissen in der Diskussion*, Darmstadt 1976.

Bodenheimer, E., *Philosophy of Responsibility*, Littleton CO 1980.

Born, M., "Die Zerstörung der Ethik durch die Naturwissenschaften: Überlegung eines Physikers," in Kreuzer, H.(ed.), *Literarische und naturwissenschaftliche Intelligenz*, Stuttgart 1969, pp.179-184.

Boyd, C., "The Responsibility of Individuals for a Company Disaster: The Case of the Zeebrugge Car Ferry," in Enderle, Almond & Argandoña(eds.), 1990, pp.139-148.

Broad, W. & Wade, N., *Betrug und Täuschung in der Wissenschaft*, Basel 1984.

Buckel, W., *Wissenschaft in der Verantwortung*, Vortrag in Göttingen 15.7.1995 (masch. geschr.).

Chain, E., "Social Responsibility and the Scientist," in *New Scientist*, 48, 1970, pp.166-170.

Cournand, A.F. & Zuckerman, H., "The Code of Science," in *Studium generale*, 23, 1970, pp.941-962.

Cournand, A. & Meyer, M., "The Scientists' Code." in *Minerva*, 14, 1976, pp.79-96.

Cournand, A., "The Code of the Scientist and its Relationship to Ethics," in *Science*, 198, 1977, pp.699-705.

Curtler, H.(ed.), *Shame, Responsibility and the Corporation*, New York 1986.

Davis, M., "Thinking Like an Engineer: The Place of a Code of Ethics in the Practice of a Profession," in *Philosophy and Public Affairs*, 20, 1991, pp.150-167.

Donaldson, T., "Personalizing Corporate Ontology: The French Way," in *Curtler*, 1986, pp. 99-112.

Enderle, G., Almond, B. & Argandoña, A.(eds.), *People in Corporation: Ethical Responsibilities and Corporate Effectiveness* (Issues in Business Ethics, Vol. I), Dordrecht 1980.

Eser, A. & Schumann, K.F.(eds.), *Forschung im Konflikt mit Recht und Ethik*, Stuttgart 1976.

Feinberg, J., "Die Rechte der Tiere und künftiger Generationen," in *Birnbacher* 1980, pp. 140-179.

Fischer-Fabian, S., *Die Macht des Gewissens: Von Sokrates bis Sophie Scholl*, München 1987.

Frankena, W.K., *Analytische Ethik*, München 1981.

French, P.A.(ed.), *Individual and Collective Responsibility*, Cambridge MA 1972.

French, P.A., *Collective and Corporate Responsibility*, New York 1984.

Freud, S., "Das Unbehagen in der Kultur," in Freud, S., *Gesammelte Werke*, Bd. 14, Frankfurt a. M. 1960, pp.419-506. (フロイト「文化の不安」、『文化論』土井正徳訳、日本教文社、1953 年、所収)

Frucht, A.H. & Zepelin, J., "'Die Tragik der verschmähten Liebe'. Die Geschichte des deutsch-jüdischen Physikochemikers und preußischen Patrioten Fritz Haber," in Fischer, E. P.(ed.), *Mannheimer Forum 94/95: Boehringer Studienreihe Mannheim*, München 1995, pp.63-112.

Gert, B., *Die moralischen Regeln*, Frankfurt a.M. 1983.

Ginsburg, T., "Die Verantwortung des Wissenschaftlers heute," in Grupp, M.(ed.), *Wissenschaft auf Abwegen?* Fellbach-Oeffingen 1980, pp.90-103.

Goffmann, E., *The Presentation of Self in Everyday Life*, New York 1959.

Goodin, R.E., "Apportioning Responsibilities," in *Law and Philosophy*, 6, 1987, pp.167-185.

Griflim, G.R., *Wie Tiere denken: Vorstoß ins Bewußtsein der Tiere*, München 1990 (Orig. 1984).

Haefner, K., *Mensch und Computer im Jahre 2000*, Basel 1984.

Hammer, F., *Selbstzensur für Forscher?* Zürich-Osnabruck 1983.

Hardin, G., "The Tragedy of the Commons," in *Science*, 162, 1968, pp.1243-1248. (G.ハー

ディン「共有地の悲劇」、シュレーダー＝フレチェット編『環境の倫理(下)』晃洋書房、1993年、pp.445-470所収）

Hart, H. L. A., *Punishment and Responsibility*, Oxford 1968.

Hart, H. L. A., *The Concept of Law*, Oxford 1961.（独語版 *Der Begriff des Rechts*, Frankfurt a.M. 1973.）（H・L・A・ハート『法の概念』矢崎光圀監訳、みすず書房、1976年）

Haydon, G., "On Being Responsible," in *Philosophical Quarterly*, 28, 1978, pp.46-57.

Heisenberg, W., *Der Teil und das Ganze*, München 1969, 1971.（W・ハイゼンベルク『部分と全体――私の生涯の偉大な出会いと対話』山崎和夫訳、みすず書房、1974年）

Herrmann, A., *Wie die Wissenschaft ihre Unschuld verlor*, Stuttgart 1982.

Hoffmann, R., "Scientific Research and Moral Rectitude," in *Philosophy*, 50, 1975, pp.475-477.

Jaspers, K., "Die Schuldfrage," in Jaspers, K., *Hoffnung und Sorge: Schriften zur deutschen Politik 1945-1965*, München 1965, pp.67-149.（カール・ヤスパース『責罪論』橋本文夫訳、理想社、1965年）

Jonas, H., *Das Prinzip Verantwortung: Versuch einer Ethik für die technologische Zivilisation*, Frankfurt a.M. 1979.（H・ヨナス『責任という原理』加藤尚武監訳、東信堂、2000年）

Jonas, H., "Technology as a Subject for Ethics." in *Social Research*, 49, 1982, pp. 891-898.（独語版 Lenk & Ropohl(eds.), 1987, pp. 81-91）

Jonas, H., "Warum wir heute eine Ethik der Selbstbeschrankung brauchen," in Ströker, E.(ed.), *Ethik der Wissenschaften? Philosophische Fragen* (Bd. I : Ethik der Wissenschaften, hg. v. H. Lenk, H. Staudinger, E. Ströker.), München Paderborn 1984, pp.75-86.

Jung, C. G., "Das Gewissen in psychologischer Sicht," in C.G. Jung-Institut (ed.), *Das Gewissen*. Zürich - Stuttgart 1958, pp. 185-207.

Kant, I., *Gesammelte Schriften. Opus postumum*, Erste Hälfte, Convolut I bis IV, Bd.21 (Hg. Königlich Preußischer Akademie der Wissenschaften, Berlin-Leipzig 1936.

Kant, I., *Grundlegung zur Metaphysik der Sitten*, AA Bd. IV, Berlin 1968. (カント『人倫の形而上学の基礎づけ』深作守文訳、理想社、1965年）

Kant, I., *Metaphysik der Sitten*, AA Bd. VI, Berlin 1968.（カント『人倫の形而上学』吉沢・尾田訳、理想社、1969年）

Kant, I., *Vorlesung über Ethik,* Frankfurt a. M. 1990.

Kantrowitz, A., "Proposal for an Institution for Scientific Judgement," in *Science*, 156, 1968, pp.763-764.

Kittsteiner, H. D., *Die Entstehung des modernen Geyissens*, Frankfurt a.M.-Leipzig 1991.

Kroy, M., *The Conscience. A Structural Theory*, Jerusalem 1974.

Kurtz, P., "The Ethics of Free Inquiry," in Hook, S., Kurtz, P. & Todorovich, N.(eds.), *The Ethics of Teaching in Scientific Research*, Buffalo NY 1977, pp.203-207.

Kummel, F., "Zum Problem des Gewissens," in Blühdorn 1976, pp. 441-460.

Ladd, J., "Are Science and Ethics compatible?" in Callahan, D. & Engelhardt, H.T.(eds.), *The Roots of Ethics*, New York 1981, S. 373-402.

Ladd, J., "Collective and Individual Moral Responsibility in Engineering: Some Questions. Beitrag zur Second National Conference on Ethics in Engineering at the Illinois Institute of Technology, Chicago 1982," in *Society and Technology*, 1982, Juni, pp.3-10.

Ladd, J., "Philosophical Remarks of Professional Responsibility in Organisations," in *Applied Philosophy*, 1, 1982, pp.1-13.

Ladd, J., "A Comprehensive Theory of Moral Responsibility," 未公刊論文 1990.

Ladd, J., "Bhopal: Moralische Verantwortung, normale Katastrophen und Burgertugend," in Lenk & Maring(eds.), 1992, pp.285-300.

Ladd, J., "Entwurf eines umfassenden Begriffs der moralischen Verantwortung," 未公刊論文 1992.

Langer, S. K., *Philosophy in an New Key: A Study in the Symbolism of Reason, Rite and Art*, Cambridge MA 1957³ (Orig. 1942).

Lenk, H., "Handlung als Interpretationskonstrukt, in Lenk, H.(ed.), *Handlungstheorien interdisziplinär II: Handlungserklärungen und philosophische Handlungsinterpretation*, Erster Halbband, München 1978, pp.279-350.

Lenk, H., *Pragmatische Vernunft: Philosophie zwischen Wissenschaft und Praxis*, Stuttgart 1979.

Lenk, H., "Zu ethischen Fragen des Humanexperiments," in Lenk, H., *Pragmatische Vernunft*, Stuttgart 1979, pp.50-76.

Lenk, H., "Herausforderung der Ethik durch technologische Macht: Zur moralischen Problematik des technischen Fortschritts," in Gesellschaft für Rechtspolitik Trier(ed.), *Bitburger Gespräche, Jahrbuch 1981*, München 1981, pp. 5-38.

Lenk, H., "Kants soziomorphe Begründung des Gottespostulats," in Korff, F.W.(ed.), *Redliches Denken*, Stuttgart - Bad Cannstatt 1981a, pp.51-64.

Lenk, H., *Zur Sozialphilosophie der Technik*, Frankfurt a. M. 1982.

Lenk, H., *Eigenleistung*, Osnabrück - Zürich 1983.

Lenk, H., "Wie philosophisch ist die Anthropologie?" in Frey, G. & Zelger, J.(eds.), *Der Mensch und die Wissenschaft vom Menschen*, Bd. I, Innsbruck 1983. pp.145- 187.

Lenk, H., "Verantwortung für die Natur: Gibt es moralische Quasirechte von oder moralische

Pflichten gegenüber nichtmenschlichen Naturwesen? " in *Allgemeine Zeitschrift für Philosophie*, 8, 1983, pp.1-18.

Lenk, H., "Erweiterte Verantwortung: Natur und künftige Generationen als ethische Gegenstände," in Mayer-Maly & Simons, 1983, pp.833-846.

Lenk, H., "Verantwortung in Wissenschaft und Technik," in Wendt, H. & Loacker, N. (eds.), *Kindlers Enzyklopädie Der Mensch*, Bd. VII, Philosophie, Wissenschaft und Technik, Zürich - München 1984, pp.463-487.

Lenk, H., "Zum Verantwortungsproblem in Wissenschaft und Technik," in Ströker, E. (ed.), *Ethik der Wissenschaften? Philosophische Fragen*, München -Paderborn 1984, pp.87-116.

Lenk, H., "Zur Verantwortung des Naturwissenschaftlers," in *Vorlesung Schering*, Heft 10, Berlin 1984, pp.17-23.

Lenk, H., "Mitverantwortung ist anteilig zu tragen - auch in der Wissenschaft," in Baumgartner, H.M. & Staudinger, H.(eds.), *Entmoralisierung der Wissenschaften. Ethik der Wissenschaften*, Bd. II, München - Paderborn 1985, pp.102-109.

Lenk, H., *Ethische Probleme der Gentechnik*, Königstein: Königsteiner Forum 1985.

Lenk, H.(ed.), *Humane Experimente? Genbiologie und Psychologie*, München-Paderborn 1985.

Lenk, H., "Verantwortung und Gewissen des Forschers," in Neumaier, O.(ed.), *Wissen und Gewissen: Arbeiten zur Verantwortungsproblematik, Conceptus-Studien 4*, Wien 1986. pp.35-55.

Lenk, H., *Zwischen Wissenschaftstheorie und Sozialwissenschaft*, Frankfurt a.M. 1986.

Lenk, H., "Gewissen und Verantwortung als Zuschreibungen," in *Zeitschrift für philosophische Forschung*, 41, 1987, pp.571-591.

Lenk, H., *Zwischen Sozialpsychologie und Sozialphilosophie*, Frankfurt a. M. 1987.

Lenk, H., "Über Verantwortungsbegriffe und das Verantwortungsproblem in der Technik," in Lenk & Ropohl, 1987, pp.112-148.

Lenk, H., "Anthropologie nach vorne: Bausteine der philosophischen Anthropologie als einer Interpretations- und Konstruktdisziplin," in Bonk, S. & Lazzari, A.(eds.), *Ideen zu einer integralen Anthropologie* (Festschrift Mácha), München 1989, pp.89-100.

Lenk, H., "Können Informationssysteme moralisch verantwortlich sein?" in *Informatik-Spektrum*, 12, 1989a, pp.248-255.

Lenk, H., "Sociomorphic Arguments for a Moral God: Kant's Second and Third Moral Arguments for the Postulate of God's Existence," in *Man and World*, 22, 1989b, pp.97-111.

Lenk, H.(ed.), *Wissenschaft und Ethik*, Stuttgart 1991.

Lenk, H., *Zwischen Wissenschaft und Ethik*, Frankfurt a.M. 1992.

Lenk, H., *Philosophie und Interpretation*, Frankfurt a.M. 1993.

Lenk, H., *Interpretationskonstrukte: Zur Kritik der interpretatorischen Vernunft*, Frankfurt a. M. 1993.

Lenk, H., *Macht und Machbarkeit der Technik*, Stuttgart 1994.

Lenk, H., "Das metainterpretierende Wesen," in *Allgemeine Zeitschrift für Philosophie*, 20. 1, 1995, pp.39-47.

Lenk, H., *Konkrete Humanität: Vorlesungen über Verantwortung und Menschlichkeit*, Frankfurt a.M. 1998.

Lenk, H., *Albert Schweitzer: Ethik als konkrete Humaität*, Münster 2000.

Lenk, H. & Maring, M., "Responsibility for Land Use and the Problem of Social Traps," in Fitch, D.B.S. & Pikalo, A.(eds.), *Soziale und ökonomische Aspekte der Bodennutzung*, Frankfiurt a.M. 1990, pp.31-49.

Lenk, H. & Maring, M., "A Pie-Model of Moral Responsibility," in Schurz, G. & Dorn, G. J. W. (eds.), *Advances in Scientific Philosophy* (Festschrift für Paul Weingartner), Amsterdam - Atlanta, GA 1991 . S. 483-494.

Lenk, H. & Maring, M.(eds.), *Wirtschaft und Ethik*, Stuttgart 1992.

Lenk, H. & Pilz, G., Das Prinzip Fairneß. Osnabruck-Zürich 1989. （H・レンク・G・A・ピルツ『フェアネスの裏と表』片岡暁夫監訳、不昧堂出版、2000 年）

Lenk, H. & Ropohl, G.(eds.), *Technik und Ethik*, Stuttgart 1987 (2., revidierte und erweiterte Auflage 1993).

Lévinas, E., *Totalité et infini: Essai sur l'exteriorité*, Den Haag 1961, 1980[7] （独語版 *Totalität und Unendlichkeit: Versuch über die Exteriorität*, Freiburg - Munchen 1987.) （レヴィナス『全体性と無限──外部性についての試論』合田正人訳、国文社、1989 年）

Lévinas, E., "Dialog," in Böckle, F. u.a.(eds.), *Christlicher Glaube in moderner Gesellschaft. Enzyklopädische Bibliothek in 30 Teilbänden*, Bd. I, Freiburg 1981, pp.61-85.

Lévinas, E., *Die Spur des Anderen: Untersuchungen zur Phänomenologie und Sozialphilosophie*, Freiburg - München 1983.

Lévinas, E., *Humanismus des anderen Menschen*. Hamburg 1989. （レヴィナス『他者のユマニスム』小林康夫訳、水声社、1990 年）

Luck, W.A.P., *Homo investigans: Der soziale Wissenschaftler*, Darmstadt 1976.

Luhmann, N., "Die Gewissensfreiheit und das Gewissen," in *Archiv des Öffentlichen Rechts*, 90, 1965, pp.275-286.

Mácha, K., *Hundert Thesen zu einer integralen Anthropologie*, Essen 1984.

Mäckler, A. & Schäfers, C.(ed.), *Was ist der Mensch? 1111 Zitate geben 1111 Antworten*, Köln 1989.

Maring, M., "Modelle korporativer Verantwortung," in *Conceptus*, 23, 1989, pp.25-41.

May, L., *The Morality of Groups*, Notre Dame IN 1987.

May, L., "Responsibility of Groups? Collective Inaction and Shared Responsibility," in *Nous*, 24, 1990, pp.269-278.

May, L. & Hoffman, S.(eds.), *Collective Responsibility: Five Decades of Debate in Theoretical and Applied Ethics*, Savage MD 1991.

Mayer-Maly,D. & Simons,P.M.(eds.),*Das Naturrechtsdenken heute und morgen:Gedächtnis -schrift für René Marcic*, Berlin 1983.

Mellema, G., "Shared Responsibility and Ethical Dilutionism," in *Australian Journal of Philosophy*, 63, 1985, pp.177-187.

Mellema, G., *Individuals, Groups, and Shared Moral Responsibility*, New York 1988.

Mellema, G., "Supererogation and the Fulfillment of Duty," in *Journal of Value Inquiry*, 25, 1991, pp.167-175.

Michalos, A. C., "A Reconsideration of the Idea of a Science Code," in *Research in Technology and Philosophy*, 3, 1980, pp.10-28.

Milgram, S., *Das Milgram-Experiment: Zur Gehorsamkeitsbereitschaft gegenüber Autorität*, Reinbek 1974. (S・ミルグラム『服従の心理』岸田秀訳、河出書房新社、1995年)

Neumaier, O. (ed.), *Wissen und Gewissen*, Wien 1986 (Conceptus - Studien 4).

Nietzsche, F., "Zur Genealogie der Moral," in Nietzsche, F., *Kritische Studienausgabe*, Bd. 5, München 1887, pp.285-412. (F・ニーチェ『道徳の系譜学』信田正三訳(ニーチェ全集10巻)理想社、1978年)

Obermeier. O.-P., "Darf der Mensch alles machen, was er kann?" in *Politische Studien*, 30, 1979, pp.565-574.

Perrow, Ch., *Normale Katastrophen*, Frankfurt a.M. 1987.

Petrilowitsch, N.(ed.), *Das Gewissen als Problem*, Darmstadt 1966.

Pirsig, R., *Zen und die Kunst ein Motorrad zu warten*, Frankfurt a.M. 1976 (Orig. New York 1974).

Pirsig, R., *Lila: ein Versuch über Moral*, Frankfurt a.M. 1992.

Popper, K.R., "Die moralische Verantwortlichkeit des Wissenschaftlers," in Eichner, K. & Habermehl, W. (eds.), *Probleme der Erklärung sozialen Verhaltens*, Meisenheim 1977, pp. 294-304.

Rawls, J., *Eine Theorie der Gerechtigkeit*, Frankfurt a.M. 1975. (J・ロールズ『正義論』矢

島鈞次監訳、紀伊國屋書店、1979 年)

Reiner, H., "Die Funktionen des Gewissens,". in *Kantstudien*, 62, 1971, pp.467-488.

Reiner, H., "Gewissen," in Ritter, J. u. a. (eds.), *Historisches Wörterbuch der Philosophie*, Bd. 3, Basel - Stuttgart 1974, pp.467-488

Reiner, H., [Reiner, 1971 再録への補足] in Blühdorn, 1976, pp.314-316.

Revers, W.J.,"Das Gewissen in der Entfaltung der Persönlichkeit,"in *Jahrbuch für Psychologie und Psychotherapie*

Rüdiger, D., "Der Beitrag der Psychologie zur Theorie des Gewissens und der Gewissensbildung," in Blühdorn, 1976, pp.461-488.

Sachsse, H., "Handeln im Spannungsfeld zwischen gesellschaftlicher Regelung und Eigenverantwortung," in Kessler, H.(ed.), *Selbstfindung in einer Zeit der Selbstentfremdung*. Mannheim: Humboldt-Gesellschaft 1983, pp. 13-28.

Sachsse, H., *Technik und Verantwortung*, Freiburg 1972.

Schweitzer, A., *Kultur und Ethik*. München 1923, 1960. (A・シュヴァイツァー『文化と倫理』氷上英廣訳、白水社、1957 年)

Stelzenberger, J., *Das Gewissen*, Paderborn 1961.

Stoker, H.G., *Das Gewissen*, Bonn 1925. (H・G・シュトーカー『良心──現象形式と理論』三輪健司訳、共学館、1959 年)

Stoltzenberg, D., *Fritz Haber - Chemiker, Nobelpreisträger, Deutscher, Jude*, Weinheim u.a. 1994.

Stoltzenberg, D., *Fritz Haber - der chemische Krieg: das Völkerrecht und die allgemeine öffentliche Verurteilung*, MS (17 Seiten), Vortrag im Physikalisch-chemischen Kollegium der Universität Karlsruhe 1995 (masch. geschr.).

Task Force of the Presidental Advisory Group on Anticipated Advances in Science and Technology, "The Science Court Experiment," in *Science*, 193, 1976, p.653 以下.

Teischel, O., *Selbstsein: Notwendigkeit und Paradox einer Philosophie der Existenz*, Frankfurt a. M. 1986.

Teutsch, G. M., *Lexikon der Umweltethik*, Göttingen - Düsseldorf 1985.

Teutsch, G. M., *Mensch und Tier: Lexikon der Tierschutzethik*, Göttingen 1987.

Thompson, P.B., "Collective Responsibility and Professional Roles," in *The Journal of Business Ethics*, 5, 1986, pp.301-310.

Trocchio, F., *Der große Schwindel: Betrug und Fälschung in der Wissenschaft*. Frankfurt a. M. - New York 1994.

Weischedel, W., *Das Wesen der Verantwortung*, Frankfurt a. M. 1972(Orig. 1933).

Weischedel, W., "Wesen und Ursprung des Gewissens," in Weischedel, W., *Wirklichkeit und Wirklichkeiten*, Berlin 1960, pp.211-219.

Weischedel, W., "Der innere Ruf: Ein Gespräch über Verantwortung und Gewissen," in Holzhey, H. (ed.), *Gewissen?* Basel - Stuttgart 1975, pp.11-30.

Weizenbaum, J., *Die Macht des Computers und die Ohnmacht der Vernunft*, Frankfurt a.M. 1979.

Weizsäcker, C. F., *Wahrnehmung der Neuzeit*, München 1983.

Weltfish, G., "Der Eid des Homosapiens," in *Physicalische Blätter*, 2, 1946, pp.25-26.

Wenz, E. G., *Wissenschaftsgerichtshöfe*, Frankfurt a. M. - New York 1983.

Wenzler, L., "Menschsein vom anderen her," in Lévinas, E., *Humanismus des anderen Menschen*, Hamburg 1989, pp.VII-XXVII.

Werhane, P.H., *Persons, Rights, and Corporations*, Englewood Cliffs NJ 1985.

Werner, H. J., "Das Gewissen im Spiegel der philosophischen Literatur," in *Philosophisches Jahrbuch* (der Görres-Gesellschaft), 90, 1983, pp.168-184.

Wicke, L., *Umweltökonomie und Umweltpolitik*, München 1991.

Winkler, E. & Schweikhardt, J., *Expedition Mensch*, Wien - Heidelberg 1982.

Wörz, M., *System und Dialog: Wirtschaftsethik als Selbstorganisation und Beratung*, Stuttgart 1994.

訳者あとがき

まず、著者レンク教授の略歴を簡単に紹介しておきたい。

1935年3月　ベルリンに生まれる。
1955〜1961年　フライブルク、キールの両大学で数学・哲学・社会学・スポーツ科学・心理学の研究、続いて1964年、ベルリン大学でサイバネティックス研究に従事。
1960年　ローマ・オリンピック大会漕艇エイト競技で優勝。
1961年　キール大学哲学博士号修得。
1966年　ベルリン工科大学哲学教授資格取得。
1969年　ベルリン工科大学社会学教授資格取得。
1969年　カールスルーエ大学哲学正教授（現在に至る）。
1983年　土地再調整（Bodenordnung）ヨーロッパ専門部会会員。
1983年以来　ドイツ・ユネスコ委員会委員。
1991年　国際オリンピック・アカデミー名誉会員
1994年以来　世界哲学者アカデミー会員。
1995年以来　国際科学哲学アカデミー会員。
　　　ケルン、アルゼンチン・コルドバ、ハンガリー・ブダペスト、モスクワなど各大学の名誉博士号を授与。

こうした経歴から、アカデミックな哲学研究の域を超え出たレンク教授の行動する哲学者としての風貌が推察されるが、教授の哲学研究自体も極めて多方面にわたっている。現在、カールスルーエ大学人文・社会科学部哲学科の主任を務める氏の研究の焦点は、理論的体系的な哲学研究というよりも、技術、経済、システム科学、神経科学に関連する哲学の実践・応用的な分野に向けられているようで、研究分野は、自然科学・技術工学・社会科学の方法論を包括するようなかたちでの科学論、そして応用倫理学の方へと広がっている。ここでは、そうした教授の多彩で豊富な研究内容にコメントするゆとりはない。本書

巻末にまとめられている参考文献から、本テキスト刊行時に至るまでの氏の研究実績が推察できようが、最近発表された著者の主な著書・論文を補足することで、氏の応用倫理学研究の近況を窺うに止めておきたい。

- *Technikethik und Wirtschaftsethik* (Hg. mit M. Maring), Opladen: Leske - Budrich 1998.
- *Praxisnahe Philosophie: Eine Einführung*, Stuttgart 1999.
- "Towards an Action-Theoretical and Technology-Oriented Philosophy of Science and Epistemology," in *Epistemologia*, 24, 2001, pp.339-358.
- "Ein Menschenwürdeanrecht auf sinnvolle Eigentätigkeit," in *Humanität, Interkulturalität und Menschenrecht*, Hrsg. G. Paul, Frankfurt a. M. 2001, pp.394-415.
- "Interdisciplinary Approaches in Coastal Zone Management and Floodplain Area Development"(mit Ulrich Lenk), in *European Coastal Zone Management: Partnership Aapproaches*, Ed. R.W. Dixon-Gough, Aldershot/England 2001, pp.82-110.
- "Verantwortung II"(mit Matthias Maring), in *Historisches Wörterbuch der Philosophie*, Hrsg. J. Ritter, Bd.11, Basel 2001, pp.569-575.
- "Korporative Verantwortung im Zuge von Modernisierungen"(mit Matthias Maring), in *Modernisierung - Prozeß oder Entwicklungsstrategie?* Hrsg. H. Hill, Frankfurt a.M., 2001, pp.239-260.
- "Umweltverträglichkeit und Menschenzuträglichkeit: Der Mensch im Spannungsfeld von Natur und Technik"(mit Matthias Maring). in *Mensch und Wirtschaft: Interdisziplinäre Beiträge zur Wirtschafts- und Unternehmensethik*, Hrsg. W. Deppert, Leipzig 2001, pp. 61-92.

さて、本訳書のテキストの表題は、*Einführung in die angewandte Ethik — Verantwortlichkeit und Gewissen*—である。

1970年代から主としてアメリカを中心に英語圏の倫理学界に「応用倫理学」の運動が現れる。今日では、応用倫理学研究は、現代の文化・社会生活の広範な領域で現実に起こり、また多くの人々にとって共通に関心が持たれ、その公共的な解決が求められている、あらゆる実際的な倫理問題を包括している。例えば、*Encyclopedia of Applied Ethics*, vol. 1, (R. Chadwick, Ed.), Academic Press, 1998 によると、応用倫理学は、次のような問題領域を網羅する。医療倫理学、科学の倫理学、環境倫理学、法律の倫理学、教育の倫理学、倫理学と政治学、ビジネスと経済の倫理学、情報倫理学、倫理学と社会サービスなどである。ハンス・レンクは、ドイツ哲学界では、そうした英語圏の倫理学研究の

新しい機運に早くから敏感に反応した哲学者の一人である。だが、そうした期待を抱いて本書を一見すると、多くの読者には、このテキストが *Einführung in die angewandte Ethik*（『応用倫理学入門』）と名づけられるには、いかにも不釣り合いであると思われるかもしれない。本書が扱う応用倫理学のテーマは、科学のあるいは科学者の倫理であり、しかも、この問題が特殊の具体的なケースにそくして応用倫理学的に議論される部分は限られているからである。実質的には、第5章「ボパール：無責任と責任の喪失：ケーススタディ」と最後の第7章「科学者の責任に向けて」にすぎない。第5章は、1984年にインドの都市ボパールで起きた産業事故について、これを、巨大な科学技術と結び付いた社会システムが生みだした大惨事の典型として捉え、こうしたケースでの倫理問題の所在を明らかにし、この種の事故の再発防止に繋がるような倫理的（倫理学的）な視点を提示する。第7章は、社会心理学のミルグラム実験を手始めに、「マンハッタン計画」に関与した著名な原子物理学者たちの態度・行動、「パグウォッシュ会議」、さらに翻って、ハーバーによる毒ガス兵器開発など、歴史的な事例を引き合いに、科学者の社会的・道徳的な責任の問題に考察・検討が加えられる。本書では、こうした「科学者の倫理」に的を絞る応用倫理学的考察の部分に比べると、これに倍する量の叙述が、「良心」と「責任」に関する理論的な考察に振り向けられる。この理論的考察でもさまざまな事例が利用されてはいる。だが、その主な目的は良心・責任現象の理論的解明にある。

　一般に応用倫理学の主要な分野は、三つ挙げられる。現代の医療技術・医学研究の革新、またその医療システムが人間の生と死の根源的な捉え直しを迫る状況のなかで70年代当初にすでに生命倫理学が登場する。次に、自然環境の保護を説き、未来世代・生物種・地球生態系全体に対するわれわれ人間の関係を問い直す環境倫理学があり、第三に、今日の企業のあり方と活動の社会的・倫理的な責任を問い、グローバルなビジネス活動で起きている現実の具体的な倫理問題にコミットするビジネス倫理学がある。本書がテーマとする「科学（科学者）の倫理」は、これら三つの分野に比べると、一般に地味な印象を与えるかもしれない。だが、主要な三つ分野に共通して応用倫理学の研究と実践を突き動かしているのは、現代の科学技術の進歩であるという点からすれば、い

ずれの分野での倫理的な議論も掘り下げれば、どこかで「科学の倫理」にリンクする。現代科学技術の営みは生命科学・医学に限らず、巨大なプロジェクトとして、人類の生存と社会の安全に危惧を与えていないか。地球の生態学的環境の危機という重大な問題を生みだした。今日のビジネスは、企業の伝統的な価値と原理に安住できず、伝統的な責務を超え出るような倫理が求めれる。経済的な利益と利便性を市民社会の法的枠組みの内部で最大限に追究するという企業活動が公共の健康・安全や、環境保護に影響を与えずにおかない。そうした企業活動は、科学技術の開発と連携している。本書でレンクが取り組む「科学（科学者）の倫理学」も、こうした拡がりをもった応用倫理学を視野におさめている。こうした事情を踏まえ、翻訳にあたり本書のタイトルは『テクノシステム時代の人間の責任と良心――現代応用倫理学入門――』とした。

　いろいろな方面で応用倫理学の研究が進んでくると、研究者のあいだに、応用倫理学という試みの存在意義や学としての性格について反省が生まれてきた。そうした状況で基本的な問題の一つは、応用倫理の問題領域にあって、いわゆる倫理理論が果たす役割とは何なのか、そもそも一般的な倫理理論や原理が必要で有効なのか、といった問いである。実践の現場で直面する倫理問題を解くのに、今・ここでの特殊のケースに一般的な道徳規範や原理を単純に応用することで一定の結論が得られると考えるのは、あまりに安直である。一定の基本的な道徳原理を具体的ケースに演繹的に応用する方法、すなわち一定の原理から特殊ケースへのトップダウン的な問題解決のモデルは、応用倫理の領域では役に立たない。例えば、医療の現場で「安楽死」の是非が問われるような問題状況に直面して、カントの理論や功利主義の理論を一義的に振りかざしてみても、それは、実際的な建設的問題解決から遠ざかるばかりである。だから、応用倫理学にコミットする人々のあいだでも、およそ倫理理論にアレルギー反応を持つ人が少なくない。しかし、演繹主義的なアプローチは斥けながら、倫理理論・道徳原理に何らかの有効な働きを認め、そうした視点から応用倫理学を構築する立場もある。例えば、いろいろな道徳原理は、実際にわれわれが遭遇する重大な道徳的葛藤にアクセスするための方法として役立てられる。ここで理論や原理は、問題解決のための演繹的な三段論法の大前提としてではなくて、

問題状況の理解を深め考察を進めるための、つまり道徳的な熟慮や推論のためのツールである。理論や原理をツールとして使用するというのであれば、特定の原理に固守せずに、理論多元主義を認めることになる。道徳的熟慮に定位するこの立場では、どんな理論や原理も絶対的ではあり得ない。理論も原理も、道徳的問題を議論する過程のなかに組み込まれた一部分として機能するに過ぎない（参照、Tim Dare, "Aplied Ethics, Chalenge to," in *Encyclopedia of Applied Ethics*, vol. 1, (R. Chadwick, Ed.), Academic Press, 1998）。

　哲学者レンクは、演繹主義的なアプローチに与するわけではない。また、理論多元主義に立ったプラグマティズムに徹するわけでもない。レンクは、応用倫理の問題にアプローチするための基本的な倫理概念として「良心」と「責任」を持ち出す。「良心」の概念史的な考察を踏まえて展開される責任理論（第2・3・4・6章、）が倫理理論として、彼の応用倫理学にとり決定的な位置を占める。責任というカテゴリーが、その助けを借りることで応用倫理の諸問題の解決に、少なくともその解決に近づくための何らかの規範的な基準を提供するのかどうか。その実際的な見極めは、例えば本著の場合、「科学者の倫理」のテーマのもとで破局的な事例についてレンクが試みるケーススタディ（第5章、第7章）に対する立ち入った吟味を必要としよう。その検討は別途譲るとしても、責任の概念は、一定の道徳原理（例えばカントの「定言命法」や功利主義の「最大多数の最大幸福」）がいろいろな道徳規範に関係するようなかたちでは、特殊の道徳規範や規則を導出しないし、根拠づけもしないとは言えよう。現実の具体的な状況との関わりなしには、行為の責任を問うのは実践的に無意味である。だから、演繹主義的、原理主義のアプローチは、「責任の倫理」にはもともとなじまない。さしあたってわれわれは、そのように言っておいてよい。だが、現実の具体的な特殊的状況に対応することだけで、「責任の倫理」が成り立つわけでもない。倫理的な責任を問うたり、責任を帰したり、責任を引き受けたりして、責任ある倫理的な行為が可能であるには、責任概念とは別に、何らかの価値、規範が前提されていなければならない。そして、一定の価値観や形而上学的信念や道徳原理に固執しないかぎりは、倫理的責任が問われる現実の問題状況は、多種多様な規範に開かれていると言えよう。責任の概念は、価値や目的に繋が

る多様な規範と、現実の具体的状況とを媒介する。理論多元主義を容認するかぎりでは、「責任の倫理」はプラグマティズムと相通じる面があると言えそうである。

　応用倫理学への序奏として、レンクは良心概念と責任理論とを頼りにする。だがそれは、良心や責任の伝統的な捉え方を単に継承するのではない。ある意味でその修正と転換である。良心と責任は、それら概念の修正と拡張があって初めて応用倫理学の課題に応えることができる。しかもレンクは、責任理論に先立って「良心」について語る。そこに本書の特色の一つがある（第2章）。だが、その必然性は、テキストで必ずしも行き届いたかたちで論究されていない。その辺の事情を著者自身、気にとめてか、良心から責任への移行について再考を試みた文書が、添付ファイル（A4版用紙に出力して20枚強になる）で訳者の手許に送られたので、これも部分的に参考にしながら、以下簡単に、著者による良心考察と責任理論の応用倫理学的な射程に触れておきたい。

　道徳的な内的決断の次元にある良心という現象を、応用倫理学の理論的支柱としての責任概念に関連づける。優れて個人倫理の中枢を彩る良心概念を、責任理論のいわば背景に据える。ここに、レンクが呈示する責任概念の特徴がある。こうした良心について、レンクが具体的にイメージするのは、オッペンハイマー訴訟や、シラードとテラーとの手紙のやり取りで例示される「科学者の良心」である。だが良心が、いったい、社会的に大きな影響力を行使する巨大科学の発展に対する責任という問題の打開に向けて、どれだけのことを果たし得るのか。こうした疑念が残ることをレンク自身認めている。

　レンクは、良心の概念史を踏まえながら、さまざまな良心理論に批判的な考察を加えるが、その議論は拡散的で論点が十分に整理されているとは言えない。だがその議論が主眼とするのは、一つには「良心の声」すなわち「神の声」であるとする西欧の伝統的な良心観を色濃く染めるキリスト教的宗教色を薄めることにより、良心を世俗的な概念として捉えるということ、次にそうした良心概念を、社会的なものに繋ぎ止められた形で規範の中枢として構成・解釈されたものとして確認するということである。近代の良心の世俗化には、ニーチェや

フロイトのように、良心の心理学的な発生の由来を説くことで、良心の発生を一種の「病因論」に還元し、その規範的意義を解体してしまう方向がある。だが、レンクはこれには与しない。他方、良心の「内的な法廷」のモデルに囚われるあまりに、その内的法廷の場に理想的な実体（裁判官）を、人格のうちに住まうもうひとりの自分として持ち込むような「ホムンクルスの理論」にも与しない。「良心の声」とか「内的な法廷」という隠喩で表現される良心のアプリオリは、あらかじめ前提された一定の客観的な存在・価値秩序を反映するものとして、われわれに与えられるようなアプリオリでもない。良心のアプリオリは、規範として役立てられるように解釈され構成された産物である。「良心を所持することで、われわれは自己を規範的に自ら道徳的人格として構成する」。すなわち、われわれは良心を構成することで、自己を責任を負う人格として構成する。こうした意味で、「良心」とは「自己に帰せられる責任性の意識」である。だから良心は、「われわれ人間が……絶えず危険にさらされている人間性（Humanität）という理念を保持することに対して具体的に責任を負っている」ことの、いわば主観的な証である。

　良心が私的な生活に閉じこめられずに社会的なものに繋ぎ止められるのは、自己に帰せられる責任性の意識が、社会に向けて開かれているからである。そうした良心と責任性の意識との連関をテーマに、次にレンクは、責任性を道徳的主体の構造自体に引きつけて分析する責任現象の哲学的考察に注目する（第3章、第4章）。そこでのレンクの視点は、一方ではハイデガーの実存哲学の血脈を受け継ぐヴァイシェデルによる「自己責任性」の見方と、他方ではレヴィナスの「他者のヒューマニズム」に導かれた「社会的責任性」の見方とを、あれかこれかの二者択一的な関係に置くのではなくて、両者を補完し合うかたちで総合的に捉える。ヴァイシェデルは、〈自己自身を前（法廷）にして〉、〈自己自身（の行為、態度）に対して〉責任を負うという自己責任性を、実存に立ち返って根拠づける。すなわち、自己責任性の根底に、自己自身の根源的な要求としての典型を自ら投企しこれを引き受けるという実存の「根本自己責任性」を置く。他方レヴィナスは、〈他者に出会うことで、私の身に何かが降りかかってくるという責任〉、この意味での社会的責任（他者に対する責任）を負うということを、

責任性の中核に据える。一方では、責任の主体、道徳的主体は、どこまでも自律的な人格であるのに対して、他方では、他者の呼びかけに呼応することで初めて責任のある立場に立たされ、その後に受動的に道徳的主体が成立する。だがレンクによれば、こうした二つの責任性を「橋渡し」するのが、「具体的な人間性」の理念である。「両者［自己責任性と社会的責任性］は完全に結合できるし、結合しなければならないだろう。両者が結合することこそが、具体的な人間性の命令である」。「社会的責任性と自己責任性とが結びつくことで初めて、人格に具わる人間の責任性（Humanverantwortlichkeit）が成り立つ」。「具体的な人間性は、……他人たちに眼差しを向けながら、それでいて自己責任性を見失わないという点に成り立つ」。

ヴァイシェデル流の「自己責任性」とレヴィナス流の「社会的責任性」を「具体的な人間性」を媒介に統一するというレンクの視点が、はたして理論的に十分練り上げられているのかどうか。確かに疑わしいが、われわれとしては、こうしたレンクの問題的な視点を、応用倫理学のためにレンクが提供する責任理論の哲学的背景を示すものとして受け取っておきたい。むしろ本書の重要性は、こうした視点を踏まえて責任概念を拡張し、その多様な意味を分析することにより、責任のさまざまなタイプを分類・整理することにある（第6章）。

責任概念の拡張という点からすると、レンクが特に積極的に評価するのは、H・ヨナスと米国の道徳哲学者J・ラッドである。「未来への責任の倫理（学）」を説くヨナスは、その核心に、〈人間の存在に対する責任〉や、親の責任を原型とする保護（Fürsoge）責任を据える。ラッドも同じような趣旨で、「事前の配慮責任」を説く。ヨナスが強調する責任は、他者の力に依存する傷つきやすい存在者の生存・安全に対する責任、つまり保護責任で、これは因果責任をひな形とする行為責任を超えてしまっている。しかも、単に個人の行為にだけ関わるわけではない。その責任は、科学技術の集団・組織的な力による決定的な影響に曝されているような、未来の世代を含む人々、強いては人類の生存・安全に対する責任へ導く。ラッドは、責任の二つのコンセプトを対比する。一方には、責任の伝統的なコンセプトがあり、これは「非難責任」あるいは「負い目責任」と呼ばれる。ここでは、一定の個人が過去に為した行為の結果について、

その責任が当の個人に帰せられる。その意味で、その責任は排他的である。これに対し、新しい責任のコンセプトは、未来になされるべき行為を問う。これは「事前の配慮責任」であり、この責任は、特定の個人にだけ責任が帰せられるのではない。この責任の担い手は開かれており、共同責任の地平を開く。レンクは、ラッドの見方をヨナス同様、新たな責任の概念を呈示する点で、尊重するが、さまざまな責任のタイプを単純に、二つの責任のコンセプトのいずれかに端的に割り振る考えには同調しない。なぜなら、ラッドはそうすることで伝統的な責任概念に代えて、新たな責任概念を設定し、前者、つまり一定の個人や集団に関係するような負い目責任を道徳的責任性の観点から排除して、もっぱら後者、つまり新たな責任概念である「事前の配慮責任」にのみ道徳的責任性を見定めるからである。レンクによれば、こうしたラッドの対立的な見方は狭隘すぎる。負い目責任は常に法的とは限らず、法的な負い目なしに、道徳的な負い目を担うことがある。レンクが、そのほかいろいろな責任の観点をも理に適ったしかたで統一するために持ち出すのが、ここでもまた、「具体的な人間性」の理念である。この理念からするかぎり、新たな責任の観点といっしょに、伝統的な行為責任の観点も保持されなくてはならない。

　責任概念のこうした拡張と関連して、応用倫理の領域でとりわけ議論されるのは、集団・団体の行為に関わる責任という問題である。個人の責任と集団の責任、この二つの関係をどう見るかについては、これまで大まかに言って二つの立場の対立がある（参照、H. Lenk, M. Maring, "Verantwortung II," in *Historisches Wörter-buch der Philosophie*, Hrsg. J. Ritter, Bd. 11, Basel 2001）。一方の極は、倫理的個人主義とでも言うべき立場で、責任はいつでも余すところなく個人（ないしは複数の個人）に帰せられるという個人還元主義でもある。その対極は、集団主義で、集団や団体にも独自の道徳的責任が認められるという立場である。最近隆盛なこの立場では、集団的行為のシステム性、団体メンバーの共同責任、団体自体の担う道徳的責任が強調される。また、制度を主体とする責任と個人を主体とする責任とのあいだに、少なくともアナロジーがあると説かれたりする。だが、両者の中間に位置する立場、例えば、ファイファー（R.S.Pfeiffer）に見られるような考え方もある。かれによると、集団の道徳的責任というものが一応認めら

れるが、それは集団や団体に独自の責任として成り立つのではなくて、論理的には個人の責任に依存している。つまり、個人の道徳的責任なしには、集団の道徳的責任は存在しない。その場合、集団の道徳的責任は、当の集団のメンバー全員が責任を分担するという意味で、分配的であるか、あるいは全員が責任を分担するのでないという意味で非分配的であるかである。集団のメンバー全員には分配できないような集団の道徳的責任は、個人の道徳的責任と論理的に異質である。そうした集団の責任を認める点で、ファイファーは個人還元主義に反対である。レンクの考え方も、この見方に近い。

　ヨナスやラッドのように責任概念を、因果的な行為責任、負い目責任を超えた保護責任や事前の配慮責任へと拡張するなら、人々は、複雑なシステムの中で技術開発に関わる場合、個人として、しかも集団の構成メンバーとして、技術の誤用に対して予防責任を担っていると言える。だが、個人の拡張された責任性に訴えれば、それで十分とは言えない。問題は、集団、共同体の責任性がどうなのかである。今では、途方もなく増大し前もってコントロールできない技術の力を持ってしまった人間は、技術の影響に対して因果的に予見できる範囲内で意識的に責任を負うというだけではなくて、科学技術の巨大プロジェクトから起こり得る、予見不可能な結果に対しても、責任を引き受けなくてはならないとすれば、個人の責任を問うだけでは済まされない。ここで、集団、共同体の責任が問われるとすれば、そうした責任をどのように引き受けることができるのか。

　共同体の責任というものがあるとしても、それは、なんとかして個人の行為に関係づけられなくてはならない。これが、レンクの基本的な考えである。どの個人にも責任がないというふうに、集団自体に担われるような責任があるわけではない。これを踏まえてレンクは、共同責任性のモデルを次のように提唱する。複雑なシステム連関にあって人々が共同に責任を担うのは、各構成メンバーが、システムの力と知識の連関のなかでどのような戦略上の中枢的な役割を担っているかに相応するかたちで共同責任を持つ。命令の権限の大小に応じて、上位になればなるほど責任は増す。各人は、システムにあって、システム全体に対して共同責任があるが、それはシステムが各人の行為の影響力に左右

されるかぎりにおいてである。ただし、どんなひとも、ただひとりだけで集団全体のことに対して責任があるということはない。道徳的な責任はラッドの強調するように、法的責任の特徴である一定の人にのみ責任を負わせるという排他性がないということ、つまり関係者に広く開かれているという特徴がある。こうして、倫理的に非難されるべきであるようなプロジェクトに協力するひとは、誰でも、道徳的責任を免除され得ない。たとえ、個人に対してそのプロジェクトに参加するよう強制する物理的ないしは心理的な圧力がかかっているにしても、まだ決断の選択肢が残されており、その協力を拒絶する可能性が残されているかぎり、個人は道徳的責任を分有する。だからと言って、種々のタイプの責任のあいだで、倫理的な葛藤がなくなるわけでない。道徳的な責任性が別種の部分的な責任性と衝突する場合がある。そうした場合には、排他的でない道徳的な責任が、たとえば課題責任や役割責任よりも先行するという優先規則を、レンクは高く掲げるべきであると主張する（第6章）。

　集団や共同体の一員として仕事をする技術者は言うまでもないことだが、応用研究にコミットする自然科学者であっても、研究・技術開発の結果について、広い意味で保護・保存・予防責任というかたちで、共同責任を引き受ける。種々の科学技術のプロジェクトに見られるように、いろいろ予想される有害な付帯的結果が防止可能であるなら、そうした結果を予防すべき科学技術者の責任は、科学技術者にとって道徳的な命令となる。技術の開発と応用については、一般的に言えば、当の社会に、またその社会の代表的な政策決定者に、集団の責任が帰属する（例えば、最初の原子爆弾の開発に当たったマンハッタン計画を思い起こしてみればよい）。だがこの場合、集団に責任があるからと言って、こうした技術開発・応用に関わった個人の責任、個々の科学技術者の責任が免除されるわけではない。

　このように、未来に対する責任との絡みで責任概念を拡張し、さらに集団・共同体の責任、そして各メンバーに分担されるべき共同責任を開発することで、社会・公共の問題に方位した責任のコンセプトが描かれる。こうした責任が応用倫理学の原理とされる。この構想をレンクは、すでに20年以上も前から抱いていたと自負する。本書第1章でも引用されているが、その文章をここ

に再録しておきたい。「技術・科学による操作や影響力行使が可能になる範囲はいよいよ拡大し、広範囲に人工的になった環境に対して事情によっては不可逆的な変化を引き起こし、その変化は長期的にいろいろな効果を発揮する。それと同時に発生する責任の範囲は、広範囲に及ぶ。そのために少なくとも、道徳的判断の持つ重要性が時間的にも社会的空間的にも拡大する。技術の介入により経済的な依存性や生態系的諸条件の緊密度を高め、世界はいよいよ密接に編み合わされた世界となった。こうした世界ではもう、単なる隣人愛という道徳では不十分である。倫理（学）は、そうした道徳を超えて、人類全体に対する責任を実践できるようなものでなければならない。その責任は、単に生存する人々に対するものではなくて、後世に対する責任でなければならない」（Hans Lenk, *Pragmatische Vernunft*, Stuttgart 1979）。

　翻訳の作業は、「日本語版への序文」と第1章から第4章までは山本が、第5章から第7章までは盛永が分担するかたちで進められた。それぞれ最初に一とおり訳し終えた原稿を、互いに交換し吟味・検討したが、最終的には山本の責任で、訳稿全体をテキスト原文と照合して、できるだけ文体・表現・術語の統一が成るように努めた。訳出の申し出に対して、著者レンク教授からは早速に快諾をいただき、その上、訳者盛永の依頼に応えて「日本語版への序文」も寄せられた。そのときから訳が完了するまでに、1年以上が経過してしまった。これほどまでに刊行の遅れたことを、訝しく思われているだろうレンク教授には、深くお詫び申し上げなくてはならない。

　最後に、実に厳しい世の出版状況にもかかわらず、この翻訳出版に意義を認められ、また遅れがちな作業に対しても寛大な眼でわたしたちを導いて下さった東信堂社長、下田勝司氏、そして校正を担当され訳文の改善のために多大の助力を下さった東信堂編集部の杉山肇氏、二宮義隆氏には心からの謝意を述べさせていただきたい。

　　　2003年7月

　　　　　　　　　　　　　　　　　　　　　白山連峰を望見して
　　　　　　　　　　　　　　　　　　　　　　　山　本　　達

人名索引

ア行

アイアコッカ Iacocca, L. 116,121
アイヒマン Eichmann, A. 41-43,54,127,199
アインシュタイン Einstein, A. 205
アウグスティヌス Augustinus 21
アベラルドゥス Abaelard 21
アリスティッポス Aristipp 7
アリストテレス Aristoteles 3,6,7,17,20,77
アーレント Arendt, H. 41-43,127
ヴァイシェデル Weischedel, W. 61,76,78-83,105,106,154,236
ヴァイツェンバウム Weizenbaum, J. 126
ヴァイツゼッカー Weizsäcker, K.F.v. 211,213
ヴァイツゼッカー Weizsäcker, R.v. 43
ウィグナー Wigner, E.P. 205
ヴィトゲンシュタイン Wittgenstein, L. 104,106,164,165
ヴィルシュテッター Willstätter, R. 202,203,219
ヴェーバー Weber, M. 5,162,163,170,171
ウエルトフィシュ Weltfish, G. 210,239
ヴェルナー Werner, H.J. 57,58,61,62
ヴェルハアーネ Werhane, P.H. 238
ヴォルテール Voltaire 205
エピクロス Epikur 7
オッペンハイマー Oppenheimer, R. 212,213
オーバーマイアー Obermeier, O.P. 225
オルネ Orne, M.T. 195

カ行

ガイガー Geiger, A. 202,216
カミュ Camus, A. 72,95

カント Kant, I. 7-9,13,22,26-35,42,50,53,55,60,63,65,70,76,134,144,166,170,171,188,235,236
キケロ Cicero 18,20,22
キットシュタイナー Kittsteiner, H.O. 24-26,30,31,34,37,38
キュンメル Kümmel, F. 40
キルケゴール Kierkegaard, S.A. 70-72,75
グラウ Grau, G. 209
クリッツィング Klitzing, K.v. 201
クロイ Kroy, M. 50
クーン Kuhn, H. 50,57
ゲーテ Goethe, J.W.v. 35,53
ケネディー Kennedy, J.F. 44,45
ゲルト Gert, B. 9
ゴフマン Goffmann, E. 112
コーペレフ Kopelew, L. 17

サ行

サルトル Sartre, J.P. 72,84,95,102,103
ジェイムズ James, W. 69
シェラー Scheler, M. 58
ジャン・パウル Jean Paul Richter 55
シュヴァイツァー Schweitzer, A. vi,68,110,133
シュタウディンガー Staudinger, H. 217-219
シュトルツェンベルク Stoltzenberg, D. 214,219-221
ジョルダーノ・ブルーノ Giordano Bruno 205
シラード Szirad, L. 205,212
スピノザ Spinoza, B.d. 205
スミス Smith, A. 31
スミス Smith, N. 60
セネカ Seneca 18,50
ソクラテス Sokrates iii,6,36,71

タ行

タイシェル Teischel, O. 71-74,76
チェイン Chain, E. 208,209
チンバルド Zimbardo, P.G. 196,197
ツェッペリン Zepelin, J. 220
ティリヒ Tillich, P. 63
デモクリトス Demokritos 6,7
テラー Teller, E. 211,212,239
デリダ Derrida, J. 70
デルガード Delgado 210
ドゥロステ・ヒュルスホフ Droste-Hülshoff, A.v. 44,45
トマス・アクィナス Thomas von Aquin 19,21,24
トムプソン Thompson, P. 149

ナ行

ニーチェ Nietzsche, F. 11,36,37,51,56,70-72
ニーバー Niebuhr, R. 63
ノートカー Notker Labeo 235

ハ行

バイエルツ Bayertz, K. 111
ハイゼンベルク Heisenberg, W.K. 178, 211,213
ハイデガー Heidegger, M. 72,75,76,78,95
パウロ Paul 20,21,28
パシュキス Paschkis, V. 205
パスカル Pascal, B. 92
ハーディン Hardin, G. 11
ハート Hart, H.L.A. 142,144
ハーバー Haber, F. 202,203,214-221,239
バーバー Barber, B. 228,231
ハーン Hahn, O. 178,179,202,203,213, 215,222,239
ビアス Bierce, A. 139
ヒポクラテス Hippokrates 46,240
ヒムラー Himmler, H. 43

ヒューブナー Hübner, K. 229
ヒューム Hume, D. 134
ピルジッヒ Pirsig, R. 69
フィーザー Fieser, L. 228,229
フィシャー・ファビアン Fischer-Fabian, S. 16,45
フィロン Philon 20,21
フェヌロン Fenelon, F. 55
フス Hus, J. 16
ブッケル Buckel, W. 221-224
フッサール Husserl, E. 91
仏陀 Buddha 6,7
プラトン Platon 6,17
フランク Franck, J. 202,203,215
フランク Frank, H. 42
フランクル Frankl, V.E. 56,57
フランケナ Frankena, W.A. 171
フリッシュ Frisch, O. 178
ブリュードルン Blühdorn, J. 40
フルフト Frucht, A.H. 220
フレンチ French, P. 149,150,159
フロイト Freud, S. 24,25,36,37,40,50
ブロード Broad, C.D. 54,55
フンボルト Humboldt, K.W.v. 205
ヘアー Hare, R. 58
ヘイドン Haydon, G. 142,144
ベーテ Bethe, H.A. 178
ヘッファー Häffer, K. 126
ヘッベル Hebbel, F.C. 65
ベルゼイ Belsey, A. 208,209
ベンサム Bentham, J. 5
ボーア Bohr, N.H.D. 178
ポッパー Popper, K.R. 209,210
ホッブス Hobbes, T. 25
ボーデンハイマー Bodenheimer, E. 141, 143,238
ボナヴェントゥラ Bonaventura 19,21,24
ボームリンド Baumerind, D. 198
ボルン Born, M. 206,207

人名索引 265

ホワイトヘッド Whitehead, A.N. 67

マ行

マーリング Maring, M. 49
マイトナー Meitner, L. 178
マウント Mount, E. 62
マトロス Matroß, N. 59,236
マハービーラ Mahavila 6,7
ミル Mill, J.S. 5,70
ミルグラム Milgram, S. 190,191,194,195,197-200
メスバウアー Mössbauer, R. 139,140,175,201
メナンドロス Menandros 17,50
モーア Mohr, H. 225,226,228

ヤ・ラ・ワ行

ヤスパース Jaspers, K. 60,72,76,238
ユング Jung, C.G. 35,50
ヨナス Jonas, H. 131,132,144,156,162,170,188,237,238
ライナー Reiner, H. 39
ラウエ Laue, M.v. 205
ラォシェンベルガー Rauschenberger, H. 56
ラッセル Russell, B. 67
ラッド Ladd, J. 116-119,125-134,141,143,144,157,162,169,170,174,176,177
リュッベ Lübbe, H. 203,210
リューディガー Rüdiger, D. 35,40
ルソー Rousseau, J.J. 51
ルター Luther, M. 15,16,22-24
ルーマン Luhmann, N. 39
レヴィナス Lévinas, E. 71,77,78,82-95,97-103,105,144,165,168,235
レオナルド・ダ・ヴィンチ Leonardo da Vinci 218
ロートブラット Rotblat, J. 206,207
ロック Locke, J. 25,40
ロラン Rolland, R. 218,219
ワイルド Wilde, O. 44

■訳者紹介

山本　達（やまもと　たつ）

1941年	福井県生まれ
1970年	東北大学大学院文学研究科博士課程中退
現　在	福井医科大学教授
共訳書	シェーラー『宇宙における人間の地位』（白水社、1977年）、 ヨナス『責任という原理』（東信堂、2000年）
主論文	「『実践理性批判』における最高善の問題」（『思索』第17号、1984年）他

盛永　審一郎（もりなが　しんいちろう）

1948年	千葉県生まれ
1975年	東北大学大学院文学研究科博士課程中退
現　在	富山医科薬科大学教授
共訳書	ヤスパース『真理について 4』（理想社、1997年）、 ヨナス『責任という原理』（東信堂、2000年）他
共編著	『生命倫理事典』（太陽出版、2002年）他
主論文	「存在と不可侵性」（『ヘーゲル哲学研究』第7号、2001年）他

Hans Lenk
Einführung in die angewandte Ethik:
Verantwortlichkeit und Gewissen

テクノシステム時代の人間の責任と良心──現代応用倫理学入門

2003年10月10日　　初　版　第1刷発行　　　　〔検印省略〕

＊定価はカバーに表示してあります

訳者 © 山本達・盛永審一郎　　発行者　下田勝司　　　印刷・製本　中央精版印刷

東京都文京区向丘1-20-6　郵便振替 00110-6-37828
〒113-0023　TEL (03) 3818-5521㈹　FAX (03) 3818-5514
　　　　　　　E-Mail tk203444@fsinet.or.jp

発行所　株式会社　東信堂

Published by TOSHINDO PUBLISHING CO., LTD.
1-20-6, Mukougaoka, Bunkyo-ku, Tokyo, 113-0023, Japan

ISBN4-88713-518-1 C3012 Copyright© 2003 by T.Yamamoto & S.Morinaga

東信堂

責任という原理——科学技術文明のための倫理学の試み	H・ヨナス 加藤尚武監訳	四八〇〇円
主観性の復権——心身問題から『責任という原理』へ	H・ヨナス 尾形敬次訳	二〇〇〇円
哲学・世紀末における回顧と展望	H・ヨナス 宇佐美・滝口訳	二〇〇〇円
バイオエシックス入門［第三版］	H・ヨナス 加藤尚武監訳	八二六円
思想史のなかのエルンスト・マッハ	香川知晶編	二三八一円
——科学と哲学のあいだ	今井道夫編	三八〇〇円
堕天使の倫理——スピノザとサド	今井道夫	三八〇〇円
今問い直す脳死と臓器移植［第二版］	佐藤拓司	二八〇〇円
キリスト教からみた生命と死の医療倫理	澤田愛子	二〇〇〇円
空間と身体——新しい哲学への出発	浜口吉隆	二三八一円
環境と国土の価値構造	桑子敏雄	二五〇〇円
森と建築の空間史	桑子敏雄編	三五〇〇円
洞察＝想像力——近代日本 南方熊楠と	千田智子	四三八一円
——知の解放とポストモダンの教育	D・スローン 市村尚久監訳	三八〇〇円
ダンテ研究Ⅰ Vita Nuova 構造と引用	浦一章	七五七三円
ルネサンスの知の饗宴——ヒューマニズムとプラトン主義	佐藤三夫編	四四六六円
ヒューマニスト・ペトラルカ［ルネサンス叢書1]	佐藤三夫	四八〇〇円
東西ルネサンスの邂逅［ルネサンス叢書2]	根占献一	三六〇〇円
原因・原理・一者について［ジョルダーノ・ブルーノ著作集3巻] ——南蛮と補蔵氏の歴史的世界を求めて ルネサンス叢書3	加藤守通訳	三二〇〇円
ロバのカバラ ジョルダーノ・ブルーノ	N・オルディネ 加藤守通訳	三六〇〇円
三島由紀夫の沈黙 ——における文学と哲学	伊藤勝彦	二五〇〇円
愛の思想史［新版］	伊藤勝彦	二〇〇〇円
荒野にサフランの花ひらく《続・愛の思想史》 ——その死と江藤淳・石原慎太郎	伊藤勝彦	二三〇〇円
必要悪としての民主主義——政治における悪を思索する	中H・R・ヘイル 森義宗監訳	一八〇〇円
イタリア・ルネサンス事典		続刊

〒113-0023 東京都文京区向丘1-20-6
☎03(3818)5521　FAX 03(3818)5514　振替 00110-6-37828
E-mail:tk203444@fsinet.or.jp

※税別価格で表示してあります。

── 東信堂 ──

【世界美術双書】

バルビゾン派	井出洋一郎	二〇〇〇円
キリスト教シンボル図典	中森義宗	二三〇〇円
パルテノンとギリシア陶器	関 隆志	二三〇〇円
中国の版画──唐代から清代まで	小林宏光	二三〇〇円
象徴主義──モダニズムへの警鐘	中村隆夫	二三〇〇円
中国の仏教美術──後漢代から元代まで	久野美樹	二三〇〇円
セザンヌとその時代	浅野春男	二三〇〇円
日本の南画	武田光一	二三〇〇円
画家とふるさと	小林 忠	二三〇〇円
ドイツの国民記念碑──一八一三年-一九一三年	大原まゆみ	二三〇〇円

【芸術学叢書】

芸術理論の現在──モダニズムから	藤枝晃雄編	三八〇〇円
絵画論を超えて	谷川渥編	四六〇〇円
幻影としての空間──図学からみた東西の絵画	尾崎信一郎	四六〇〇円

芸術／批評 0号	責任編集 藤枝晃雄	一九〇〇円
美術史の辞典	P・デューロ他 中森義宗・清水忠訳	三六〇〇円
都市と文化財──アテネと大阪	関 隆志編	三八〇〇円
図像の世界──時・空を超えて	中森義宗	二五〇〇円
アメリカ映画における子どものイメージ──社会文化的分析	K・M・ジャクソン 牛渡 淳訳	二六〇〇円
キリスト教美術・建築事典	P・マレー・L・マレー 中森義宗監訳	続刊
イタリア・ルネサンス事典	H・R・ヘイル編 中森義宗監訳	続刊

〒113-0023 東京都文京区向丘1－20－6　☎03(3818)5521　FAX 03(3818)5514　振替 00110-6-37828
E-mail:tk203444@fsinet.or.jp

※税別価格で表示してあります。

東信堂

【現代社会学叢書】

書名	副題	著者	価格
開発と地域変動	開発と内発的発展の相克	北島　滋	三三〇〇円
新潟水俣病問題	加害と被害の社会学	飯島伸子・舩橋晴俊編著	三八〇〇円
在日華僑のアイデンティティの変容	華僑の多元的共生	過　放	四四〇〇円
健康保険と医師会	社会保険創始期における医師と医療	北原龍二	三八〇〇円
事例分析への挑戦	個人・現象への事例媒介的アプローチの試み	水野節夫	四六〇〇円
海外帰国子女のアイデンティティ	生活経験と通文化的人間形成	南　保輔	三八〇〇円
有賀喜左衛門研究	社会学の思想・理論・方法	北川隆吉編	三六〇〇円
現代大都市社会論	分極化する都市？	園部雅久	三三〇〇円
インナーシティのコミュニティ形成	神戸市真野住民のまちづくり	今野裕昭	五四〇〇円
ブラジル日系新宗教の展開	異文化布教の課題と実践	渡辺雅子	八二〇〇円
イスラエルの政治文化とシチズンシップ		奥山眞知	三八〇〇円
正統性の喪失	アメリカの街頭犯罪と社会制度の衰退	G・ラフリー　宝月誠監訳	三六〇〇円
福祉国家の社会学 [シリーズ社会政策研究1]	21世紀における可能性を探る	三重野卓編	二〇〇〇円
福祉国家の変貌 [シリーズ社会政策研究2]	グローバル化と分権化のなかで	小笠原浩一・武川正吾編	二〇〇〇円
福祉国家の医療改革 [シリーズ社会政策研究3]	政策評価にもとづく選別	三重野卓・近藤克則編	二〇〇〇円
社会福祉とコミュニティ	共生・共同・ネットワーク	園田恭一編	三八〇〇円
新潟水俣病問題の受容と克服		堀田恭子著	四八〇〇円
新潟水俣病をめぐる制度・表象・地域		関　礼子	五六〇〇円
ホームレス ウーマン	知ってますか、わたしたちのこと	E・リーボウ　吉川徹・蒔里香訳	三三〇〇円
タリーズ コーナー	黒人下層階級のエスノグラフィ	E・リーボウ　吉川徹監訳	二三〇〇円

〒113-0023　東京都文京区向丘1-20-6
☎03(3818)5521　FAX 03(3818)5514　振替 00110-6-37828
E-mail:tk203444@fsinet.or.jp

※税別価格で表示してあります。

━━ 東信堂 ━━

大学の自己変革とオートノミー——点検から創造へ	寺﨑昌男	二五〇〇円
大学教育の創造——歴史・システム・カリキュラム	寺﨑昌男	二五〇〇円
大学教育の可能性——教養教育・評価・実践・	寺﨑昌男	二五〇〇円
〔シリーズ教養教育改革ドキュメント・監修寺崎昌男・絹川正吉〕立教大学へ〈全カリ〉のすべて——リベラル・アーツの再構築	全カリの記録編集委員会編	二一〇〇円
ICUへリベラル・アーツのすべて	絹川正吉編著	二三八一円
大学の授業	宇佐美 寛	二五〇〇円
作文の論理——〈わかる文章〉の仕組み	宇佐美 寛	一九〇〇円
大学院教育の研究	バートン・R・クラーク編 潮木守一監訳	五六〇〇円
大学史をつくる——沿革史編纂必携	寺崎・別府・中野編	五〇〇〇円
大学の誕生と変貌——ヨーロッパ大学史断章	横尾壮英	三二〇〇円
大学授業研究の構想——過去から未来へ	H・R・ケルズ 喜多村舘坂本訳	二四〇〇円
大学評価の理論と実際——自己点検・評価ハンドブック	京都大学高等教育教授システム開発センター編	三二〇〇円
アメリカの大学基準成立史研究——「アクレディテーション」の原点と展開	前田早苗	三八〇〇円
大学力を創る：FDハンドブック	大学セミナー・ハウス編	二三八一円
私立大学の財務と進学者	丸山文裕	三五〇〇円
私立大学の経営と教育	丸山文裕	三六〇〇円
短大ファーストステージ論	高鳥正夫編	二〇〇〇円
短大からコミュニティ・カレッジへ——飛躍する世界の短期高等教育と日本の課題	舘 昭編	二五〇〇円
夜間大学院——社会人の自己再構築	新堀通也編著	三二〇〇円
現代アメリカ高等教育論	喜多村和之	三六八九円
アメリカの女性大学・危機の構造	坂本辰朗	二四〇〇円
アメリカ大学史とジェンダー	坂本辰朗	五四〇〇円
アメリカ教育史の中の女性たち——ジェンダー、高等教育、フェミニズム	坂本辰朗	三八〇〇円

〒113-0023 東京都文京区向丘1-20-6　☎03(3818)5521　FAX 03(3818)5514　振替 00110-6-37828
E-mail:tk203444@fsinet.or.jp

※税別価格で表示してあります。

――東信堂――

東京裁判から戦後責任の思想へ〔第四版〕	大沼保昭	三三〇〇円
〔新版〕単一民族社会の神話を超えて	大沼保昭	三六八九円
なぐられる女たち――世界女性人権白書	外務省・小寺初世子 鈴木・米田訳	二八〇〇円
地球のうえの女性――男女平等のススメ	小寺初世子	一九〇〇円
国際人権法入門	T・バーゲンソル 小寺初世子訳	二八〇〇円
摩擦から協調へ――ウルグアイラウンド後の日米関係	中川淳司編	三八〇〇円
入門 比較政治学――民主化の世界的潮流を解読する	H・J・ウィアルダ 大木啓介訳	二九〇〇円
国家・コーポラティズム・社会運動――制度と集合行動の比較政治学	T・ショーエンブム	五四〇〇円
ポスト冷戦のアメリカ政治外交――残された「超大国」のゆくえ	桐谷仁	三八〇〇円
巨大国家権力の分散と統合――現代アメリカの政治制度	小林弘二	三八〇〇円
ポスト社会主義の中国政治――構造と変容	三好陽編	三八〇〇円
プロブレマティーク国際関係	今村浩編	四三〇〇円
クリティーク国際関係学	阿南東也	三二〇〇円
軍縮問題入門〔第二版〕	関下稔他編	二〇〇〇円
PKO法理論序説	黒沢満編	二三〇〇円
刑事法の法社会学――マルクス、ヴェーバー、デュルケム	中川涼司編 松村・宮澤・川井・土井訳	四四六六円
世界の政治改革――激動する政治とその対応	藤本一美編	四六六〇円
時代を動かす政治のことば――尾崎行雄から小泉純一郎まで	読売新聞政治部編	一八〇〇円
〔現代臨床政治学叢書・岡野加穂留監修〕		
村山政権とデモクラシーの危機	岡野加穂留 藤本一美編	四二〇〇円
比較政治学とデモクラシーの限界	岡野加穂留 大六野耕作編	四二〇〇円
政治思想とデモクラシーの検証	岡野加穂留 伊藤重行編	三八〇〇円
〔シリーズ〈制度のメカニズム〉〕		
アメリカ連邦最高裁判所	大越康夫	一八〇〇円
衆議院――そのシステムとメカニズム	向大野新治	一八〇〇円

〒113-0023 東京都文京区向丘1-20-6 ☎03(3818)5521 FAX 03(3818)5514 振替 00110-6-37828
E-mail:tk203444@fsinet.or.jp

※税別価格で表示してあります。